EDICIÓN BILINGÜE
BENDECIDOS

Autores de la serie

Rev. Richard N. Fragomeni, Ph.D.
Maureen Gallagher, Ph.D.
Jeannine Goggin, M.P.S.
Michael P. Horan, Ph.D.

Corredactora y asesora para la Sagrada Escritura
Maria Pascuzzi, S.S.L., S.T.D.

Asesor para el patrimonio cultural hispánico y latinoamericano
Rev. Virgilio Elizondo, S.T.D., Ph.D.

The Ad Hoc Committee to Oversee the Use of the Catechism, United States Conference of Catholic Bishops, has found this catechetical series, copyright 2008, to be in conformity with the *Catechism of the Catholic Church*.

El Comité Ad Hoc para Supervisar el Uso del Catecismo, de la Conferencia de Obispos Católicos de los Estados Unidos, consideró que esta serie catequética, copyright 2008, está en conformidad con el *Catecismo de la Iglesia Católica*.

RCL
Benziger®

Cincinnati, Ohio

ROMAN MISSAL
THIRD EDITION

Multicultural Consultant

Angela Erevia, M.C.D.P., M.R.E.

Language Consultants

Verónica Esteban, Stefan Nikolov, Luz Nuncio Schick

Hispanic Consultants

Rev. Antonio Almonte

Humberto Ramos

Rev. Carlos Zuñiga

Consuelo Wild and the National Catholic Office
    for the Deaf

Mexican American Cultural Center

Music Advisors

Tony Alonso and GIA Publications

Níhil Óbstat

M. Kathleen Flanagan, S.C., Ph.D.

Censor Librorum

Imprimátur

✠ Reverendísimo Arthur J. Serratelli

Obispo de Paterson

4 de enero de 2007

El níhil óbstat y el imprimátur son declaraciones oficiales de que un libro o folleto no contiene ningún error doctrinal ni moral. Dichas declaraciones no implican que quienes han otorgado el níhil óbstat y el imprimátur estén de acuerdo con el contenido, las opiniones o los enunciados expresados.

Acknowledgments

Excerpts from *Catholic Household Blessings and Prayers* (revised edition) ©2007, United States Conference of Catholic Bishops, Washington, D.C.

Excerpts from the *New American Bible* with Revised New Testament Copyright © 1986, 1970 Confraternity of Christian Doctrine, Inc., Washington, DC. Used with permission. All rights reserved. No portion of the *New American Bible* may be reprinted without permission in writing from the copyright holder.

Excerpts from *La Biblia Latinoamericana* © 1972 by Bernardo Hurault and the Sociedad Bíblica Católica Internacional (SOBICAIN), Madrid, Spain, used with permission. All rights reserved.

All adaptations of Scripture are based on the *New American Bible* with Revised New Testament Copyright © 1986, 1970 Confraternity of Christian Doctrine, Inc., Washington, DC, and on *La Biblia Latinoamericana* © 1972.

Excerpts from the English translation of *Rite of Marriage* © 1969, International Committee on English in the Liturgy, Inc. (ICEL); excerpts from the English translation of *Rite of Baptism for Children* © 1969, ICEL; excerpts from the English translation of *The Ordination of Deacons, Priests, and Bishops* © 1969, ICEL; excerpts from the English translation of *Rite of Penance* © 1974, ICEL; excerpts from the English translation of *Eucharistic Prayers for Masses with Children* © 1975, ICEL; excerpts from the English translation of *Rite of Confirmation (Second Edition)* © 1975, ICEL; excerpts from the English translation of *Liturgy of the Hours,* © 1976, ICEL; excerpts from *Pastoral Care of the Sick: Rites of Anointing and Viaticum* © 1982; excerpts from the English translation of *Rite of Christian Initiation of Adults* 1985, ICEL; excerpts from the English translation of *The Roman Missal,* © 2010, ICEL. All rights reserved.

Excerpts from the Spanish translation of *Ritual para el Matrimonio* © 2007, Conferencia del Episcopado Mexicano and Obra Nacional de la Buena Prensa, A.C.; excerpts from the Spanish translation of *Ritual para el Bautismo de los niños* © 1975, Comisión Episcopal de Pastoral Litúrgica de México and Obra Nacional de la Buena Prensa, A.C.; excerpts from the Spanish translation of *Ritual de la Ordenación del Obispo, de los Presbíteros y de los Diáconos* © 2005, Conferencia del Episcopado Mexicano and Obra Nacional de la Buena Prensa, A.C.; excerpts from the Spanish translation of *Ritual de la Penitencia* © 1975, Conferencia del Episcopado Mexicano and Obra Nacional de la Buena Prensa, A.C.; excerpts from the Spanish translation of *Plegarias Eucarísticas para las Misas con niños* © 1975, Conferencia del Episcopado Mexicano and Obra Nacional de la Buena Prensa, A.C.; excerpts from the Spanish translation of *Ritual para la Confirmación (Second Edition)* © 1998 and 1999, Conferencia del Episcopado Mexicano and Obra Nacional de la Buena Prensa, A.C.; excerpts from the Spanish translation of *Liturgia de las horas,* © 2006, Obra Nacional de la Buena Prensa, A.C.; excerpts from *Cuidado Pastoral de los Enfermos: Ritos de la Unción y del Viático* © 1993, Comisión Episcopal de Pastoral Litúrgica de México and Obra Nacional de la Buena Prensa, A.C.; excerpts from the Spanish translation of *Ritual de la Iniciación Crisitiana de Adultos* © 1993, Obra Nacional de la Buena Prensa, A.C.; excerpts from the Spanish translation of *Misal Romano,* © 1975, Conferencia del Episcopado Mexicano and Obra Nacional de la Buena Prensa, A.C. All rights reserved.

Credits

COVER: Gene Plaisted, OSC/The Crosiers

SCRIPTURE ART: Tim Ladwig

ALL OTHER ART: 8-9 Diane Paterson; 15 Tjagny-Rjadno; 22-23, 202-203 Elizabeth Wolf; 26-27, 334-335, 354-355 Pauline Howard; 34-35, 174-175, 240-243, 286-289, 346-347 David Coulson; 40-41, 136-137 Judy Jarrett; 48-49 Burgandy Beam; 54-55, 122-123, 212-213 Patti Green; 60-61, 92-93, 134-135(T) Roman Dunets; 68-69(T) Gershom Griffith; 68-69(B), 196-197 Kat Thacker; 76-77, 302-303 Diana Magnuson; 86-87, 350-351(T) Morella Fuenmayor; 94-95 Scott Cameron; 100-101, 214-215 Reggie Holladay; 106-107, 272-273, 345-346 Lyn Martin; 112-113 Jean & Mou-Sien Tseng; 128-129 Joseph Hammond; 134-135(B), 324-327 Phyllis Pollema-Cahill; 140-141 Dorothy Stott; 152-155, 220-221 Guy Porfirio; 160-161 David Helton; 166-167, 308-309 Jane Conteh Morgan; 168-169 Marion Eldridge; 182-183 John Hovell; 188-189, 280-281 Carla Kiwior; 194-195 Judy Stead; 228-229, 260-261 Chris Reed; 248-249 Paula Wendland; 256-257 Sandy Rabinowitz; 266-267 Eldon Doty; 292-293 Heather Holbrook; 314-315 Louise M. Baker; 316-317 Emily Thompson; 330-331 Winifred Barnum-Newman; 338-339, 362-363 Bernard Adnet; 342-343 Carolyn Croll; 350-351(B) Sandy Rabinowitz; 356-357 Lori McElrath Eslick; 360-361 David Bathurst; 400-401 Cindy Rosenheim

PHOTOS: Every effort has been made to secure permission and provide appropriate credit for photographic material. The publisher deeply regrets any omission and pledges to correct errors called to its attention in subsequent editions. Unless otherwise acknowledged, all photographs are the property of Scott Foresman, a division of Pearson Education. 16 Gene Plaisted, OSC/The Crosiers; 17 AP/Wide World; 22-23(Bkgd) Wolfgang Kaehler/Corbis; 32-33(R) Margie Politzer/Photo Researchers; 32-33(L) ©Adam Woolfitt/Corbis; 34-35 Alain Evrard/Photo Researchers; 36-37(Bkgd) ©Bettmann/Corbis; 36-37(BCR) John Isaac/UN/DPI; 36-37(BCL) John Isaac/UN/DPI; 36-37(BL) John Isaac/UN/DPI; 36-37(BR) John Isaac/UN/DPI; 36-37(BC) Mark Goebel Painet, Inc.; 42-43 Gene Plaisted, OSC/The Crosiers; 44-45(BR) Tony Freeman/PhotoEdit; 50-51(Bkgd) Digital Vision; 60-61(B) The Granger Collection, New York; 62-63(BL) Chris Sheridan; 62-63(CR) Chris Sheridan; 62-63(CL) H. Rogers; 62-63(TR) Tom Stewart/Corbis; 64-65(Bkgd) David Orbock/Panoramic Images; 74-75 H. Rogers; 82-83(Bkgd) Erich Lessing/Art Resource, NY; 82-83(Inset) Benjamin Rondel/Corbis; 92-93 Photofest; 96-97(Bkgd) Richard Cummins/Corbis; 102-103(B) Daemmrich Photography; 104-105 Dennis MacDonald/PhotoEdit; 110-111(Bkgd) ©Tom Bean/Getty Images/Stone; 120-121(CL) Myrleen Ferguson Cate/PhotoEdit; 120-121(BR) Jeff Greenberg/Unicorn Stock Photos; 120-121(TR) ©Chronis Jons/Getty Images/Stone; 124-125(Bkgd) SuperStock; 138-139(Bkgd) Arturo Mari/AP/Wide World; 142-143(Inset) Scala/Art Resource, NY; 142-143(Bkgd) Thomas Nebbia/NGS Image Collection; 146-147(T) Index Stock Imagery; 146-147(B) Jim Whitmer; 146-147(C) AFP/Getty Images; 156-157 Picture Press/Photo Library; 162-163 Chromosohm/Sohm MCMXCII/Unicorn Stock Photos; 170-171 Barnabas Kindersley/DK Images; 180-181(T) Catholic News Service; 180-181(B) O. Stephen P. Davis(B); 184-185 ©Terry Donnelley; 192-193 All rights reserved Vie de Jésus MAFA, 24 Rue du Maréchal Joffre, F-7800 Versailles; 198-199 CLEO; 202-203(Inset) Réunion des Musées Nationaux/Art Resource, NY; 216-217 ©Charlie Waite/Getty Images/Stone; 226-227(BL) Gene Plaisted, OSC/The Crosiers; 226-227(TR) Michael Newman/PhotoEdit; 230-231(Bkgd) Ron Thomas/FPG International LLC; 234-235(L) Ed Bock/Corbis; 234-235(C) Michael Newman/PhotoEdit; 234-235(TR) Daemmrich Photography; 244-245(Bkgd) ©Cosmo Condina/Getty Images/Stone; 258-259(Bkgd) ©Tony Arruza/Getty Images/Stone; 262-263(Bkgd) ©Richard Iwasaki/Getty Images/Stone; 266-267(T) David Young-Wolff/PhotoEdit; 274-275(T) ©Todd Gipstein/Corbis; 274-275(CR) Michael Newman/PhotoEdit; 274-275(CL) Jonathan Nourok/PhotoEdit; 274-275(B) ©John Fortunato; 276-277 Johnny Crawford/Image Works; 282-283(T) Daemmrich Photography; 282-283(B) Tony Freeman/PhotoEdit; 284-285 Myrleen Ferguson Cate/PhotoEdit; 286-287(TR) Rob Lewine/©Rob Lewine; 286-287(CR) Myrleen Ferguson Cate/PhotoEdit; 286-287(B) Myrleen Ferguson Cate/PhotoEdit; 290-291(Bkgd) David J. Boyle/Animals Animals/Earth Scenes; 294-295 Bob Daemmrich/Image Works; 300-301 ©John H. White; 304-305 Europen Space Agency; 316-317 Corbis; 318-319 Olney Vasan/Stone; 322-323 Adoration of the Magi,Sarvepalli Prasad//SuperStock; 332-333 Stephen McBrady/PhotoEdit; 336-337 Adoration of the Magi,Sarvepalli Prasad//SuperStock; 348-349 Museo dell'Opera del Duomo, Siena, Italy/Bridgeman Art Library International Ltd.; 352-353 ©The Putnam Foundation, Timken Museum of Art, San Diego; 358-359 Tony Freeman/PhotoEdit; 364-365 Marquette University Archives; 366-367(T) Andrea Wells Photography; 368-369 All rights reserved Vie de Jésus MAFA, 24 Rue du Maréchal Joffre, F-7800 Versailles; 370-371(C) Tony Freeman/PhotoEdit; 372-373(TC) H. Rogers; 372-373(B) Jim Whitmer; 372-373(BC) ©W.P. Wittman; 382-383 ©Don Smetzer/Getty Images/Stone; 388-389 ©Bill Wittman; 390-391 Jim Whitmer; 392-393 Index Stock Imagery; 394-395 Diane Thomas Lincoln, 1986. "Madonna of the Streets," Acrylic, sand, faux mosaic on birch. 5' x 5'

8th Printing. January 2014.

CONTENIDO

La Biblia 7

Oremos 12

Canto del programa "Bendecidos" 20

UNIDAD 1

La Iglesia es una **22**

♪ **Canto de la unidad** **24**

1. **El Espíritu Santo nos guía para formar la Iglesia** **26**
2. **Recibimos los Sacramentos de la Iniciación** **40**
3. **Demostramos nuestro amor los unos por los otros** **54**
4. **Jesús nos enseña a rezar** **68**

La fe en acción **Ministerio parroquial:** • Catequistas, p. 38 • Padrino o madrina de confirmación, p. 52 • Ayudar a los pobres y desamparados, p. 66 • Grupos de oración, p. 80

UNIDAD 2

La iglesia es santa **82**

♪ **Canto de la unidad** **84**

5. **Jesús nos enseña a perdonar y curar** **86**
6. **Celebramos la reconciliación y la curación** **100**
7. **Jesús nos enseña cómo amar y cuidar de los demás** . . **114**
8. **Rezamos al Espíritu Santo** **128**

La fe en acción **Ministerio parroquial:** • Consejo parroquial, p. 98 • Ayudar a las personas que sufren, p. 112 • Ministerios juveniles, p. 126 • Pastores, p. 140

UNIDAD 3

La Iglesia es Católica **142**

♪ **Canto de la unidad** **144**

9. **Los católicos estamos "abiertos a todos"** **146**
10. **Nos reunimos para la Misa** **160**
11. **Servimos a los demás** **174**
12. **Rezamos por todos** **188**

La fe en acción **Ministerio parroquial:** • Ministros de hospitalidad, p. 158 • Monaguillo, p. 172 • Comité de mantenimiento de la parroquia, p. 186 • Grupo de rezo del Rosario en familia, p. 200

UNIDAD 4

La Iglesia es apostólica **202**

♪ **Canto de la unidad** **204**

13. **La Iglesia continúa la misión de los Apóstoles** **206**

14. **Estamos comprometidos por los sacramentos** **220**

15. **Somos fieles a nuestros compromisos** **234**

16. **Rezamos por la fe** **248**

La fe en acción **Ministerio parroquial:** • Ministros de hospitalidad, p. 218 • Monaguillo, p. 232 • Comité de mantenimiento de la parroquia, p. 246 • Grupo de rezo del Rosario en familia, p. 260

UNIDAD 5

La Iglesia tiene una misión en el mundo **262**

♪ **Canto de la unidad** **264**

17. **La Iglesia es una señal del Reino de Dios** **266**

18. **Estamos llamados a servir** **280**

19. **La Iglesia da testimonio de paz y de justicia** **294**

20. **La Iglesia reza por la paz mundial** **308**

La fe en acción **Ministerio parroquial:** • Iglesias cristianas que trabajan juntas, p. 278 • Ministerio de la Comunión para los enfermos, p. 292 • Comité de respeto por la vida, p. 306 • Planificadores de la paz, p. 320

DÍAS FESTIVOS Y TIEMPOS

El año litúrgico 324
El Adviento 330
La Navidad 334
La Cuaresma:
  Una época para prepararnos 338
Semana Santa 342

Pascua 346
Día de la Ascensión 350
María 354
Santo Domingo 358
Dorothy Day 362

NUESTRA HERENCIA CATÓLICA

Organizado de acuerdo con los 4 pilares del Catecismo

I. En qué creemos los católicos . . . 366

II. Cómo practicamos la religión
  los católicos 372

III. Cómo vivimos los católicos . . . 382

IV. Cómo rezamos los católicos . . 390

GLOSARIO **402**

ÍNDICE **410**

MAPA DE LA TIERRA SANTA **416**

CONTENTS

The Bible 7

Let Us Pray 13

Program Song "Blest Are We" 21

UNIT 1

The Church Is One 23

🎵 Unit Song 25

1. The Holy Spirit Guides Us to Become Church 27
2. We Receive the Sacraments of Initiation 41
3. We Show Our Love for One Another 55
4. Jesus Teaches Us to Pray 69

Faith in Action **Parish Ministry:** Catechists, p. 39 • Confirmation Sponsor, p. 53 • Helping Poor and Homeless People, p. 67 • Prayer Groups, p. 81

UNIT 2

The Church Is Holy 83

🎵 Unit Song 85

5. Jesus Shows Us How to Forgive and Heal 87
6. We Celebrate Reconciliation and Healing 101
7. Jesus Teaches Us How to Love and Care 115
8. We Pray to the Holy Spirit 129

Faith in Action **Parish Ministry:** The Parish Council, p. 99 • Helping People Who Are Grieving, p. 113 • Youth Ministries, p. 127 • Pastors, p. 141

UNIT 3

The Church Is Catholic 143

🎵 Unit Song 145

9. Catholics Are "Open to All" 147
10. We Gather for Mass 161
11. We Serve Others 175
12. We Pray for All People 189

Faith in Action **Parish Ministry:** Ministers of Hospitality, p. 159 • Altar Servers, p. 173 • Parish Maintenance Committee, p. 187 • Family Rosary Groups, p. 201

UNIT 4

The Church is Apostolic **203**

♪ **Unit Song** **205**

13. The Church Continues the Mission of the Apostles **207**

14. We Are Committed Through the Sacraments **221**

15. We Are Faithful to Our Commitments **235**

16. We Pray for Faith **249**

La fe en acción **Parish Ministry:** World Mission Work, p. 219 • Visions, p. 233 • Parish Music Ministry, p. 247 • Earth Stewardship Committee, p. 261

UNIT 5

The Church Has a Mission to the World **263**

♪ **Unit Song** **265**

17. The Church Is a Sign of the Kingdom of God **267**

18. We Are Called to Serve **281**

19. The Church Is a Witness for Justice and Peace **295**

20. The Church Prays for World Peace **309**

La fe en acción **Parish Ministry:** Christian Churches Working Together, p. 279 • Communion Ministry to the Sick, p. 293 • Respect Life Committee, p. 307 • Peace Planners, p. 321

FEASTS AND SEASONS

The Church Year	326	Easter	347
Advent	331	Feast of the Ascension	351
Christmas	335	Mary	355
Lent: A Time to Prepare	339	Saint Dominic	359
Holy Week	343	Dorothy Day	363

OUR CATHOLIC HERITAGE
Organized according to the 4 pillars of the Catechism

I. What Catholics Believe	367	III. How Catholics Live	383
II. How Catholics Worship	371	IV. How Catholics Pray	393
		GLOSSARY	406
		INDEX	413
		MAP OF THE HOLY LAND	416

La Biblia
The Bible

"Yo estoy con ustedes
todos los días hasta el
fin de la historia."

Mateo 28:20

"I am with you always,
until the end of the age."

Matthew 28:20

La Biblia

Como católicos, creemos que la **Biblia** es la Palabra de Dios. Creemos que el Espíritu Santo guió a las personas que escribieron la Biblia. El verdadero autor de la Biblia es Dios.

A veces, la Biblia también se llama la Sagrada Escritura. En ella hay dos partes, el **Antiguo Testamento** y el **Nuevo Testamento**.

Una colección de relatos

Los relatos de la Biblia hablan del gran amor de Dios por nosotros. Los relatos del Antiguo Testamento hablan acerca del pueblo de Dios antes de que Jesús viviera en la tierra. Leemos acerca de Dios cuando da los Diez Mandamientos a Moisés. En el Libro de los Salmos, hay muchos salmos hermosos. Los relatos del Antiguo Testamento nos ayudan a aprender sobre nuestra historia judía.

Leemos el Nuevo Testamento para aprender acerca de la vida y de las enseñanzas de Jesús. Hay cuatro libros que se llaman **Evangelios**. Fueron escritos en nombre de los discípulos, Mateo, Marcos, Lucas y Juan. Los Hechos de los Apóstoles y muchas cartas hablan sobre la vida de los primeros cristianos.

The Bible

As Catholics, we believe that the **Bible** is the Word of God. We believe that the Holy Spirit guided the people who wrote the Bible. God is the true author of the Bible.

Sometimes the Bible is called Scripture. There are two parts to the Bible, the **Old Testament**, and the **New Testament**.

A Collection of Stories

Bible stories tell of God's great love for us. The stories in the Old Testament tell about God's people before Jesus' life on earth. We read about God giving the Ten Commandments to Moses. In the Book of Psalms there are many beautiful psalms. Old Testament stories help us learn about our Jewish history.

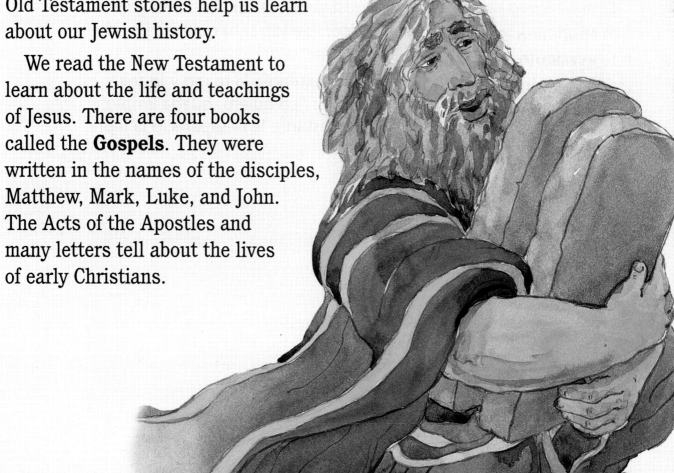

We read the New Testament to learn about the life and teachings of Jesus. There are four books called the **Gospels**. They were written in the names of the disciples, Matthew, Mark, Luke, and John. The Acts of the Apostles and many letters tell about the lives of early Christians.

Actividad

Usar la Biblia

Cada libro de la Biblia tiene capítulos y versículos.
Hay una forma especial de encontrarlos. Éste es un
ejemplo tomado de Lucas 5:13.

Lucas es el
nombre del libro

El número del **capítulo** es el 5.

Lucas 5

13 Estando Jesús en uno de esos
pueblos, se presentó un hombre
cubierto de lepra. Apenas vio a Jesús,
se postró con la cara en tierra y le
suplicó: "Señor, si tú quieres, puedes
limpiarme".

13 Jesús extendió la mano y lo tocó,
diciendo: "Lo quiero, queda limpio".
14 Y al instante le desapareció la lepra.

El número del
versículo es el 13.

¿Qué sucedió en el versículo 13?

_____

_____

Activity

Using the Bible

Each book of the Bible has chapters and verses. There is a special way to find them. Here is an example from the Gospel of Luke 5:13.

Luke is the name of the book.

The **chapter** number is 5.

Luke 5

12 Now there was a man full of leprosy in one of the towns where he was; and when he saw Jesus, he fell prostrate, pleaded with him, and said, "Lord, if you wish, you can make me clean."

13 Jesus stretched out his hand, touched him, and said, "I will do it. Be made clean." And the leprosy left him immediately.

The **verse** number is 13.

What happened in verse 13?

_____

_____

OREMOS

La Señal de la Cruz

En el nombre del Padre
   y del Hijo
   y del Espíritu Santo.
              Amén.

El Padre Nuestro

Padre nuestro, que estás en el cielo,
   santificado sea tu Nombre;
venga a nosotros tu reino;
hágase tu voluntad en la
   tierra como en el cielo.
Danos hoy nuestro pan de cada día;
perdona nuestras ofensas,
   como también nosotros perdonamos
   a los que nos ofenden;
no nos dejes caer en la tentación,
   y líbranos del mal.
              Amén.

LET US PRAY

The Sign of the Cross

In the name of the Father,
and of the Son,
and of the Holy Spirit.

Amen.

The Lord's Prayer

Our Father, who art in heaven,
    hallowed be thy name;
thy kingdom come,
thy will be done
    on earth as it is in heaven.
Give us this day our daily bread,
and forgive us our trespasses,
as we forgive those
    who trespass against us;
and lead us not into temptation,
but deliver us from evil.

Amen.

El Ave María

Dios te salve, María, llena
eres de gracia;
el Señor es contigo.
Bendita Tú eres entre todas
las mujeres, y bendito es
el fruto de tu vientre, Jesús.
Santa María, Madre de Dios,
ruega por nosotros, pecadores,
ahora y en la hora de
nuestra muerte.

Amén.

Gloria

Gloria al Padre
y al Hijo
y al Espíritu Santo.
Como era en el principio,
ahora y siempre, por los
siglos de los siglos.
Amén.

The Hail Mary

Hail, Mary, full of grace,
the Lord is with thee.
Blessed art thou among women
and blessed is the fruit
of thy womb, Jesus.
Holy Mary, Mother of God,
pray for us sinners,
now and at the hour of our death.

Amen.

Glory Be

Glory be to the Father
and to the Son
and to the Holy Spirit,
as it was in the beginning
is now, and ever shall be
world without end.

Amen.

Oración del penitente

Dios mío,
me arrepiento de todo corazón
de todo lo malo que he hecho y de todo
lo bueno que he dejado de hacer,
porque pecando te he ofendido a ti, que
eres el sumo bien y digno de ser amado
sobre todas las cosas.
Propongo firmemente, con tu gracia,
cumplir la penitencia, no volver a pecar
y evitar las ocasiones de pecado.
Jesucristo, nuestro salvador,
sufrió y murió por nosotros.
En su nombre, Dios mío, ten misericordia.

Ritual de la Penitencia

Las Últimas Siete Palabras de Cristo

Primera Palabra   "Padre, perdónalos, porque no saben lo que hacen".

Segunda Palabra   "Hoy mismo estarás conmigo en el Paraíso".

Tercera Palabra   "Mujer, ahí tienes a tu hijo... ahí tienes a tu madre".

Cuarta Palabra   "Dios mío, Dios mío, ¿por qué me has abandonado?"

Quinta Palabra   "Tengo sed".

Sexta Palabra   "Todo está cumplido".

Séptima Palabra   "Padre, en tus manos encomiendo mi espíritu".

Oración a Nuestra Señora de Guadalupe

Salve, ¡oh, Virgen de Guadalupe,
    Emperatriz de las Américas!
Mantén por siempre bajo tu poderoso
    patronato la pureza y la integridad de
    nuestra Santa Fe en todo el continente
    americano.

Amén.

Papa Pío XII
Versión traducida

Act of Contrition

My God,
I am sorry for my sins with all my heart.
In choosing to do wrong
and failing to do good,
I have sinned against you
whom I should love above all things.
I firmly intend, with your help,
to do penance,
to sin no more,
and to avoid whatever leads me to sin.
Our Savior Jesus Christ
suffered and died for us.
In his name, my God, have mercy.

Rite of Penance

The Seven Last Words of Christ

First Word   "Father, forgive them, they know not what they do."

Second Word   "Today you will be with me in Paradise."

Third Word   "Woman, behold, your son... Behold, your mother."

Fourth Word   "My God, my God, why have you forsaken me?"

Fifth Word   "I thirst."

Sixth Word   "It is finished."

Seventh Word   "Father, into your hands I commend my spirit."

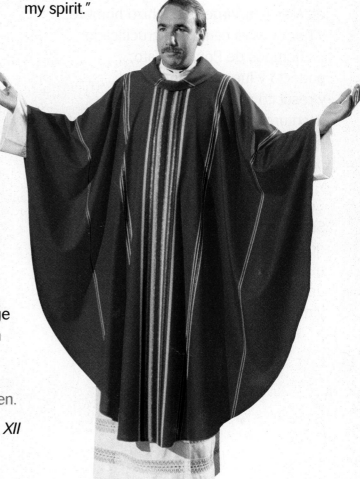

Prayer to Our Lady of Guadalupe

Hail, O Virgin of Guadalupe,
    Empress of America!
Keep forever under your powerful patronage
    the purity and integrity of Our Holy Faith
    on the entire American continent.

Amen.

Pope Pius XII

El Credo de Nicea

Creo en un solo Dios, Padre Todopoderoso,
Creador del cielo y de la tierra,
de todo lo visible y lo invisible.
Creo en un solo Señor, Jesucristo,
Hijo único de Dios,
nacido del Padre antes de todos los siglos:
Dios de Dios,
Luz de Luz,
Dios verdadero de Dios verdadero,
engendrado, no creado,
de la misma naturaleza del Padre,
por quien todo fue hecho;
que por nosotros, los hombres, y por
nuestra salvación bajó del cielo,
y por obra del Espíritu Santo se encarnó
de María, la Virgen, y se hizo hombre;
y por nuestra causa fue crucificado
en tiempos de Poncio Pilato;
padeció y fue sepultado,
y resucitó al tercer día, según las
Escrituras, y subió al cielo, y está sentado
a la derecha del Padre; y de nuevo vendrá
con gloria para juzgar a vivos y muertos,
y su reino no tendrá fin.
Creo en el Espíritu Santo,
Señor y dador de vida,
que procede del Padre y del Hijo,
que con el Padre y el Hijo recibe
una misma adoración y gloria,
y que habló por los profetas.

Creo en la Iglesia, que es una,
santa, católica y apostólica.
Confieso que hay un solo Bautismo
para el perdón de los pecados.
Espero la resurrección de los muertos
y la vida del mundo futuro.

Amén.

El Credo de los Apóstoles

Creo en Dios, Padre Todopoderoso,
Creador del cielo y de la tierra.
Creo en Jesucristo, su único Hijo, nuestro
 Señor,
que fue concebido por obra y gracia del
 Espíritu Santo,
nació de Santa María Virgen, padeció bajo
 el poder de Poncio Pilato,
fue crucificado, muerto y sepultado,
descendió a los infiernos, al tercer día
 resucitó de entre los muertos,
subió a los cielos
y está sentado a la derecha de Dios, Padre
 Todopoderoso.
Desde allí ha de venir a juzgar a vivos y
 muertos.
Creo en el Espíritu Santo,
la santa Iglesia católica, la comunión de
 los santos, el perdón de los pecados, la
 resurrección de la carne
 y la vida eterna.

Amén.

The Nicene Creed

I believe in one God,
the Father almighty,
maker of heaven and earth,
of all things visible and invisible.

I believe in one Lord Jesus Christ,
the Only Begotten Son of God,
born of the Father before all ages.
God from God, Light from Light,
true God from true God,
begotten, not made,
    consubstantial with the Father;
through him all things were made.
For us men and for our salvation
he came down from heaven,
and by the Holy Spirit was incarnate
of the Virgin Mary,
and became man.

For our sake he was crucified
    under Pontius Pilate,
he suffered death and was buried,
and rose again on the third day
in accordance with the Scriptures.
He ascended into heaven
and is seated at the right hand
    of the Father.
He will come again in glory
to judge the living and the dead
and his kingdom will have no end.

I believe in the Holy Spirit, the Lord,
    the giver of life,
who proceeds from the Father and the Son,
who with the Father and the Son
    is adored and glorified,
who has spoken through the prophets.

I believe in one, holy, catholic and
    apostolic Church.
I confess one Baptism for the
    forgiveness of sins
and I look forward to the resurrection
    of the dead
and the life of the world to come.

Amen.

The Apostles' Creed

I believe in God,
the Father almighty,
Creator of heaven and earth,
and in Jesus Christ, his only Son, our Lord,
who was conceived by the Holy Spirit,
born of the Virgin Mary,
suffered under Pontius Pilate,
was crucified, died and was buried;
he descended into hell;
on the third day he rose again from the dead;
he ascended into heaven,
and is seated at the right hand of
    God the Father almighty;
from there he will come to judge the
living and the dead.

I believe in the Holy Spirit,
the holy catholic Church,
the communion of saints,
the forgiveness of sins,
the resurrection of the body,
and life everlasting.

Amen.

BENDECIDOS

ESTRIBILLO

¡Ben - de - ci - dos, so - mos san - tos hi - jos de la luz!

Ben - de - ci - dos, y e - le - gi - dos por Dios.

Ben - de - ci - dos, Dios nos quie - re ha - cer cual Je - sús.

*

¡Ben - de - ci - dos, so - mos los hi - jos de Dios!

ESTROFAS

Cantor: *Todos:*

1. Por el mun - do, por to - dos sus pue - blos: ¡So - mos lla - ma - dos
2. Por los po - bres, los man - sos y hu - mil - des: ¡So - mos lla - ma - dos
3. Por los que su - fren y quie - ren ser li - bra - dos: ¡So - mos lla - ma - dos

Cantor:

pa - ra ser - vir! Que nos a - me - mos los u - nos a los o - tros;
pa - ra ser - vir! Por los en - fer - mos, ham - brien - tos, y dé - bi - les:
pa - ra ser - vir! Ven - ga a no - so - tros el Rei - no de los Cie - los:

Todos: D.C.

¡So - mos lla - ma - dos pa - ra ser - vir!
¡So - mos lla - ma - dos pa - ra ser - vir!
¡So - mos lla - ma - dos pa - ra ser - vir!

*Repita última vez

Texto: David Haas, trad. por Ronald F. Krisman
Música: David Haas
© 2003, GIA Publications, Inc.

BLEST ARE WE

REFRAIN

Blest are we, ho - ly chil - dren of light are we!

Blest are we, cho - sen peo - ple of God.

Blest are we, God has plans for you and me.

Blest are we! We are the chil - dren of God!

VERSES

Cantor: / *All:*

1. For our world, each sis - ter and broth - er: We are called,
2. For the poor, the meek and the low - ly: We are called,
3. For all those who yearn for free - dom: We are called,

Cantor:

called to serve! We are here to love one an - oth - er:
called to serve! For the weak, the sick and the hun - gry:
called to serve! For the world, to be God's king - dom:

All: / *D.C.*

We are called, called to serve!
We are called, called to serve!
We are called, called to serve!

Last time, repeat final 4 bars.

Text: David Haas
Tune: David Haas
© 2003, GIA Publications, Inc.

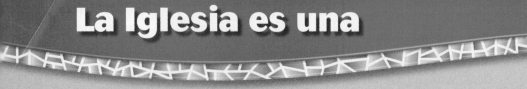

Nuestra fe en el Señor Jesucristo nos une. Como católicos, también nos unen los sacramentos, que fortalecen nuestra fe.

*Hay un solo cuerpo y un mismo espíritu…
un solo Dios y Padre de todos.*

Basado en Efesios 4:4–6

Pablo viajó hacia la ciudad de Éfeso para difundir la Buena Nueva acerca de Jesucristo. El mapa muestra los viajes que hizo Pablo para hablar a las personas del Cristo Resucitado.

The Church Is One

Our faith in the Lord Jesus Christ brings us together. As Catholics, we are also brought together by the sacraments, which make our faith strong.

*There is one body and one Spirit…
one God and one Father of us all.*
Based on Ephesians 4:4–6

Paul traveled to the city of Ephesus to spread the Good News about Jesus Christ. The map shows the journeys that Paul took to tell people about the Risen Christ.

Paul's Journeys

Rome
ITALY
Thessalonica
Philippi
GREECE
Corinth
Athens
ASIA MINOR
Ephesus
Tarsus
Antioch
SYRIA
Jerusalem

1st Journey
2nd Journey
3rd Journey
Journey to Rome

Muchos miembros hay

ESTRIBILLO

Mu - chos miem - bros hay, _____ en un so - lo cuer - po;

__ nues - tros do - nes son pa - ra dar y ser - vir.

__ Que el Es - pí - ri - tu de Dios nos u - na en su a - mor;

__ com - par - tien - do el do - lor, _____ com - ba - tien - do el te -

Última vez

mor, _____ com - pla - cien - do al Se - ñor. ____

ESTROFAS

1. Oh Se - ñor, que - re - mos ser __ ser - vi - do - res
2. Mi do - lor te due - le a ti __ si te go - zas,
3. Quie - nes bus - can de ver - dad __ su ma - yor fe -

D.C.

por do - quier; __ y a la hu - ma - ni - dad lle - var tu a - mor.
soy fe - liz; __ to - do se u - ne en tor - no al Se - ñor.
li - ci - dad: __ a - men y co - no - ce - rán a Dios.

Texto: 1 Corintios 12, 13; Marty Haugen; trad. por Santiago Fernández
Música: Marty Haugen
© 1980, 1986, 2005, GIA Publications, Inc.

We Are Many Parts

REFRAIN

We are man-y parts, we are all one bod-y, and the gifts we have we are giv-en to share. May the Spir-it of love make us one in-deed; one, the love that we share, one, our hope in de-spair, one, the cross that we bear.

Last time

VERSES

1. God of all, we look to you, we would be your
2. So my pain is pain for you, in your joy is
3. All you seek-ers, great and small, seek the great-est

D.C.

ser-vants true, let us be your love to all the world.
my joy, too; all is brought to-geth-er in the Lord.
gift of all; if you love, then you will know the Lord.

Text: 1 Corinthians 12, 13; Marty Haugen
Tune: Marty Haugen
© 1980, 1986, 2005, GIA Publications, Inc.

1 El Espíritu Santo nos guía para formar la Iglesia

Tú eres Pedro, y sobre esta piedra edificaré mi Iglesia.

Mateo 16:18

Compartimos

Buena Nueva

Shandra bajó del autobús escolar y corrió a su casa. "¡Mamá!", gritó. "¡Lo logré! ¡Gané el primer premio en la feria de ciencias!"

Antes de que mamá pudiera decir "¡Qué bien!", Shandra se sentó frente a la computadora. "Tengo que escribirles al abuelo, al tío Ray, a Sarah y a Benjy".

Actividad

¿Has tenido alguna vez una noticia tan buena que no veías la hora de compartirla?
En la siguiente pantalla, manda tu correo electrónico de "buena nueva".

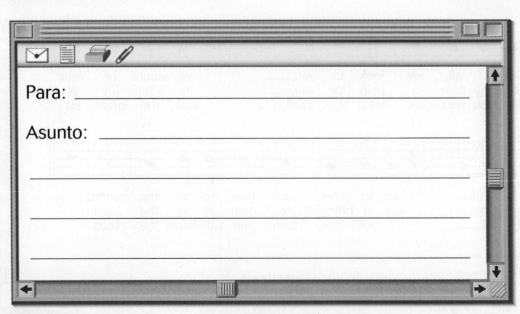

Para: _____

Asunto: _____

_____

_____

_____

1 The Holy Spirit Guides Us to Become Church

Upon this rock I will build my church.

Matthew 16:18

Share

Good News

Shandra jumped off the school bus and raced home. "Mom!" she shouted. "I did it! I won first prize in the science fair!"

Before Mom could say "Wow!," Shandra was at the computer. "I've got to e-mail Gramps and Uncle Ray and Sarah and Benjy."

Activity

Have you ever had news that was so good you couldn't wait to share it? On the screen below, send your own "good news" e-mail.

To: _____

Subject: _____

_____

_____

_____

Escuchamos y creemos

✝ La Escritura El Mensaje de San Pablo

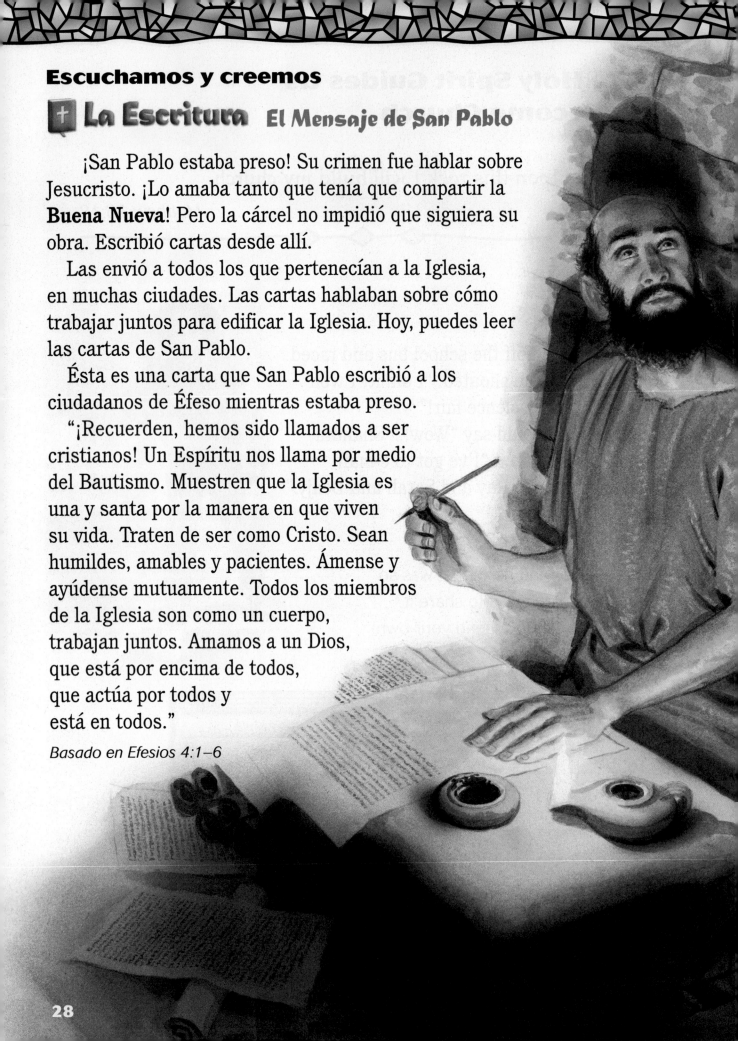

¡San Pablo estaba preso! Su crimen fue hablar sobre Jesucristo. ¡Lo amaba tanto que tenía que compartir la **Buena Nueva**! Pero la cárcel no impidió que siguiera su obra. Escribió cartas desde allí.

Las envió a todos los que pertenecían a la Iglesia, en muchas ciudades. Las cartas hablaban sobre cómo trabajar juntos para edificar la Iglesia. Hoy, puedes leer las cartas de San Pablo.

Ésta es una carta que San Pablo escribió a los ciudadanos de Éfeso mientras estaba preso.

"¡Recuerden, hemos sido llamados a ser cristianos! Un Espíritu nos llama por medio del Bautismo. Muestren que la Iglesia es una y santa por la manera en que viven su vida. Traten de ser como Cristo. Sean humildes, amables y pacientes. Ámense y ayúdense mutuamente. Todos los miembros de la Iglesia son como un cuerpo, trabajan juntos. Amamos a un Dios, que está por encima de todos, que actúa por todos y está en todos."

Basado en Efesios 4:1–6

Hear & Believe

 Scripture — Saint Paul's Message

Saint Paul was in jail! His crime was telling people about Jesus Christ. He loved Jesus so much that he had to share the **Good News!** But jail did not keep Saint Paul from this work. He wrote letters from jail.

He sent letters to all who belonged to the Church in many cities. The letters told people how to work together to build up the Church. Today, you can read Saint Paul's letters.

This is a letter that Saint Paul wrote to the people in the city of Ephesus while he was in jail.

"Remember, we have been called to be Christians! One Spirit calls us together through our baptism. Show that the church is one and holy by the way you live your lives. Try to be like Christ. Be humble, gentle, and patient. Love and help each other. All members of the Church are like one body, working together. We love one God, who is over all and through all and in all."

Based on Ephesians 4:1–6

El Espíritu Santo nos reúne

San Pablo escribió cartas a personas que hablaban idiomas diferentes y que vivían lejos unas de otras. Quería que supieran cuánto se parecían. Todas estaban bautizadas en una fe. Todas seguían las enseñanzas de Jesús. Todas creían en el amor de Dios Padre. Todas eran miembros de la Iglesia. Todas eran parte de la **Comunión de los Santos**.

Pablo les dijo que el Espíritu Santo las ayudaría a amarse mutuamente y a edificar la Iglesia.

Nuestra Iglesia nos enseña

San Pablo nos recuerda que todos están llamados a ser cristianos. Un **cristiano** es una persona que cree que Jesús es el Hijo de Dios.

Somos miembros de la **Iglesia Católica**, que estableció Jesucristo. Estamos llamados a mostrar que la Iglesia Católica es una. Dios quiere que todos los miembros de la Iglesia sean un cuerpo, que trabajen unidos para difundir la Buena Nueva sobre Jesucristo. La Iglesia es el Cuerpo de Cristo en la tierra.

Creemos

Los seguidores de Jesús forman parte de la Iglesia de Dios. Estamos bautizados en una Iglesia Católica. Jesús quiere que los miembros de la Iglesia se amen.

Palabras de fe

cristiano
Un cristiano es una persona que cree que Jesucristo es el Hijo de Dios.

Iglesia Católica
La Iglesia Católica fue establecida por Jesucristo.

The Holy Spirit Brings Us Together

Saint Paul wrote letters to people who spoke different languages and lived far away from each other. He wanted them to know how much they were alike. All were baptized into one faith. All followed Jesus' teachings. All believed that God the Father loved them. They were all members of the Church. They were all part of the **Communion of Saints**.

Paul told them that the Holy Spirit would help them love one another and build up the Church.

Our Church Teaches

Saint Paul reminds us that all people are called to be Christians. A **Christian** is a person who believes that Jesus is the Son of God.

We are members of the **Catholic Church**, the church founded by Jesus Christ. We are called to help show that the Catholic Church is one. God wants all people in the Church to be like one body, working together to help spread the Good News about Jesus Christ. The Church is the Body of Christ on earth.

Faith Words

Christian
A Christian is a person who believes that Jesus Christ is the Son of God.

Catholic Church
The Catholic Church was founded by Jesus Christ.

Respondemos

Muchas personas, una Iglesia

Si fueras un pájaro y pudieras volar por todo el mundo, verías muchas personas diferentes.

Lo mismo sucede en nuestra Iglesia. Sus miembros tienen colores, tamaños, edades y nacionalidades diferentes. Algunos son pobres y otros, ricos. Algunos están enfermos y otros, sanos. De alguna manera, otros miembros de la iglesia son diferentes de ti. Pero de muchas maneras, son iguales.

Actividades

1. Observa a los niños de las ilustraciones de las páginas 32 y 34. Elige a dos niños. Para cada uno, por turnos, menciona algo que sea diferente de ti. Luego, comparte dos cosas que sean iguales. Escribe tus respuestas en la siguiente tabla.

Diferente	Igual

Respond

Many People, One Church

If you were a bird and could fly over the whole world, you would see many different people.

The same is true in our Church. Church members come in different colors, sizes, ages, and nationalities. Some are poor and some are rich. Some are sick and some are healthy. In some ways, other church members are different from you. But in many ways, they are the same.

Activities

1. Look at the children in the pictures on pages 33 and 35. Choose two children. For each one, take turns telling one thing that is different from you. Then, share two things that are the same. Write your answers in the chart below.

Different	Same

2. Imagina que eres reportero del periódico escolar. Te han pedido que escribas un artículo llamado "La Iglesia tiene muchas caras". ¿Qué crees que significa el título? Escribe tu respuesta en el siguiente renglón.

_____

Difundir las noticias

Encierra en un círculo el número de cada fragmento de información que incluirías en tu artículo. Comparte tus elecciones y explícalas a tu grupo.

1. La Iglesia fue establecida por Jesucristo.

2. Los miembros de la Iglesia alimentan a los pobres y cuidan de los enfermos.

3. La Iglesia es una Comunión de los Santos.

4. Todos los miembros de una iglesia usan el mismo tipo de ropa.

5. A los miembros de la Iglesia se los llama a ser uno y santos.

2. Imagine you are a reporter for your school newspaper. You have been told to write an article called "The Church Has Many Faces." What do you think that title means? Write your answer on the line below.

_____

Spreading the News

Circle the number next to each bit of information you would include in your article. Share and explain your choices with your group.

1. The Church was founded by Jesus Christ.

2. Church members feed the poor and care for the sick.

3. The Church is a Communion of Saints.

4. All church members wear the same kind of clothes.

5. Church members are called to be one and holy.

✝ Celebración de la oración

Una oración de petición por la Iglesia de Dios

Líder: Jesús le dijo a Pedro, el Apóstol: "Sobre esta piedra edificaré mi Iglesia".

Todos: Guíanos para que sigamos siendo una Iglesia apostólica y fiel.

Líder: Se necesitan muchas manos para construir la Iglesia de Cristo.

Todos: Ayúdanos a ser miembros activos de la Iglesia.

Líder: Jesús dijo que, para ayudar a la Iglesia a crecer, debemos vivir en el amor. Oremos.

Todos: Oh, Dios, ayúdanos a vivir con los demás en paz y en amor. Amén.

(Compartan la Señal de la Paz.)

Basado en Mateo 16:18

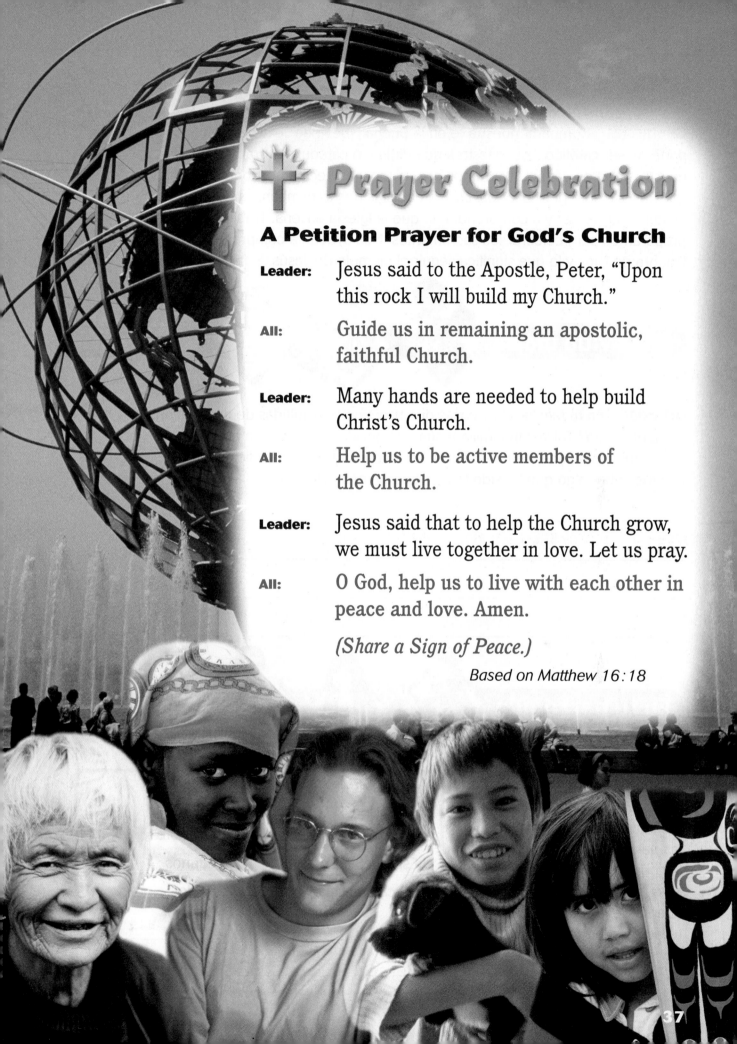

✝ Prayer Celebration

A Petition Prayer for God's Church

Leader: Jesus said to the Apostle, Peter, "Upon this rock I will build my Church."

All: Guide us in remaining an apostolic, faithful Church.

Leader: Many hands are needed to help build Christ's Church.

All: Help us to be active members of the Church.

Leader: Jesus said that to help the Church grow, we must live together in love. Let us pray.

All: O God, help us to live with each other in peace and love. Amen.

(Share a Sign of Peace.)

Based on Matthew 16:18

La fe en acción

Catequistas   Compartir nuestra fe en la Buena Nueva de Jesús es una gran parte de ser católico. Los maestros de religión, o catequistas, trabajan con nuestros padres para que abramos el corazón y así recibamos todo el amor que Jesús siente por nosotros. Los catequistas nos transmiten, es decir, nos ayudan a aprender y a comprender, lo que la Iglesia enseña. Trabajan para prepararnos para celebrar los sacramentos. Nos ayudan a comprender la Palabra de Dios y lo que significa seguir el ejemplo de Jesús.

En la vida diaria

Actividad   En tu familia, ¿hay cosas que han sido transmitidas de generación en generación? Tal vez tu familia tenga un apellido especial, una receta o una comida preciada, un relato sobre un antepasado o una tradición festiva. Escribe sobre algo que ha sido transmitido en tu familia.

_____

_____

_____

_____

En tu parroquia

Actividad   ¿Cómo aprendieron los catequistas sobre la Palabra de Dios? Encierra en un círculo las palabras que describen a las personas que pueden haber enseñado a los catequistas acerca de la fe católica. ¿Se te ocurren otras personas? Agrégalas a la tabla.

maestros de escuelas católicas	monjas
padres	sacerdotes
el Espíritu Santo	padrinos
otros catequistas	abuelos
_____	_____
_____	_____

Faith in Action

Catechists Sharing our faith in the good news of Jesus is a big part of being Catholic. Religion teachers, called catechists, work with our parents to help us open our hearts to receive all the love that Jesus has for us. Catechists pass down, or help us learn and understand what the Church teaches. They work to prepare us to celebrate the sacraments. They help us understand God's Word and what it means to follow Jesus' example.

In Everyday Life

Activity Are there some things that have been passed down through the generations in your family? Maybe your family has a special family name, a treasured recipe or food, a story about an ancestor, or a holiday tradition. Write about something that has been passed down in your family.

_____

_____

_____

_____

In Your Parish

Activity How did catechists learn about God's Word? Circle the words in the chart that describe people who may have taught the catechists you know about the Catholic faith. Can you think of other people? Add them to the chart.

Catholic school teachers	nuns
parents	priests
the Holy Spirit	godparents
other catechists	grandparents
_____	_____
_____	_____

2 Recibimos los Sacramentos de la Iniciación

Procuren, pues, queridos hermanos, ser siempre miembros vivos de la Iglesia.

Ritual para la Confirmación

Compartimos

Un amigo nuevo

El tercer grado estaba agitado. Al día siguiente, una estudiante nueva de África llegaría a la escuela. Se llamaba Abeni ¡y estaría en su salón! "¿Cómo será?" "¿La entenderemos?" "¿Se vestirá de manera diferente?" "¿Jugará bien al fútbol?" Los niños estaban ansiosos por darle la bienvenida a Abeni.

Actividad

Si a tu escuela llegara un estudiante nuevo, ¿de qué manera lo recibirías? Colorea los globos que mencionan lo que harías. Agrega algunas ideas tuyas.

Almorzar con ella.

Reír cuando se equivoca.

Caminar hasta la escuela con él.

Invitarla a estar en tu equipo.

Decir: "Hablas de manera rara".

Sonreír y decir: "¡Hola!".

2 We Receive the Sacraments of Initiation

 **LET US PRAY** Be active members of the Church, alive in Jesus Christ.

Rite of Confirmation

Share

A New Friend

The third grade was buzzing. Tomorrow a new student from Africa was coming to their school. Her name was Abeni, and she would be in their room! "What will she look like?" "Will we understand her?" "Will her clothes look different?" "Is she good at soccer?" The third graders could hardly wait to welcome Abeni.

Activity

If a new student were coming to your school, how would you welcome him or her? Color the balloons that tell the things you would do. Add some of your own ideas.

Eat lunch with her.

Laugh when he makes a mistake.

Walk to class with him.

Invite her to be on your team.

Say, "You talk funny."

Smile and say, "Hi"!

Escuchamos y creemos

El culto La Iglesia acogedora

La Iglesia da la bienvenida a los nuevos miembros a través de los **Sacramentos de la Iniciación**. Los Sacramentos de la Iniciación son: **Bautismo**, **Confirmación** y **Eucaristía**. Cada **sacramento** es el amor y la gracia de Dios celebrados de manera especial. Cristo se presenta ante nosotros en los sacramentos mediante el poder del Espíritu Santo. Dios nos da la gracia para que vivamos como sus hijos a través de los sacramentos. Los sacramentos muestran que Dios está con nosotros ahora por el poder del Espíritu Santo.

En la Confirmación, el **obispo** dice: "El Espíritu Santo infunde en nuestros corazones el amor de Dios; él es quien nos congrega en un solo cuerpo…;

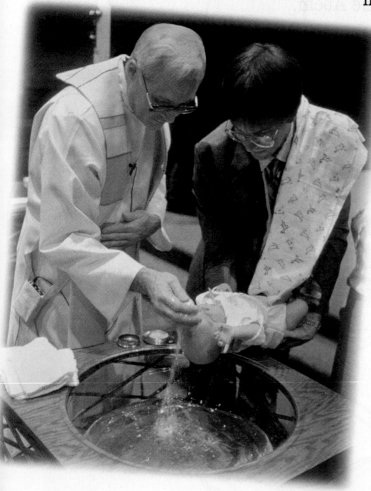

él es quien va haciendo progresar a la Iglesia en unidad y santidad… Procuren, pues, queridos hermanos, ser siempre miembros vivos de la Iglesia, y esfuércense, conducidos por el Espíritu Santo, en ser los servidores de todos los hombres".

El obispo impone las manos, o las extiende, sobre los que se están confirmando. Usa óleo consagrado para hacerles la Señal de la Cruz en la frente. El obispo reza: "Recibe por esta señal el Don del Espíritu Santo".

Ritual para la Confirmación

42

🕯 Worship Our Welcoming Church

The Church welcomes new members through celebrations called **Sacraments of Initiation**. The Sacraments of Initiation are **Baptism**, **Confirmation**, and **Eucharist**. Each **sacrament** is a special celebration of God's love and grace. Christ becomes present to us in the sacraments by the power of the Holy Spirit. God gives us the grace to live as his children through the sacraments. The sacraments show that God is with us now through the power of the Holy Spirit.

At Confirmation the **bishop** says, "The Holy Spirit fills our hearts with the love of God, brings us together in one faith… and works within us to make the Church one and holy.… Be active members of the Church, alive in Jesus Christ. Under the guidance of the Holy Spirit, give your lives completely in the service of all."

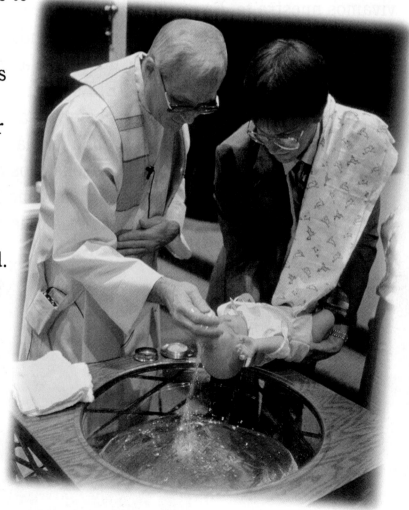

The bishop lays hands on, or extends his hands over, those being confirmed. He uses holy oil to make the Sign of the Cross on their foreheads. The bishop prays, "Be sealed with the Gift of the Holy Spirit."

Rite of Confirmation

Sacramentos de la Iniciación

Cada sacramento es una celebración especial de la Iglesia. Cada uno nos permite participar del amor y la gracia de Dios. En los sacramentos, Jesucristo se presenta ante nosotros. Los Sacramentos de la Iniciación nos reciben en la Iglesia. Cuando los celebramos, nuestra fe se fortalece. El Espíritu Santo nos reúne y trabaja en cada uno de nosotros.

Nuestra Iglesia nos enseña

A través del Bautismo, la Confirmación y la Eucaristía, somos miembros de la Iglesia. Jesucristo quiere que seamos sus **discípulos**. Quiere que vivamos nuestra **fe**. Es una tarea grande. Pero no trabajamos solos. La Iglesia nos apoya, ayudando a nuestra fe a crecer. El Espíritu Santo nos invita a creer en lo que la Iglesia enseña. Nos ayuda a vivir como la Iglesia quiere que vivamos.

Sacraments of Initiation

Each sacrament is a special celebration of the Church. Each lets us share in God's love and grace. Jesus Christ becomes present to us in the sacraments. The Sacraments of Initiation welcome us into the Church. When we celebrate these sacraments our faith becomes stronger. The Holy Spirit brings us together and works within each one of us.

Our Church Teaches

Through Baptism, Confirmation, and Eucharist, we become members of the Church. Jesus Christ wants us to be his **disciples**. He wants us to live our **faith**. It is a big job. But we do not work alone. The Church supports us, helping our faith to grow. The Holy Spirit invites us to believe in what the Church teaches. The Holy Spirit helps us to live as the Church asks us to live.

We Believe

Jesus Christ welcomes all people into his Church. Through the Sacraments of Initiation, we receive the gift of new life in Jesus Christ. The Holy Spirit helps us to live as Jesus Christ teaches.

Faith Words

sacrament
A sacrament is a special church celebration of God's love and grace.

Sacraments of Initiation
The Sacraments of Initiation are Baptism, Confirmation, and Eucharist. The Church welcomes new members through the Sacraments of Initiation.

Respondemos

Una familia nueva

Hacía varios meses que Abeni había llegado a la escuela. Ya no era una desconocida. Había hecho muchos amigos.

Un día, Abeni le contó a la clase que su madre tendría otro bebé pronto. El bebé sería bautizado en la iglesia parroquial. Todos estaban contentos, pero Abeni estaba triste. Abeni les explicó que tenía una gran familia. Sólo una parte vivía en los Estados Unidos. Estaba feliz de que su hermanita, su mamá y su papá estuvieran allí. Pero Abeni extrañaba mucho a sus abuelos y a sus primos, tías y tíos. Siempre habían estado en las celebraciones familiares. Ahora, estaban lejos, en África.

Entonces, un estudiante dijo: "Te ayudaremos a prepararte para el bautismo". "¡Sí! Iremos a la iglesia y te ayudaremos a celebrar", dijo otro. Pareció que todos los estudiantes tuvieron la misma idea a la vez: ¡serían parte de la gran familia de Abeni!

Respond

A New Family

Abeni had been in school for several months. She was no longer a stranger. She had made many friends.

One day, Abeni told the class that soon her mother would have another baby. The baby would be baptized in the parish church. Everyone was excited, but Abeni looked sad. Abeni explained to everyone that she had a big family. Only part of her family lived in the United States. She was happy that her little sister, mother and father were here. But Abeni really missed her grandparents and her cousins, aunts, and uncles. They had always been a part of family celebrations. Now, they were far away in Africa.

Then one student said, "We'll help you get ready for the baptism." "Yeah! We'll go to church and help you celebrate," said another. The students all seemed to have the same idea at once—they would become part of Abeni's big family!

Actividades

1. Los amigos de Abeni supieron cómo ser miembros activos de la Iglesia. ¿Lo sabes tú? ¿Qué puedes hacer para mostrar que eres un miembro activo de la Iglesia Católica? Escribe tus respuestas en la siguiente tabla.

Dar la bienvenida	Servir	Agradecer
_____	_____	_____
_____	_____	_____
_____	_____	_____
_____	_____	_____
_____	_____	_____

2. Completa la letra que falta en cada palabra para descubrir lo que todos los miembros de la iglesia reciben. Une las letras para hallar la palabra misteriosa. Luego escríbela en el renglón de abajo.

D__SCÍPULO   SACR__MENTO

I__TRODUCIR   EU__ARISTÍA

IGLES__A   BAUT__SMO

A__TIVO   CONFIRMACI__N

ESPÍR__TU SANTO   BIE__VENIDA

_____

Activities

1. Abeni's friends knew how to be active members of the Church. Do you? What things can you do to show you are an active member of the Catholic Church? Write your answers in the chart below.

Welcoming	Serving	Thanking

2. Fill in the missing letter in each word to discover something every church member receives. Put the letters together to find the mystery word. Then write it on the line below.

D__SCIPLE   SACR__MENT

I__TRODUCE   BAP__ISM

FA__TH   EUCHAR__ST

AC__IVE   WELC__ME

HOLY SP__RIT   CO__FIRMATION

_____

✝ Celebración de la oración

Oración de iniciación

Líder: ¡La comunidad cristiana los recibe con alegría! Yo, en su nombre, los marco con la señal de Cristo Salvador.

Todos: *(Todos hacen la Señal de la Cruz.)*

Líder: Señor Jesús, a través del Bautismo y la Confirmación, haznos seguidores y testigos fieles de tu Evangelio.

Todos: Señor, oye nuestra oración.

Líder: Señor Jesús, guíanos con el ejemplo de tu vida santa hacia la felicidad del Reino de Dios.

Todos: Señor, oye nuestra oración.

Líder: Señor Jesús, renueva en cada uno de nosotros la gracia de nuestro Bautismo.

Todos: Señor, oye nuestra oración.

Basado en el Ritual para el Bautismo

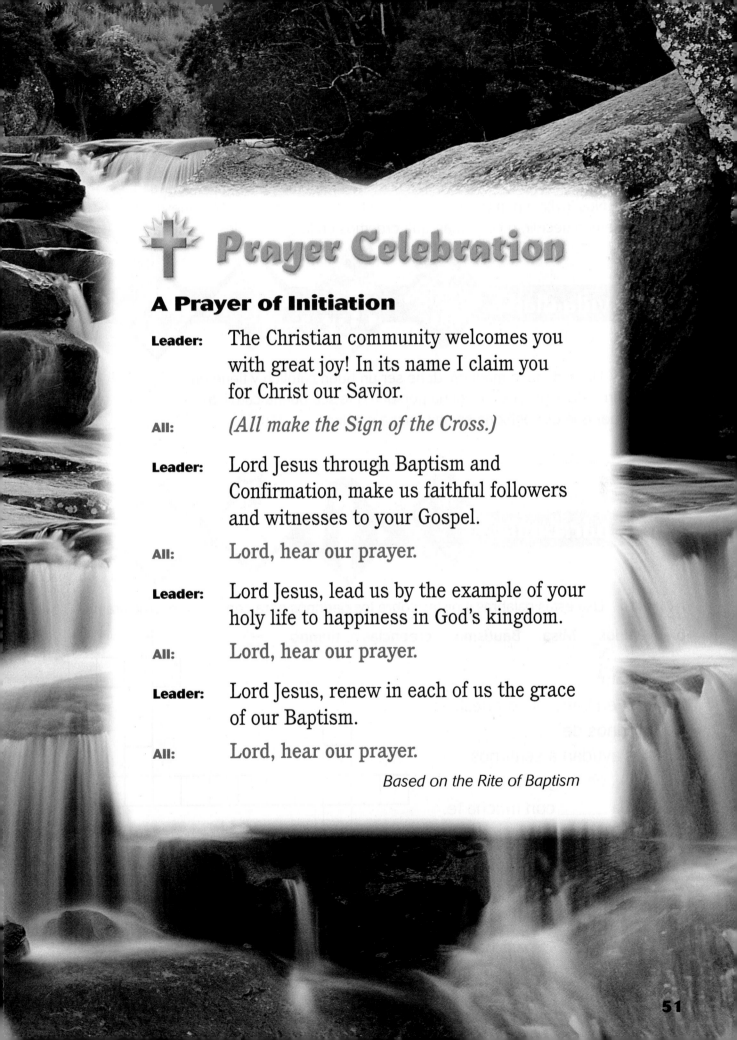

Prayer Celebration

A Prayer of Initiation

Leader: The Christian community welcomes you with great joy! In its name I claim you for Christ our Savior.

All: *(All make the Sign of the Cross.)*

Leader: Lord Jesus through Baptism and Confirmation, make us faithful followers and witnesses to your Gospel.

All: Lord, hear our prayer.

Leader: Lord Jesus, lead us by the example of your holy life to happiness in God's kingdom.

All: Lord, hear our prayer.

Leader: Lord Jesus, renew in each of us the grace of our Baptism.

All: Lord, hear our prayer.

Based on the Rite of Baptism

La fe en acción

Padrino o madrina de confirmación   Cuando nos preparamos para celebrar la Confirmación, tenemos un padrino o madrina para que nos ayude. Nos ayuda a rezarle al Espíritu Santo para que nuestra fe se fortalezca. Nos ayuda a ver que Dios nos ha dado dones especiales que podemos usar para servir a los demás. Nos invita a pensar en todo lo que hemos aprendido sobre nuestra fe, así podemos decidir, o confirmar, que creemos en lo que la Iglesia enseña.

En la vida diaria

Actividad   Un padrino, o madrina, debe ser un buen católico y tiene que estar confirmado. ¿Conoces a alguna persona que sea buena católica? Describe por qué esa persona es una buena católica.

_____

En tu parroquia

Actividad   Usa estas palabras y pistas sobre los padrinos para completar el crucigrama.

bienvenidos   Misa   Bautismo   creencias   tiempo

Horizontal

1. Pueden haber sido nuestros padrinos de _____.

3. Nos ayudan a sentirnos _____ en la Iglesia.

4. Van a _____ con mucha fe.

Vertical

1. Nos ayudan a hacer que las enseñanzas de la Iglesia sean nuestras _____.

2. Dedican _____ para hablarnos sobre nuestra fe.

Faith in Action

Confirmation Sponsor   When we prepare to celebrate Confirmation, we have a Confirmation sponsor to help us. Our sponsor helps us pray to the Holy Spirit so that our faith grows stronger. He or she helps us see that God has given us special gifts that we can use to serve others. Our sponsor invites us to think about all we have learned about our faith so that we can decide, or confirm, that we believe in what the Church teaches.

In Everyday Life

Activity   A sponsor must be a good Catholic and already confirmed. Do you know a person who is a good Catholic? Describe why that person is a good Catholic.

In Your Parish

Activity   Use these words and clues about sponsors to fill in the crossword puzzle.

welcome   Mass   Baptism   beliefs   time

Across

1. They could have been our godparents at _____.

3. They help us feel _____ at Church.

4. They go to _____ faithfully.

Down

1. They help us make the Church's teachings our own _____.

2. They take the _____ to talk to us about our faith.

3 Demostramos nuestro amor los unos por los otros

No tengo oro ni plata, pero te daré lo que tengo.

Basado en Hechos 3:6

Compartimos

Dios quiere que los miembros de la familia se amen y se cuiden. En nuestra familia, trabajamos y jugamos juntos. Compartimos y rezamos juntos. Nos respetamos y nos ayudamos. Cada uno puede elegir hacer algo que haga que una familia se ame más y sea más feliz.

Actividad

Lee las siguientes frases. Encierra en un círculo el número de la frase que dice lo que puedes hacer para que tu familia sea feliz. En el rompecabezas, colorea los espacios numerados que se relacionan con los números elegidos. ¿Qué símbolo especial encuentras?

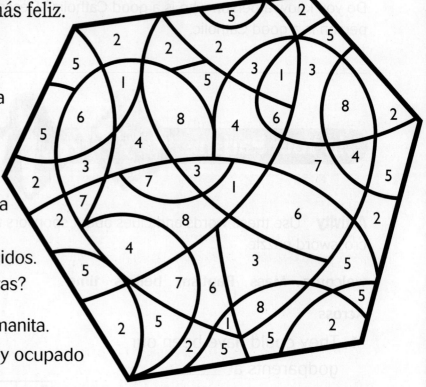

1. Leerle a mi hermanito o hermanita.
2. Decirle a papá que estoy muy ocupado para ayudarlo en el jardín.
3. Rezar con mi familia antes de las comidas.
4. Decir "¡Déjame ayudar!" antes de que me lo pidan.
5. Dejar mis CD en el piso de la sala.
6. Darles a mi mamá y a mi papá un abrazo muy grande.
7. Ayudar a limpiar la casa con alegría.
8. Preguntar antes de usar algo que no es mío.

3 We Show Our Love for One Another

  I don't have silver or gold, but I will give you whatever I have.

Based on Acts 3:6

Share

God wants family members to love and care for each other. In our families we work and play together. We share and pray together. We respect and help each other. Each family member can choose to do things that will make a family more loving and happy.

Activity

Read each sentence below. Circle the number for each one that tells what you can do to make your family happy. In the puzzle, color the numbered spaces that match your circled numbers. What special sign do you find?

1. Read to my younger sister or brother.
2. Tell Dad I'm too busy to help in the yard.
3. Pray with my family before meals.
4. Say, "Let me help!" before I'm asked.
5. Leave my CDs on the living-room floor.
6. Give Mom and Dad an extra-big hug.
7. Help clean the house cheerfully.
8. Ask before I use something that's not mine.

Escuchamos y creemos

✝ La Escritura   El mendigo paralítico

Durante muchos años, llevaban a un mendigo que no podía caminar a la puerta del Templo. Allí, pedía dinero a todas las personas que pasaban. Un día, Pedro y Juan estaban entrando en el Templo para rezar. El mendigo los vio y les pidió dinero. Pedro y Juan quisieron ayudarlo. Quisieron darle algo que fuera mucho mejor que dinero.

Pedro le dijo: "No tengo dinero, pero te daré lo que tengo". El hombre pobre estaba confundido. Se preguntaba: "Si no tienen dinero, entonces ¿cómo podrían ayudarme?". Luego, Pedro habló otra vez: "En el nombre de Jesús, levántate y camina!". Pedro estiró el brazo y levantó al hombre. El mendigo dio unos pasos y sonrió. "¡Alabado sea Dios, que me ha curado!", gritó. A su alrededor, las personas apenas podían creer lo que veían. Cuando Pedro y Juan llevaron al hombre al Templo, la multitud lo seguía oyendo gritar con alegría: "¡Alabado sea Dios, que me ha curado! ¡Alabado sea Dios, que hace cosas grandes!".

Basado en Hechos 3:1–10

Hear & Believe

✝ Scripture The Paralyzed Beggar

For many years, a beggar who could not walk was carried to the gate of the Temple. There, he begged for money from all the people who passed by. One day, Peter and John were going into the Temple to pray. The beggar saw them and asked them for money. Peter and John wanted to help the beggar. They wanted to give him something much better than money.

Peter said to him, "I do not have money, but I will give you what I have." The poor man was confused. He wondered, "If they have no money, then how could these men help me?" Then, Peter spoke again, "In the name of Jesus, get up and walk!" Peter reached out his arm and pulled the man up. The beggar took a few slow steps and smiled. "Praise God, who has healed me!" he shouted. All around, people could hardly believe their eyes. As Peter and John led the man into the Temple, the crowd could still hear the man joyfully shouting, "Praise God, who has healed me! Thanks be to God, who does great things!"

Based on Acts 3:1–10

Mejor que el oro

El mendigo esperaba recibir dinero, pero recibió mucho más. Por el poder del nombre de Jesús, pudo caminar. Pero más que eso, supo de Jesucristo. Pedro y Juan pudieron haber pasado junto al hombre, pero no lo hicieron. Se comportaron como Jesús les había enseñado. Les enseñó que la vida de todos es especial porque todos han sido creados a semejanza de Dios. Por eso, Pedro y Juan se detuvieron para ayudar a su **prójimo**.

Nuestra Iglesia nos enseña

Jesús dice que podemos mostrar que amamos a Dios Padre al amar a nuestro prójimo. Jesús habló a sus discípulos acerca de su amor por el Padre y el Espíritu Santo. Este amor es un modelo para nosotros. Amamos a los demás cuidándolos cuando están enfermos. Compartimos lo que tenemos con ellos cuando son pobres. Los ayudamos cuando tienen problemas. Aprendemos inicialmente a hacer esto en la **iglesia doméstica**, o nuestra propia familia. Allí, madres y padres, hermanas y hermanos, se cuidan y se aman mutuamente.

Creemos

Dios nos llama para que amemos a todos, porque estamos creados a su imagen. Todos formamos parte de la familia de Dios. Jesús nos enseña a amar a nuestro prójimo y a nuestros enemigos.

Palabras de fe

prójimo
El prójimo es una persona creada por Dios. Demostramos nuestro amor por Dios al amar a nuestro prójimo.

iglesia doméstica
La familia cristiana es la iglesia doméstica. Es donde los niños inicialmente aprenden acerca de Dios en oración.

Better Than Gold

The beggar was hoping to get money, but he got so much more. Through the power of Jesus' name, he was able to walk. Best of all, he learned about Jesus Christ. Peter and John could have passed the man by, but they did not. They acted as Jesus had taught them. He taught them that everyone's life is special because everyone has been created in God's likeness. So, Peter and John stopped to help their **neighbor**.

Our Church Teaches

Jesus tells us we can show that we love God the Father by loving our neigbors. Jesus told his disciples about his love for the Father and the Holy Spirit. This love is a model for us. We love our neighbors by caring for them when they are sick. We share what we own with them when they are poor. We help them when they are troubled. We first learn to do these things in the **domestic church**, or our own family. There, mothers and fathers, sisters and brothers care for and love each other.

Respondemos

San Martín de Tours

Cuando era niño, San Martín de Tours quería ingresar en un monasterio. Allí podría rezarle a Dios y trabajar por Él. Pero el padre de Martín lo obligó a hacerse soldado. Aun entonces, Martín no dejó de cuidar al pueblo de Dios. En su corazón, Martín seguía queriendo ser discípulo de Jesucristo.

Un frío día de invierno, Martín vio que un mendigo estaba casi congelado. Los otros soldados pasaron junto al mendigo. Pero Martín se detuvo. Sacó su espada y cortó en dos su abrigada capa. Envolvió un pedazo alrededor del mendigo, para que estuviera abrigado. Hoy, llamamos a San Martín patrono de los mendigos y los soldados.

Como Martín, podemos compartir lo que tenemos con las personas que necesitan nuestra ayuda.

Respond

Saint Martin of Tours

As a young boy, Saint Martin of Tours wanted to join a monastery. There he could pray to and work for God. But Martin's father forced him to become a soldier. Even then, Martin did not stop caring for God's people. In his heart, Martin still wanted to be a disciple of Jesus Christ.

One freezing winter day, Martin saw a beggar almost frozen to death. The other soldiers passed by the beggar. But Martin stopped. He took out his sword and cut his warm cloak into two pieces. He wrapped one piece around the beggar so that he could be warm. Today, we call Saint Martin the patron of beggars and soldiers.

Like Martin, we can share what we have with people who need our help.

Actividad

En los siguientes espacios escribe cómo mostrarás amor
por tu familia y tu prójimo en tu casa, en la escuela, en la
iglesia y en tu comunidad.

hogar

escuela

iglesia

comunidad

Activity

In the spaces below, write how you will show love to your family and your neighbors at home, at school, at church, and in your community.

home

school

church

community

Celebración de la oración

Oración de meditación

La meditación es una oración en silencio. Nos **relajamos, imaginamos** y **pensamos** sintiendo el amor de Dios. Cuando meditamos, Dios nos habla en nuestro corazón. Cierra los ojos.

Relájate. Respira lentamente. Ahora piensa en un lugar que te gustaría visitar. Este lugar es muy hermoso… cálido… pacífico y tranquilo.

Imagínate allí. En este lugar, eres muy feliz. ¡Qué maravilloso es Dios por haber hecho un lugar tan bello! También nos creó a nosotros. Todo lo que Dios ha creado es hermoso.

Piensa en lo grande que es Dios por habernos hecho tan hermosos. Dios nos hizo de esta manera por amor a nosotros. Él hace todo con amor. Piensa: "Dios ama a todo. Él me ama". En silencio, siente su amor a tu alrededor. Di una oración silenciosa a Dios.

(Pausa)

Abre lentamente los ojos. Mira a tu alrededor a todas las demás personas que Dios ama. Reza conmigo.

Todos: Querido Dios, nos has llenado con mucho amor. Ayúdanos a compartirlo con los demás. Amén.

 ## Prayer Celebration

A Meditation Prayer

Meditation is quiet prayer. We **relax**, **imagine**, and **think** feeling God's love. When we meditate, God speaks to us in our hearts. Close your eyes.

Relax. Breathe slowly. Now think of a place that you would like to visit. This place is very beautiful… warm…peaceful, and quiet.

Imagine yourself there. You are very happy in this place. How wonderful God is for having made such a beautiful place! He also created us. Everything that God has made is beautiful.

Think about how great God is for having made us so beautiful. God made us this way out of love for us. He makes everything out of love. Think to yourself, "God loves everything. He loves me." In the silence, feel his love all around you. Say a silent prayer to God.

(Pause)

Slowly open your eyes. Look around at all the other people that God loves. Pray with me.

All: Dear God, you have filled us with so much love. Help us to share that love with others. Amen.

La fe en acción

Ayudar a los pobres y a los desamparados Jesús nos enseñó que todas las personas son nuestro prójimo. Nos enseñó a amar a nuestro prójimo sin excepciones. Algunas parroquias pueden ayudar a los pobres y a los desamparados dándoles alimentos o brindándoles refugio por una noche. O pueden dar dinero para ayudar a los desafortunados. Para los necesitados, puede ser difícil creer que Jesús realmente los ama. Por medio de nuestras acciones, los ayudamos a creer en el amor de Jesús.

En la vida diaria

Actividad Piensa en noticias que hablen sobre personas pobres, o desamparadas, o víctimas de guerras o de desastres naturales. Marca la frase que describe mejor tu reacción ante estas noticias. O puedes agregar tu propia frase.

_____ Quiero hacer algo para ayudar.

_____ Conozco personas así, y eso me entristece.

_____ Estoy agradecido por no ser uno de ellos.

_____ Esto me enoja. No es justo.

_____ _____

En tu parroquia

Actividad Escribe una carta a alguien de tu parroquia que ayuda a los pobres o a los desamparados. Pregúntale qué podrían hacer tú y tus amigos para ayudar. Si tienes algunas ideas sobre cómo ayudar, agrégalas a tu carta.

Querido _____

_____

_____

_____

_____

_____

Faith in Action

Helping Poor and Homeless People   Jesus taught us that all people are our neighbors. He taught us to love our neighbors, with no exceptions. Some parishes may help poor or homeless people by serving them food or providing shelter for a night. Or they may give money to help unfortunate people. It can be hard for those in need to believe that Jesus really loves them. Through our actions, we help them believe in Jesus' love.

In Everyday Life

Activity   Think about news stories that told about people who were poor, or homeless, or victims of war or natural disasters. Check the sentence that best describes your reaction to these news stories. Or, you can add a sentence of your own.

_____ I want to do something to help.

_____ I know people like this, and it makes me sad.

_____ I am grateful that I am not one of those people.

_____ It makes me angry. It is not fair.

_____ _____

In Your Parish

Activity   Write a letter to someone in your parish who helps poor or homeless people. Ask what you and your friends might do to help. If you have some ideas about helping, add them to your letter.

Dear _____

_____

_____

_____

_____

_____

4 Jesús nos enseña a rezar

Pues donde están dos o tres reunidos en mi Nombre, allí estoy yo, en medio de ellos.

Mateo 18:20

Compartimos

Miguel se sentó en el muelle y practicó hacer nudos con la cuerda que le había dado su papá. Era importante aprender porque Miguel quería, alguna vez, ser pescador como otros miembros de la familia. Pero aprender a hacer nudos era difícil. Los nudos de Miguel se seguían corriendo.

Al principio, Miguel tenía miedo de pedirle ayuda a papá. No quería que se enojara porque no había aprendido a hacer un buen nudo. Pero, ¿de qué otra manera aprendería? Miguel pensó un largo rato. Finalmente, decidió hablar con papá. Recordó que papá siempre sabía cómo ayudar. Y él quería ser como su padre.

Actividad

Los niños del mundo usan palabras diferentes que significan "padre". Aquí están algunos de esos nombres. Relaciona cada uno con el país donde se usa.

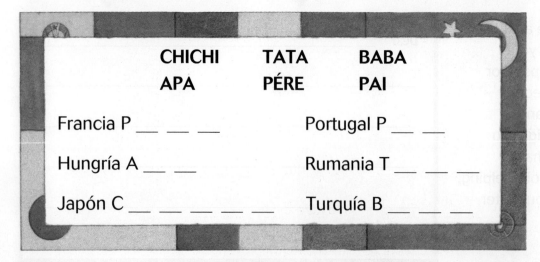

CHICHI   TATA   BABA

APA   PÉRE   PAI

Francia P __ __ __   Portugal P __ __

Hungría A __ __   Rumania T __ __ __

Japón C __ __ __ __ __   Turquía B __ __ __

4 Jesus Teaches Us to Pray

Where two or three are gathered together in my name, there am I in the midst of them.

Matthew 18:20

Share

Miguel sat on the dock and practiced tying knots with the rope his father had given him. It was important to learn because Miguel wanted to someday be a fisherman like other family members. But learning to tie knots was difficult. Miguel's knots kept slipping.

At first, Miguel was afraid to ask "papá" for help. He didn't want "papá" to be angry because he had not learned how to tie a good knot. But how else would he learn? Miguel thought for a long time. Finally, Miguel decided to tell "papá." He remembered that "papá" always knew how to help. And he wanted to be like his father.

Activity

Children from all over the world use different names that mean "father." Here are some of those names. Match each one to the country where it is spoken.

CHICHI	TATA	BABA
APA	PERE	PAI

France P __ __ __   Portugal P __ __

Hungary A __ __   Romania T __ __ __

Japan C __ __ __ __ __   Turkey B __ __ __

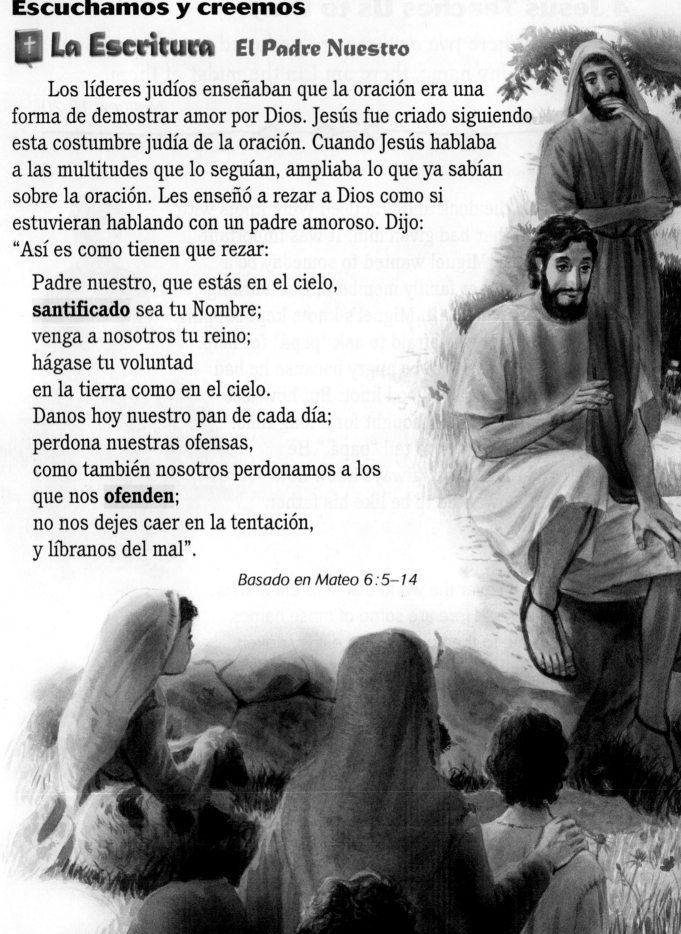

Escuchamos y creemos

✝ La Escritura El Padre Nuestro

Los líderes judíos enseñaban que la oración era una forma de demostrar amor por Dios. Jesús fue criado siguiendo esta costumbre judía de la oración. Cuando Jesús hablaba a las multitudes que lo seguían, ampliaba lo que ya sabían sobre la oración. Les enseñó a rezar a Dios como si estuvieran hablando con un padre amoroso. Dijo: "Así es como tienen que rezar:

Padre nuestro, que estás en el cielo,
santificado sea tu Nombre;
venga a nosotros tu reino;
hágase tu voluntad
en la tierra como en el cielo.
Danos hoy nuestro pan de cada día;
perdona nuestras ofensas,
como también nosotros perdonamos a los
que nos **ofenden**;
no nos dejes caer en la tentación,
y líbranos del mal".

Basado en Mateo 6:5–14

Hear & Believe

✝ Scripture The Lord's Prayer

Jewish leaders taught that prayer was a way to show love for God. Jesus was brought up following this Jewish custom of praying. When Jesus spoke to the crowds following him, he added to what they already knew of prayer. Jesus taught people to pray to God as though they were talking to a loving father. He said, "This is how you are to pray,

Our Father, who art in heaven,
hallowed be thy name.
Thy kingdom come,
Thy will be done on earth,
as it is in heaven.
Give us this day our daily bread,
and forgive us our trespasses,
as we forgive those who **trespass** against us,
and lead us not into temptation,
but deliver us from evil."

Based on Matthew 6:5–14

Decimos "Padre nuestro"

Jesús nos enseña a rezar. Primero, di "Padre nuestro". Recuerda que el nombre de Dios es santificado, o santo. Formamos parte del **Reino de Dios** cuando compartimos la paz, el amor y la justicia con los demás. El Reino de Dios se completará al final de los tiempos. Pide lo que necesites. Reza para pedir perdón por tus ofensas, o equivocaciones. Perdona a los que te han hecho daño. Pide ayuda para elegir lo correcto. Reza para que Dios te proteja del mal.

Nuestra Iglesia nos enseña

Jesús nos dice que pensemos en Dios como nuestro Padre amoroso. Quiere que recemos frecuentemente y que creamos que Dios nos ama. La oración cristiana nació de las oraciones judías. Desde el comienzo de la Iglesia, los cristianos han rezado la oración que Jesús nos enseñó. Rezar como Jesús nos ayuda a vivir en paz con Dios y con nuestro prójimo. El Padre Nuestro resume el mensaje del Evangelio de Jesús. Cuando rezamos, honramos a Dios y somos signos de su Reino.

Creemos

La oración es una parte necesaria de nuestra vida. Jesús nos enseña a llamar "Padre nuestro" a Dios. Cuando rezamos, demostramos que creemos en Dios.

Palabras de fe

santificado

Santificado significa "algo que se honra porque es santo". El nombre de Dios es santificado.

ofender

Ofender significa "hacer algo malo a otra persona".

Reino de Dios

El Reino de Dios es la paz, el amor y la justicia que todo el pueblo de Dios compartirá al final de los tiempos. Este reino comienza aquí en la tierra.

We Say, "Our Father"

Jesus teaches us how to pray. First, say, "Our Father." Remember God's name is hallowed, or holy. We take part in the **Kingdom of God** when we share peace, love, and justice with others. God's kingdom will be completed at the end of time. Ask for what you need. Pray for forgiveness for your trespasses, or wrongs. Forgive those who have hurt you. Ask for help to choose what is right. Pray that God will protect you from harm.

Our Church Teaches

Jesus tells us to think of God as our loving Father. He wants us to pray often and believe God loves us. Christian prayer grew out of Jewish prayers. From the beginning of the Church, Christians have prayed the prayer that Jesus taught. Praying like Jesus helps us live in peace with God and with our neighbor. The Lord's Prayer sums up Jesus' gospel message. When we pray, we honor God and we are signs of God's kingdom.

Faith Words

hallowed
Hallowed means "to honor something as holy." God's name is hallowed.

trespass
Trespass means "to do something wrong to another person."

Kingdom of God
The Kingdom of God is the peace, love, and justice that all God's people will share at the end of time. It begins here on earth.

Respondemos

¿Por qué rezar?

Rezar es hablar con Dios y escucharlo. Rezamos a Dios, Padre nuestro, por muchas razones. Rezamos para pedirle que nos bendiga, para pedirle lo que necesitamos, para agradecerle los dones que nos dio y para alabarlo. A estos tipos de oraciones las llamamos de bendición, petición, acción de gracias y alabanza.

Alex tiene un lugar especial donde le gusta rezar. Es en la iglesia parroquial. Cuando Alex se siente triste o solo, va a ese lugar especial y habla con Dios y lo escucha. También va cuando se siente contento y quiere darle las gracias a Dios. A Alex le gusta ir porque es un lugar tranquilo. Allí se siente en paz y cerca de Dios.

Respond

Why Pray?

Praying is talking and listening to God. We pray to God our Father for many reasons. We pray to God to ask for his blessings, to ask for what we need, to give thanks for God's many gifts to us, and to praise God. We call these types of prayers blessing, petition, thanksgiving, and praise.

Alex has a special place where he likes to pray. It is at his parish church. When Alex feels sad or lonely, he goes to that special place and talks and listens to God. He also goes there when he is feeling happy and wants to say thank you to God. Alex likes to go there because it is quiet. There he feels peaceful and close to God.

Actividades

1. El lado izquierdo de este libro de oración describe cuatro tipos de oraciones. Elige uno. Luego, escribe un ejemplo del tipo de oración en el espacio de la derecha.

Bendición Le pedimos cuidado y protección a Dios.

Petición Pedimos la ayuda de Dios para los demás y para nosotros mismos.

Acción de gracias Le damos gracias a Dios por todo lo que nos ha dado.

Alabanza Alabamos la bondad de Dios.

Mi oración de _____

_____

_____

_____

_____

_____

_____

2. Los salmos son hermosas oraciones cantadas que Jesús sabía y que le gustaban. Puedes encontrarlas en la Biblia. Mira los siguientes salmos. Relaciona la letra del tipo de oración con cada salmo.

a. Petición _____ Te damos gracias, Dios, te damos gracias. (Basado en el Salmo 75:2)

b. Alabanza _____ ¡Que Dios tenga piedad y nos bendiga! (Salmo 67:2)

c. Bendición _____ Los cielos cuentan la gloria del Señor. (Salmo 19:2)

d. Acción de gracias _____ Señor, escucha mis palabras, y a mi queja pon atención. (Salmo 5:2)

Activities

1. The left side of this prayer book describes four types of prayer. Choose one type. Then write an example of that type of prayer in the space on the right.

Blessing We ask for God's care and protection.

Petition We ask for God's help for others and ourselves.

Thanksgiving We thank God for all he has given us.

Praise We praise God's goodness.

My Prayer of _____

_____

_____

_____

_____

_____

2. The psalms are beautiful song prayers that Jesus knew and loved. You can find them in the Bible. Look at the psalms below. Match the letter of the type of prayer to each psalm.

a. Petition

b. Praise

c. Blessing

d. Thanksgiving

____ We thank you God, we give thanks (based on Psalm 75:2).

____ May God have pity on us and bless us (Psalm 67:2).

____ The heavens declare the glory of God (Psalm 19:2).

____ Hearken to my words, O LORD, attend to my sighing (Psalm 5:2).

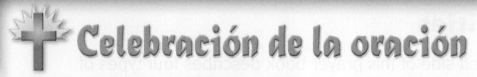

✝ Celebración de la oración

Oraciones de compartir

Líder: Comparte los tipos diferentes de oraciones que escribiste. Di "Amén" después de que se lea cada oración.

Todos: *(Túrnense para compartir las oraciones.)*

Líder: Tómense de la mano como hermanos y hermanas para rezar.

Todos: Padre nuestro, que estás en el cielo, santificado sea tu Nombre; venga a nosotros tu reino; hágase tu voluntad en la tierra como en el cielo. Danos hoy nuestro pan de cada día; perdona nuestras ofensas como también nosotros perdonamos a los que nos ofenden; no nos dejes caer en la tentación, y líbranos del mal. Amén.

 # Prayer Celebration

Prayers of Sharing

Leader: Share the different types of prayers you wrote. Say "Amen" after each prayer is read.

All: *(Take turns sharing prayers.)*

Leader: Join hands as brothers and sisters to pray.

All: Our Father, who art in heaven, hallowed be thy name; thy kingdom come, thy will be done on earth as it is in heaven. Give us this day our daily bread, and forgive us our trespasses, as we forgive those who trespass against us; and lead us not into temptation, but deliver us from evil. Amen.

La fe en acción

Grupos de oración   Cuando los católicos rezan en un grupo de oración, usan oraciones tradicionales o rezan con sus propias palabras. Rezan en silencio o en voz alta. Piden o se dicen mutuamente por qué quieren que rece el grupo. Confían unos en otros para mantener los pedidos en privado. Los pedidos de oración pueden ser muchas cosas: por el fin de una guerra, por un enfermo, por ayuda con un problema. También piden oraciones por cosas que los hacen felices y por las que quieren alabar a Dios. Mientras rezan, Dios los bendice con el consuelo y la fuerza de otros que comparten su fe.

En la vida diaria

Actividad   Todos necesitamos un amigo o dos con quienes compartir nuestros sentimientos. Tal vez tu amigo especial sea un compañero de clase o un familiar. En un grupo de oración, la confianza es importante. ¿Es la confianza importante en una amistad? Explica tu respuesta aquí.

_____

_____

_____

En tu parroquia

1. Si fueras miembro de un grupo de oración, escribe sobre alguien o algo por lo que te gustaría que el grupo rezara.

_____

_____

2. Si fueras miembro de un grupo de oración, escribe sobre alguien o algo por lo que te gustaría que el grupo alabara a Dios.

_____

_____

Faith in Action

Prayer Groups   When Catholics pray in a prayer group, they use traditional prayers or pray in their own words. They pray silently or aloud. They request or tell one another what they want the group to pray for. They trust each other to keep their requests private. Prayer requests can be for many things—an end to war, a sick person, help with a problem. People also request prayers for things they are happy about and want to praise God for. As they pray God blesses them with the comfort and strength of others who share their faith.

In Everyday Life

Activity   We all need a friend or two we can share our feelings with. Maybe your special friend is a classmate or a family member. Trust is important in a prayer group. Is trust important in a friendship? Explain your answer below.

_____

_____

_____

In Your Parish

1. If you were a member of a prayer group, write about someone or something you would like the group to pray for.

_____

_____

2. If you were a member of a prayer group, write about someone or something you would like the group to praise God for.

_____

_____

La Iglesia es santa

Encontramos al Señor Jesucristo en su obra, que leemos en los Evangelios. Aprendemos a ser semejantes a Dios, nuestro Padre. Lo hacemos a través del amor que recibimos de su divino Hijo.

El Espíritu del Señor está sobre mí. Él me ha ungido para llevar buenas nuevas a los pobres.

Lucas 4:18

Fue en una sinagoga, muy parecida a la antigua que se ve aquí en la ciudad de Cafarnaún, donde Jesús leyó del libro del profeta Isaías.

The Church Is Holy

We meet the Lord Jesus Christ in his work that we read about in the Gospels. We learn to be the likeness of God our Father. We do this through the love we receive from his divine Son.

The Spirit of the Lord is upon me, because he has anointed me to bring glad tidings to the poor.
Luke 4:18

It was in a synagogue, much like the ancient one shown here in the city of Capernaum, that Jesus read from the scroll of the prophet Isaiah.

On Holy Ground / Santa Tierra

VERSES / ESTROFAS

1. The heav-ens em-brace the earth, as they
2. ⁊ Á - bran - se los cie - los, en el
3. Let heav-en and earth sing praise to the
4. Bless earth, wa-ter, fire, and wind. Bless your
5. La_his - to - ria de los pue - blos se - rá
6. U - nit - ed we join the light. We are

sing of the new birth. The earth ech-oes and re-
nom - bre de Cris - to Dios. Trans - for - men la tie - rra cau -
one who from death was raised. Let hearts ut - ter words pro -
peo - ple with - out, with - in. Let beau - ty and birth sur -
li - bre por la ver - dad. La cau - sa_es jus - ti - fi -
born of the same right. We've come to re - lease what's

sounds that we are on ho - ly ground.
ti - va en u - na tie - rra con li - ber - tad.
found in pro - claim - ing this ho - ly ground.
round in re - claim - ing this ho - ly ground.
ca - da. San - ta tie - rra nues - tra se - rá.
bound, for we are on ho - ly ground.

REFRAIN / ESTRIBILLO   *All / Todos:*

Do you be - lieve in free - dom? Yes, we do Lord! Do you be - lieve in jus - tice?

All / Todos: *All / Todos:*

Jus - tice for all! ¿Y en la nue - va vi - da? ¡En su es - pí - ri - tu!

All / Todos:

¿Quién es su li - be - ra - ción? ¡Tú, Se - ñor! ¡A - rri - ba! ¡Pro - cla - men!

¡San - ta Tie - rra! We are on ho - ly ground!

Texto: Donna Peña
Música: Donna Peña
© 1992, 1994, GIA Publications, Inc.

On Holy Ground / Santa Tierra

VERSES / ESTROFAS

1. The heav-ens em-brace the earth, as they
2. Á - bran - se los cie - los, en el
3. Let heav-en and earth sing praise to the
4. Bless earth, wa-ter, fire, and wind. Bless your
5. La his - to - ria de los pue - blos se - rá
6. U - nit-ed we join the light. We are

sing of the new birth.___ The earth ech-oes and re-
nom - bre de Cris - to___ Dios. Trans - for - men la tie - rra cau-
one who from death was raised. Let hearts ut-ter words pro-
peo - ple with-out, with - in. Let beau-ty and birth sur-
li - bre por la ver - dad. La cau - sa es jus - ti - fi-
born of the same right.___ We've come to re-lease what's___

sounds___ that we are on ho-ly___ ground.
ti - va en u - na tie - rra con li - ber - tad.
found___ in pro-claim-ing this ho-ly___ ground.
round___ in re-claim-ing this ho-ly___ ground.
ca - da. San - ta tie - rra nues - tra se - rá.
bound,___ for we are on ho-ly___ ground.

REFRAIN / ESTRIBILLO

All / Todos:

Do you be-lieve in free-dom? Yes, we do Lord! Do you be-lieve in jus-tice?

All / Todos:

Jus-tice for all! ¿Y en la nue-va vi-da? ¡En su es-pí-ri-tu!

All / Todos:

¿Quién es su li-be-ra-ción?___ ¡Tú, Se-ñor! ¡A - rri-ba! ¡Pro-cla-men!

¡San-ta Tie-rra! We are on ho-ly ground!

Text: Donna Peña
Tune: Donna Peña
© 1992, 1994, GIA Publications, Inc.

5 Jesús nos enseña a perdonar y curar

 Él compartió nuestros pesares y comprendió nuestro dolor.

Basado en Isaías 53:4

Compartimos

Dios envió a Jesús, su Hijo, para mostrarnos cómo perdonarnos y curarnos mutuamente. Piensa con atención. Recuerda a las personas que te han ayudado. ¿Cómo te perdonaron cuando hiciste algo incorrecto? ¿Cómo te ayudaron a curarte cuando estabas dolido?

Actividad

Mira las ilustraciones. Ayuda a Monique a hallar curación y perdón dibujando una línea hasta la persona que puede ayudarla mejor. Luego elige a una persona de las ilustraciones. Comparte con un compañero la manera en que esa persona ayuda a Monique.

5 Jesus Shows Us How to Forgive and Heal

 He shared our sadness and understood our pain.

Based on Isaiah 53:4

Share

God sent Jesus, his Son, to show us how to forgive and heal one another. Think carefully. Remember people who have helped you. How did they forgive you when you had done wrong? How did they help heal you when you were hurting?

Activity

Look at the pictures. Help Monique find healing and forgiveness by drawing a line to the person who can best help her. Then choose one person from the pictures. Share with a partner how that person helps Monique.

Escuchamos y creemos

✝ La Escritura Jesús cura a un hombre enfermo

Las multitudes seguían a Jesús a donde iba. Muchos llegaban para oír la Buena Nueva y para ser curados. Algunos tenían el cuerpo enfermo y otros sufrían de angustia espiritual. Creían que Jesús tenía el poder de curarlos. Un día, un grupo de hombres llevó a un amigo paralítico al lugar donde Jesús enseñaba. Estaban seguros de que Jesús curaría a su amigo.

Cuando llegaron a la casa donde Jesús enseñaba, ¡había tanta gente que no pudieron entrar!

¡Uno de ellos tuvo una gran idea! Los hombres se treparon al techo. Lograron abrir un agujero en el techo. Con mucho cuidado, bajaron a su amigo adentro.

Al ver esto, Jesús supo que ellos confiaban en Él para que curara a su amigo. Les dijo: "En cuanto a ustedes, sus pecados quedan perdonados".

Pero alguien preguntó: "¿Cómo puede decir eso? ¿Quién puede perdonar los pecados sino Dios?".

Para mostrar que Dios le había dado el poder de perdonar los pecados, Jesús dijo al paralítico: "Te lo ordeno, levántate, toma tu camilla y vete a tu casa".

¡El hombre que había sido paralítico se puso de pie! Levantó la camilla y salió caminando de la casa. El hombre alabó a Dios todo el camino hasta su casa. Todos quedaron sorprendidos y dijeron: "¡Hoy hemos visto cosas increíbles!".

Basado en Lucas 5:17–26

Hear & Believe

✝ Scripture Jesus Cures a Sick Man

Crowds followed Jesus wherever he went. Many came to hear the good news and be healed. Some were sick in body and others were troubled in spirit. They believed that Jesus had the power to heal them. One day, a group of men carried a paralyzed friend to the place where Jesus was teaching. They were sure Jesus would heal their friend.

When they arrived at the house where Jesus was speaking, there were so many people that they could not get inside!

One of them had a great idea! The men climbed on the roof. They were able to make a hole in the roof. Very carefully, they lowered their friend inside.

Seeing this, Jesus knew that they trusted him to heal their friend. He said to them, "As for you, your sins are forgiven."

But someone asked, "How can he say that? Who but God alone can forgive sins?"

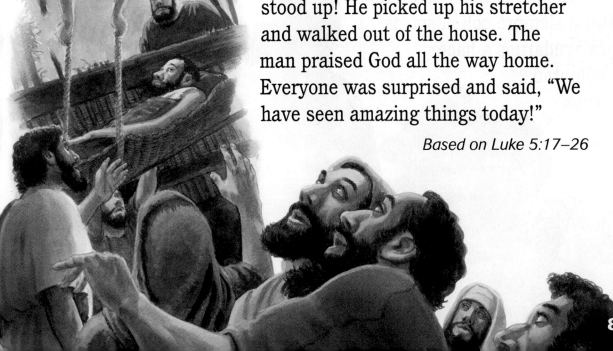

To show that God had given him the power to forgive sins, Jesus said to the paralyzed man, "I say to you, rise, pick up your stretcher, and go home."

The man who had been paralyzed stood up! He picked up his stretcher and walked out of the house. The man praised God all the way home. Everyone was surprised and said, "We have seen amazing things today!"

Based on Luke 5:17–26

89

Dios envía a Jesús para curar

Dios envía a Jesús para curarnos porque todos nacimos con el **pecado original**. Éste es el **pecado** que cometieron el primer hombre y la primera mujer. Cuando Jesús vio al paralítico y la gran fe de sus amigos, supo lo que Dios quería que hiciera. Jesús vio el espíritu angustiado de los amigos y los liberó del pecado. Jesús vio la enfermedad del hombre y lo curó. El poder de Jesús para perdonar y curar viene de Dios.

Nuestra Iglesia nos enseña

Jesús siguió la voluntad de su Padre. Les perdonó a las personas los pecados y las curó. Actuó con **compasión** y **misericordia**. Jesús demostró compasión ante el paralítico porque entendió la necesidad del hombre y lo ayudó. Mostró misericordia con los amigos del hombre porque era amable, generoso e indulgente. Jesús nos dice que hagamos lo mismo, porque es la voluntad de Dios. Jesús prometió que el Espíritu Santo estaría siempre con nosotros para ayudarnos a hacer la voluntad de Dios.

Creemos

Dios envía a Jesús para curarnos y perdonarnos. Seguimos la voluntad de Dios cuando vivimos y actuamos como Jesús. El Espíritu Santo está con nosotros y nos guía para hacer la voluntad de Dios.

Palabras de fe

compasión

Compasión significa "tener un sentimiento de piedad hacia los problemas de alguien y querer ayudarlo". Jesús nos enseña a sentir compasión por nuestro prójimo.

misericordia

La misericordia es la gran caridad y generosidad del perdón y amor de Dios.

pecado original

El pecado original es el pecado que cometieron el primer hombre y la primera mujer. Recibimos este primer pecado de ellos.

God Sends Jesus to Heal

God sends Jesus to heal us because we were born with **original sin**. This is the **sin** of the first man and woman. When Jesus saw the paralyzed man and the great faith of his friends, he knew what God would want him to do. Jesus looked at the friends' troubled spirits and freed them of sin. Jesus saw the man's sickness and made him well. Jesus' power to forgive and to heal comes from God.

Our Church Teaches

Jesus followed his Father's will. He forgave people their sins and healed them. He acted with **compassion** and **mercy.** Jesus showed compassion to the paralyzed man because he understood the man's need and helped him. He showed mercy to the man's friends because he was kind, generous, and forgiving. Jesus tells us to do the same because it is God's will. Jesus promised that the Holy Spirit would stay with us always, to help us do God's will.

Faith Words

compassion

Compassion means "to have feeling for someone's problem and wanting to help." Jesus teaches us to have compassion for our neighbors.

mercy

Mercy is the great kindness and generosity of God's forgiveness and love.

original sin

Original sin is the sin of the first man and woman. We received this first sin from them.

Respondemos
San Francisco de Asís

Francisco nació en 1182 en Asís, Italia. Cuando era niño, quería ser un rico mercader de telas como era su padre. Francisco aprendió rápidamente a comprar y a vender telas. Le gustaba el trabajo duro y todo el dinero que ganaba. Francisco también disfrutaba gastando dinero. Con todo ese trabajo y ese dinero, Francisco pensaba que era feliz.

Pero cuando creció, se empezó a aburrir de esa vida. Quería aventuras. Entonces, se enlistó como soldado en el ejército de Asís. Una vez, Francisco peleó en una batalla y fue hecho prisionero por el enemigo.

Después de que lo liberaron, Francisco volvió al negocio de su padre. Pero descubrió que ganar dinero y vender telas ya no le gustaba. Pasó mucho tiempo rezando para que el Espíritu Santo le mostrara una forma de vida mejor.

Un día, ¡Francisco vio a Jesucristo en una visión! ¡Dios lo llamaba para una nueva clase de aventura! Francisco decidió hacer todo lo que pudiera para ayudar a los pobres, los enfermos y los moribundos. Finalmente, Francisco estaba feliz. Sabía que al ayudar a los demás difundía el mensaje de Jesús de amor, paz y felicidad.

Pronto, muchos otros se unirían a Francisco para trabajar entre los enfermos, los pobres y los desamparados. Estas personas formaron un grupo llamado franciscanos. Hoy, los frailes y monjas franciscanos difunden el mensaje de Jesús de amor y paz, así como San Francisco de Asís lo hizo hace tanto tiempo.

Respond

Saint Francis of Assisi

Francis was born in 1182 in Assisi, Italy. As a young boy, he wanted to be a rich cloth merchant just like his father. Francis quickly learned how to buy and sell cloth. He liked the hard work and all the money that he made. Francis enjoyed spending money, too. With all that work and money, Francis thought that he was happy.

But as Francis grew older, he became bored with his life. He wanted adventure. So, he became a soldier in the Assisi army. Once, Francis fought in a battle and was taken prisoner by the enemy.

After he was set free, Francis returned to his father's business. But he found out that making money and selling clothes did not please him any longer. He spent a lot of time praying that the Holy Spirit would show him a better way to live.

One day Francis saw Jesus Christ in a vision! God was calling him to a new kind of adventure! Francis decided to do all he could to help the poor, the sick and the dying. At long last, Francis was happy. He knew that by helping others he was spreading Jesus' message of love, peace, and happiness.

Soon, many others would join Francis to work among the sick, poor, and homeless. These people became a group called the Franciscans. Today, Franciscan friars and sisters spread Jesus' message of love and peace, just as Saint Francis of Assisi did long ago.

Actividades

Jesús actuó con compasión y misericordia cuando curó al mendigo paralítico. Jesús enseñó que hay muchas maneras en que podemos curar y perdonar. San Francisco aprendió de Jesús.

1. Ordena las letras para ver qué aprendió San Francisco.

siopcoanm + maroisceridi = zpa y ildeficad

_____

2. Sara quiere curar y perdonar como Jesús enseña, pero no está segura de qué decir. Encierra en un círculo las palabras de compasión y de misericordia que Sara podría usar. Agrega tus propias palabras en el espacio adicional.

Lo lamento.

¡Desaparece!

Démonos la mano.   ¿Puedo ayudarte?

¡Es tu culpa!   ¡Ey, tonto!

También fue culpa mía.   Eres agradable.

Seamos amigos.

Activities

Jesus acted with compassion and mercy when he cured the paralyzed beggar. Jesus taught that there are many ways we can be healing and forgiving. Saint Francis learned from Jesus.

1. Unscramble the letters to see what Saint Francis learned.

ssiopcoanm + yemrc = eapce & nessipahp

_____

2. Sara wants to heal and forgive as Jesus teaches, but she is not sure what to say. Circle words of compassion and mercy that Sara could use. Add words of your own in the extra space.

✝ Celebración de la oración

Oración de respuesta

Lector 1: Dios llamó a San Francisco para que llevara su curación y su perdón a los demás. Dios no nos olvida cuando la enfermedad o el pecado nos hacen daño.

Lector 2: Dios nos demuestra misericordia y compasión. Compartamos nuestras palabras de compasión y de misericordia.

(Compartan las palabras de compasión y de misericordia de la Actividad.)

Todos: Señor, libéranos del pecado.

Lector 3: San Francisco, siervo de Jesucristo

Todos: Reza por nosotros.

Lector 4: San Francisco, auxiliador de los pobres y de los desamparados

Todos: Reza por nosotros.

Lector 5: San Francisco, curador de los enfermos

Todos: Reza por nosotros.

Lector 6: Démonos mutuamente la señal de la paz.

(Todos les dan la mano a las personas que tienen cerca.)

Todos: La paz esté contigo.

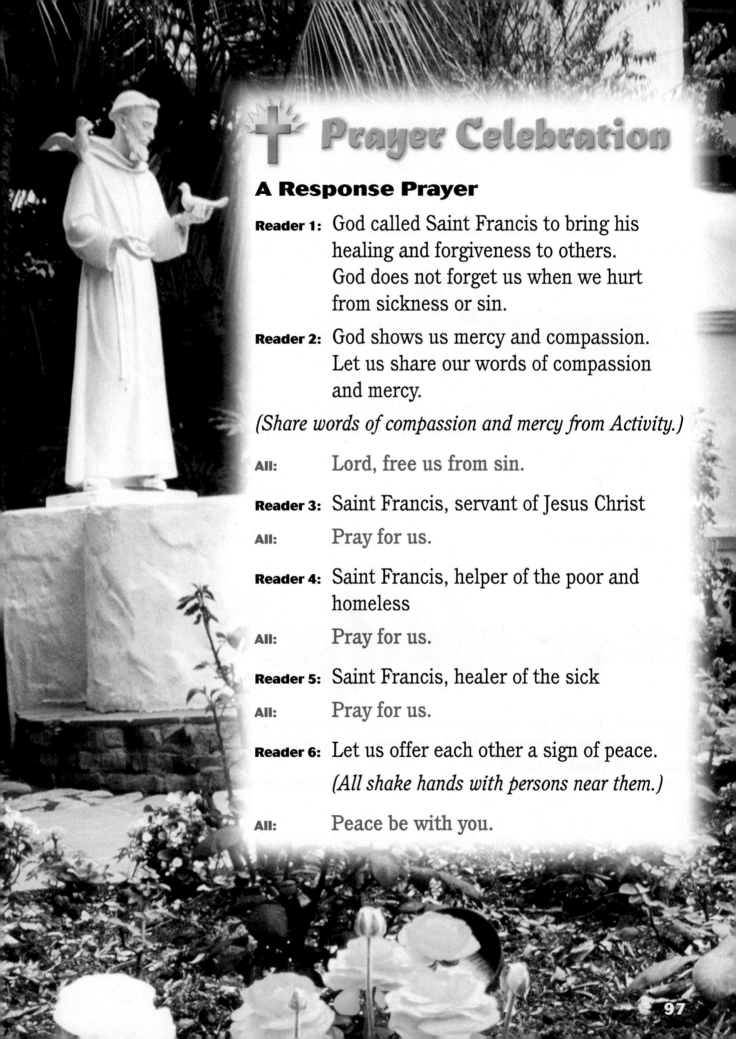

✝ Prayer Celebration

A Response Prayer

Reader 1: God called Saint Francis to bring his healing and forgiveness to others. God does not forget us when we hurt from sickness or sin.

Reader 2: God shows us mercy and compassion. Let us share our words of compassion and mercy.

(Share words of compassion and mercy from Activity.)

All: Lord, free us from sin.

Reader 3: Saint Francis, servant of Jesus Christ

All: Pray for us.

Reader 4: Saint Francis, helper of the poor and homeless

All: Pray for us.

Reader 5: Saint Francis, healer of the sick

All: Pray for us.

Reader 6: Let us offer each other a sign of peace.

(All shake hands with persons near them.)

All: Peace be with you.

La fe en acción

El consejo parroquial   En nuestra familia, nos aman lo bastante para crear reglas que nos ayuden a aprender cómo transformarnos en las mejores personas que podamos ser. En nuestra familia parroquial, también hay un grupo especial de personas para ayudar a los miembros a transformarse en las mejores personas que puedan ser. Este grupo, el consejo pastoral parroquial, nos recuerda las reglas y lo que significamos como familia parroquial. Nos pide que cumplamos nuestra parte como miembros de la familia parroquial. Escucha nuestras ideas de modo que, juntos, sirvamos mejor a Jesús.

En la vida diaria

Actividad   Traza una línea desde cada regla de la columna 1, hasta la frase acerca de cada persona en la columna 2 que necesita que le recuerden la regla.

1. Apagar las luces a las 9 P.M.
2. No comer meriendas antes de la cena.
3. Respetar a tus padres.
4. Responder cuando te lo piden.

a. Sam ignora la pregunta de su hermana.
b. Mia lee su libro hasta después de la hora de ir a dormir.
c. Miguel come helado después de la escuela.
d. Karen le contesta mal a su madre.

En tu parroquia

Actividad   Escribe tres reglas para un código de conducta que todos, tus compañeros, tu familia, tu familia parroquial y el consejo pastoral parroquial, puedan cumplir.

Faith in Action

The Parish Council   In our families, people love us enough to make rules that help us learn how to become the very best we can be. In our parish family, there is also a special group of people to help members become the very best they can be. This group, the parish pastoral council, reminds us of the rules and what we stand for as a parish family. They ask us to do our part as members of the parish family. They listen to our ideas so that together we serve Jesus better.

In Everyday Life

Activity   Draw a line from each rule in column 1 to a sentence about a person in column 2 who needs to be reminded of the rule.

1. Lights out at 9 p.m.
2. No snacks before dinner.
3. Respect your parents.
4. Answer when you are spoken to.

a. Sam ignores his sister's question.
b. Mia reads her book long past bedtime.
c. Miguel eats ice cream after school.
d. Karen talks back to her mother.

In Your Parish

Activity   Write three rules for a code of conduct that your classmates, your family, your parish family and the parish pastoral council could all follow.

6 Celebramos la reconciliación y la curación

Escúchanos, Señor, porque tu misericordia es amable.

Ritual de la Penitencia

Compartimos

La amiga perdida de mamá

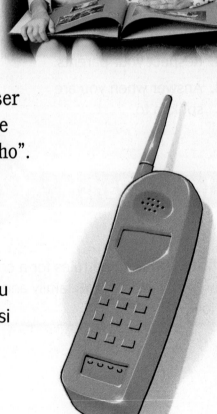

"Mami, ¿quién es la niña que está contigo en la foto?", preguntó Jennifer.

"Es Jamie. ¡Cómo nos divertíamos!", dijo mamá sonriendo. "Éramos las mejores amigas. Siempre hacíamos todo juntas".

"¿Dónde está ahora?", quiso saber Jennifer.

"No lo sé", dijo la mamá sacudiendo la cabeza con pena. "Una vez le hice algo muy malo. Pensé que nunca más querría volver a ser mi amiga. Tenía miedo de llamarla y de decirle que estaba arrepentida. Ahora, la extraño mucho".

Actividad

¿Has hecho alguna vez algo para lastimar a un amigo? ¿Fue difícil hacer las paces? En los siguientes renglones, escribe lo que le dirías a tu amigo. Dile que estás arrepentido y pregúntale si pueden ser amigos otra vez.

_____

_____

_____

6 We Celebrate Reconciliation and Healing

 Hear us Lord, for you are merciful and kind.

Rite of Penance

Share

Mom's Lost Friend

"Mom, who's this girl with you in the picture?" Jennifer asked.

"That's Jamie. What fun we had!" said Mom, smiling. "We were best friends. We always did stuff together."

"Where is she now?" Jennifer wanted to know.

"I don't know," Mom said, shaking her head sadly. "Once I did something very mean to her. I thought she'd never want to be my friend again. I was afraid to call and tell her I was sorry. Now, I miss her very much."

Activity

Have you ever done something to hurt a friend? Was it hard to make up? On the lines below, write what you would say to your friend. Tell your friend you are sorry and ask if you can be friends again.

_____

_____

_____

Escuchamos y creemos

 El culto *Una invitación de Dios*

Dios nos ama mucho y quiere que seamos felices. Pero, a veces, nos comportamos con egoísmo y nos apartamos de Dios. Pensamos en nosotros y no en Dios y elegimos hacer daño a los demás. Cuando pasa esto, Dios no deja de amarnos. Dios envió a Jesús, su Hijo, para mostrarnos su compasión y darnos el regalo del perdón. Como pueblo de Dios, la Iglesia, recordamos el perdón de Dios cuando escuchamos esta oración durante la Misa:

"Tú, Dios de bondad y misericordia, ofreces siempre tu perdón e invitas a los pecadores a recurrir confiadamente a tu clemencia…
Y ahora, mientras ofreces a tu pueblo un tiempo de gracia y reconciliación, lo alientas en Cristo para que vuelva a ti".

Plegaria eucarística sobre la Reconciliación I

Hear & Believe

Worship An Invitation from God

God loves us so much and wants us to be happy. But sometimes we act in a selfish way and turn away from God. We think of ourselves instead of God and choose to hurt others. God does not stop loving us when this happens. God sent his Son, Jesus, to show us his compassion and give us the gift of forgiveness. As God's people, the Church, we remember God's forgiveness as we listen to this prayer during the Mass:

". . . When we ourselves had turned away from you on account of our sins, you brought us back to be reconciled, O Lord, so that, converted at last to you, we might love one another through your Son, . . ."

Eucharistic Prayer for Reconciliation II

Me arrepiento

Pecamos cuando nos apartamos del amor de Dios. Si nos desviamos un poco del plan de Dios, cometemos un **pecado venial**. Si nos apartamos completamente del amor de Dios, cometemos un **pecado mortal**. El Sacramento de **Reconciliación** es una manera especial de confesar todos nuestros pecados. En este sacramento, decimos: "Me arrepiento". Recibimos el regalo de Dios del perdón. La Reconciliación se llama también Sacramento de la Penitencia.

Nuestra Iglesia nos enseña

Si hacemos algo que daña a los demás, a menudo nos sentimos solos, tristes o, incluso, asustados. Dios nos dice que no debemos tener miedo de pedir perdón. Sin importar lo que hemos hecho, Dios nos ama. Dios quiere que volvamos a Él. Nos curamos en el Sacramento de la Reconciliación.

Jesucristo también nos cura a través del Sacramento de la **Unción de los Enfermos**. En este sacramento, un sacerdote usa óleo consagrado para ungir a los que están muy enfermos o moribundos. Jesús los consuela y el Espíritu Santo los fortalece durante ese momento.

I Am Sorry

We sin when we turn away from God's love. If we do not follow God's plan in some small way, we commit a **venial sin**. If we turn away completely from God's love, we commit a **mortal sin**. The Sacrament of **Reconciliation** is a special way to confess all our sins. In this sacrament we say, "I am sorry." We receive God's gift of forgiveness. Reconciliation is also called the Sacrament of Penance.

Our Church Teaches

If we do something that harms others, we often feel lonely, sad, or even scared. God tells us that we should not be afraid to ask for forgiveness. No matter what we have done, God loves us. God wants us to come back to him. We are healed in the Sacrament of Reconciliation.

Jesus Christ also heals us through the Sacrament of the **Anointing of the Sick**. In this sacrament, a priest uses holy oil to anoint people who are very sick or who are dying. Jesus comforts them and the Holy Spirit strengthens them during this time.

We Believe

Jesus Christ heals and forgives us through the Sacraments of Healing. The Sacraments of Healing are Reconciliation and Anointing of the Sick.

Faith Words

Reconciliation
Reconciliation is a Sacrament of Healing. It celebrates the gift of God's love and forgiveness.

Anointing of the Sick
Anointing of the Sick is a Sacrament of Healing. It brings Jesus' comfort and forgiveness to people who are very sick, elderly, or near death.

La disculpa

The Apology

Actividades

1. Nos preparamos para recibir el don de la Reconciliación con un examen de conciencia. Recordamos nuestras elecciones equivocadas. En nuestro corazón, nos arrepentimos de nuestros pecados.

En el espacio de la derecha, dibuja otro final para el cuento de la página 106. ¿Qué otra cosa podría hacer y decir el niño para mostrarle a Kerry que está arrepentido?

2. Julie está preocupada. Mañana visitará al Padre Ken para la Reconciliación. No recuerda qué tiene que hacer.

Ayuda a Julie a recordar cómo celebrar el Sacramento de la Reconciliación. Numera los pasos en orden.

 Reconciliación en la página 374.

_____ El sacerdote lee de la Sagrada Escritura.

_____ El sacerdote te recibe en el nombre de Jesús.

_____ Rezas la oración de arrepentimiento.

_____ Examinas tu conciencia.

_____ Le dices tus pecados al sacerdote.

_____ El sacerdote dice: "Vete en paz".

_____ El sacerdote te da la absolución en el nombre del Padre, del Hijo y del Espíritu Santo.

Activities

1. We prepare to receive the gift of Reconciliation with an examination of conscience. We remember our wrong choices. In our hearts, we are sorry for our sins.

   In the space on the right, draw another ending for the story on page 107. What else could the boy do and say to show Kerry that he is sorry?

2. Julie is worried. Tomorrow she is going to Father Ken for Reconciliation. She does not remember what to do.

   Help Julie remember how to celebrate the Sacrament of Reconciliation. Number the steps in order.

 Reconciliation on page 374.

_____ The priest reads from Scripture.

_____ The priest welcomes you in Jesus' name.

_____ You pray a prayer of sorrow.

_____ You examine your conscience.

_____ You tell the priest your sins.

_____ The priest says, "Go in peace."

_____ The priest gives you absolution in the name of the Father, Son, and Holy Spirit.

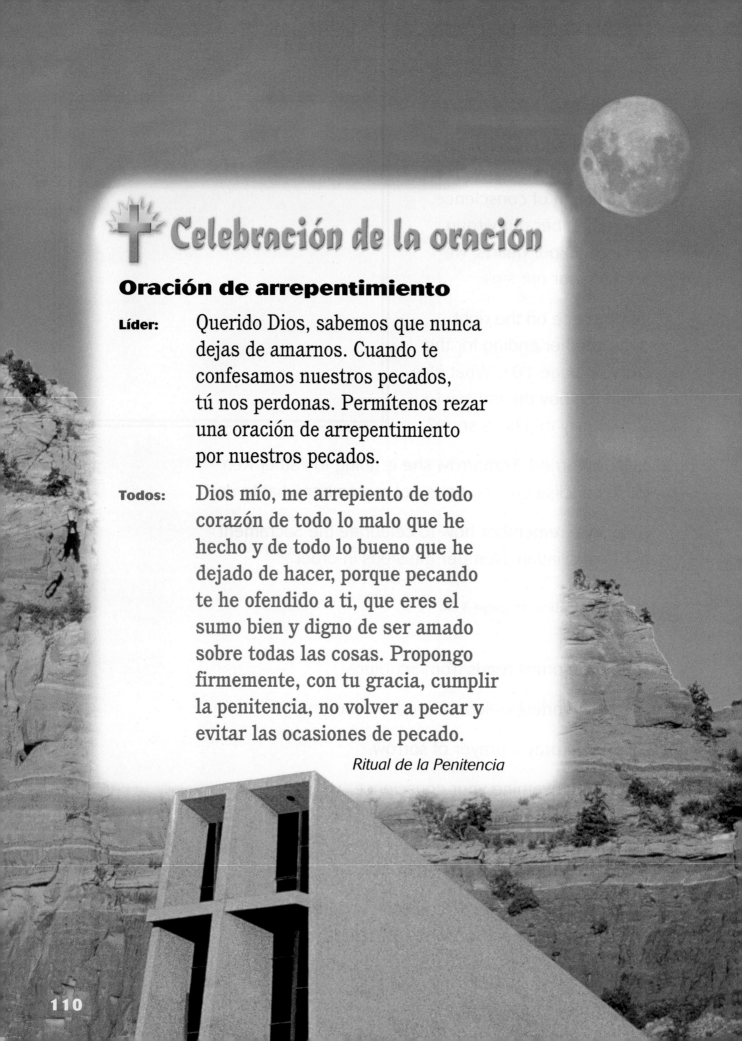

✝ Celebración de la oración

Oración de arrepentimiento

Líder: Querido Dios, sabemos que nunca dejas de amarnos. Cuando te confesamos nuestros pecados, tú nos perdonas. Permítenos rezar una oración de arrepentimiento por nuestros pecados.

Todos: Dios mío, me arrepiento de todo corazón de todo lo malo que he hecho y de todo lo bueno que he dejado de hacer, porque pecando te he ofendido a ti, que eres el sumo bien y digno de ser amado sobre todas las cosas. Propongo firmemente, con tu gracia, cumplir la penitencia, no volver a pecar y evitar las ocasiones de pecado.

Ritual de la Penitencia

✟ Prayer Celebration

A Prayer of Sorrow

Leader: Dear God, we know you never stop loving us. When we confess our sins to you, you forgive us. Let us now pray a prayer of sorrow for our sins.

All: My God, I am sorry for
my sins with all my heart.
In choosing to do wrong
and failing to do good,
I have sinned against you whom
I should love above all things.
I firmly intend, with your help,
to do penance, to sin no more,
and to avoid whatever
leads me to sin.
Our Savior Jesus Christ
suffered and died for us.
In his name, my God, have mercy.

Rite of Penance

La fe en acción

Ayudar a las personas que sufren   Cuando alguien muere, las personas que lo aman están llenas de dolor, o tristeza. A veces, se sienten enojadas, confundidas o solas. Los sacerdotes y otros miembros de la parroquia las visitan para darles consuelo y para ayudarlas a sobrellevar la muerte. Escuchan relatos sobre la persona que murió y dicen cosas con la esperanza de hacer que la persona que sufre se sienta mejor o más fuerte con respecto a su pérdida. Dedican tiempo a rezar con la persona y a permitir que comparta sus sentimientos de tristeza.

En la vida diaria

Actividad   Recuerda a alguien especial que no has visto durante mucho tiempo y a quien extrañas mucho. Luego, completa la siguiente oración.

Si pudiera pasar sólo cinco minutos contigo, te diría que _____

_____

_____

_____

En tu parroquia

Actividad   A menudo, el momento más duro para alguien que sufre es varios meses después de la muerte de un ser querido. Escribe una tarjeta para enviar a una persona de tu parroquia para hacerle saber que sigues pensando en ella en este momento de tristeza.

Faith in Action

Helping People Who Are Grieving   When someone dies, the people who love that person are filled with grief, or sadness. Sometimes, they feel angry, confused, or lonely. Parish priests and other parish members visit them to give comfort and to help them cope with the death. They listen to stories about the person who died and say things they hope will make the grieving person feel better or stronger about their loss. They take time to pray with the person and to allow the person to share feelings of sadness.

In Everyday Life

Activity   Remember someone special that you have not seen in a long time and miss very much. Then complete the following sentence.

If I could spend just five minutes with you, I'd tell you that _____

_____

_____

_____

In Your Parish

Activity   Often the hardest time for someone who is grieving is several months after a loved one has died. Write a card to send to someone in your parish to let the person know that you are still thinking of him or her in this time of sadness.

7 Jesús nos enseña cómo amar y cuidar de los demás

Amarás a tu prójimo como a ti mismo.

Mateo 22:39

Compartimos

Un juego nuevo

"Clase, como regalo especial",
dijo el señor Chapman, el maestro,
"pueden jugar a este juego nuevo".

Los estudiantes tenían un tablero,
una pelotita, dos dados y tres cartas blancas.

"¿Cómo jugamos?", preguntó Sean.
"No tiene instrucciones".

"Tira el dado y levanta una carta", dijo Sarah.

"¿Y después qué hago?", preguntó Dave.
"Las cartas están en blanco".

"¿Para qué es la pelotita?", preguntó Jason.

"¡No es divertido!", dijo Nancy. "¿Cómo
podemos jugar un juego que no tiene reglas?"

Actividad

Imagina que tu escuela no
tuviera reglas. ¿Cómo sabrías
qué cosa está bien y cuál
está mal? Piensa en las reglas
que tu escuela necesitaría para
hacer que todos los estudiantes
se sientan seguros y cómodos.
Escríbelas en estas tarjetas.

7 Jesus Teaches Us How to Love and Care

You shall love your neighbor as yourself.

Matthew 22:39

Share

A New Game

"As a special treat, class," said Mr. Chapman, the teacher, "you may play this new game."

The students had a game board, a small ball, two dice, and three blank cards.

"How do we play?" Sean asked. "There are no directions."

"Roll the dice and pick a card," Sarah said.

"Then what?" Dave asked. "The cards are blank."

"What's the ball for?" Jason wondered.

"This is no fun!" Nancy said. "How can we play a game with no rules?"

Activity

Imagine that your school does not have rules. How would you know what was right or wrong? Think of rules your school would need to make all students feel safe and comfortable. Write them on the cards here.

✝ La Escritura Jesús cumple la Palabra de Dios

Jesús recorría Galilea enseñando y curando por el poder del Espíritu Santo. Un día, entró en Nazaret. La gente lo recordaba de cuando era niño. Sabían que era el hijo de María y de José, el carpintero.

Era sábado, así que Jesús fue con otros judíos a la sinagoga para rezar. Se puso de pie para leer la **Palabra de Dios**. Alguien le alcanzó el rollo del profeta Isaías. El libro de Isaías está en el Antiguo Testamento. Jesús lo abrió con cuidado y empezó a leer:

"El Espíritu del Señor está sobre mí. Él me ha ungido para llevar buenas nuevas a los pobres, para anunciar la libertad a los cautivos y a los ciegos que pronto van a ver, para liberar a los oprimidos".

Cuando terminó de leer, Jesús enrolló el libro. Las palabras que había leído eran poderosas. Todos esperaban que Jesús hablara otra vez.

Jesús les dijo: "Hoy, la obra de Dios se realizó en presencia de ustedes".

Las personas empezaron a decir grandes cosas sobre Jesús después de que lo oyeron hablar.

Basado en Isaías 61:1; Lucas 4:14–22

Hear & Believe

✝ Scripture   Jesus Fulfills God's Word

Jesus traveled throughout Galilee teaching and healing by the power of the Holy Spirit. One day, he went into Nazareth. Folks remembered him from the time he was a child. They knew that he was the son of Mary and Joseph the carpenter.

It was the Sabbath day, so Jesus went with other Jews into the synagogue to pray. He got up to read the **Word of God**. Someone handed him the scroll of the prophet Isaiah. The book of Isaiah is in the Old Testament. Jesus carefully opened it and began to read:

"The Spirit of the Lord is upon me,
because he has anointed me to
bring glad tidings to the poor. He
has sent me to proclaim liberty to
captives and recovery of sight to
the blind, and to let the oppressed
go free."

After he finished reading, Jesus rolled up the scroll. The words he had read were powerful. Everyone waited for Jesus to speak again.

Jesus said to them, "Today, God's work is fulfilled in your presence."

People began to say great things about Jesus after they heard him speak.

Based on Isaiah 61:1;
Luke 4:14–22

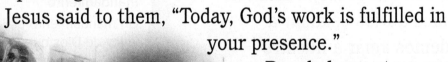

Jesús vive la Palabra de Dios

Jesús dijo a las personas de Nazaret que Dios lo envió para hablar sobre el amor y la misericordia de Dios. También les dijo que su **autoridad** viene de Dios. Jesús quiso decir que Él era la Palabra de Dios. Fue enviado a vivir la Palabra de Dios de manera que la gente supiera cómo es Dios. Jesús liberó a las personas de sus pecados. Las curó. Por su caridad, Jesús mostró **respeto** por todos.

En el Gran **Mandamiento**, Jesús enseñó a las personas cómo amar a Dios y cómo amarse mutuamente. Esta enseñanza nos dice que amemos a Dios con todo nuestro corazón y que amemos a nuestro prójimo como a nosotros mismos.

Nuestra Iglesia nos enseña

Dios quiere que mostremos a las personas su amor y su misericordia como lo hizo Jesús. Por eso Jesús nos enseña el Gran Mandamiento. Jesús dice que la mejor manera de mostrar que amamos a Dios es amar a nuestro prójimo. Podemos amar a nuestro prójimo cuidando y respetando a todas las personas.

Palabras de fe

autoridad
La autoridad es el derecho, o poder, de hacer algo.

respeto
Respeto es "mostrar que todos somos valiosos, actuando con bondad hacia los demás".

mandamiento
Un mandamiento es la ley de Dios que nos enseña cómo amar a Dios, a los demás y a nosotros mismos.

Jesus Lives God's Word

Jesus told the people of Nazareth that God sent him to tell about God's love and mercy. He also told them that his **authority** came from God. Jesus meant that he was the Word of God. He was sent to live God's word so that people would know what God is like. Jesus freed people from their sins. He healed them. By his kindness, Jesus showed **respect** for all people.

Jesus taught people how to love God and each other in the Great **Commandment**. This teaching tells us to love God with all our heart and love our neighbor as ourselves.

Our Church Teaches

God wants us to show people his love and mercy as Jesus did. That is why Jesus teaches us the Great Commandment. Jesus says the best way we show we love God is to love our neighbor. We can love our neighbor by caring for and respecting all people.

Faith Words

authority
Authority is the right, or power, to do something.

respect
Respect means "to show that all people are valuable by acting kindly toward others."

commandment
A commandment is God's law that teaches us how to love God, others, and ourselves.

Respondemos

Hijos de Dios

Jesús nos ordena que amemos a Dios y que amemos a nuestro prójimo. Nos dice que todos merecen nuestro respeto porque son hijos de Dios. Si amamos a los demás, entonces amamos a Dios. Mira las fotografías. Cada una muestra a una persona que merece nuestro respeto. En el espacio que está junto a cada fotografía, escribe, si pudieras, cómo demostrarías amor y respeto por esa persona.

_____

_____

_____

_____

_____

_____

_____

_____

_____

_____

Respond

Children of God

Jesus commands us to love God and love our neighbor. He tells us that everyone deserves our respect because everyone is a child of God. If we love others, then we love God. Look at the pictures. Each one shows a person who deserves our respect. In the space next to each pictures, write how, if you could, you would show love and respect to that person.

_____

_____

_____

_____

_____

_____

_____

_____

_____

_____

_____

_____

Actividad

Colorea las zonas numeradas **1** y **2** para hallar una parte
del Gran Mandamiento de Jesús en inglés y en español.

Activity

Color the areas numbered **1** and **2** to find part of Jesus'
Great Commandment in English and Spanish.

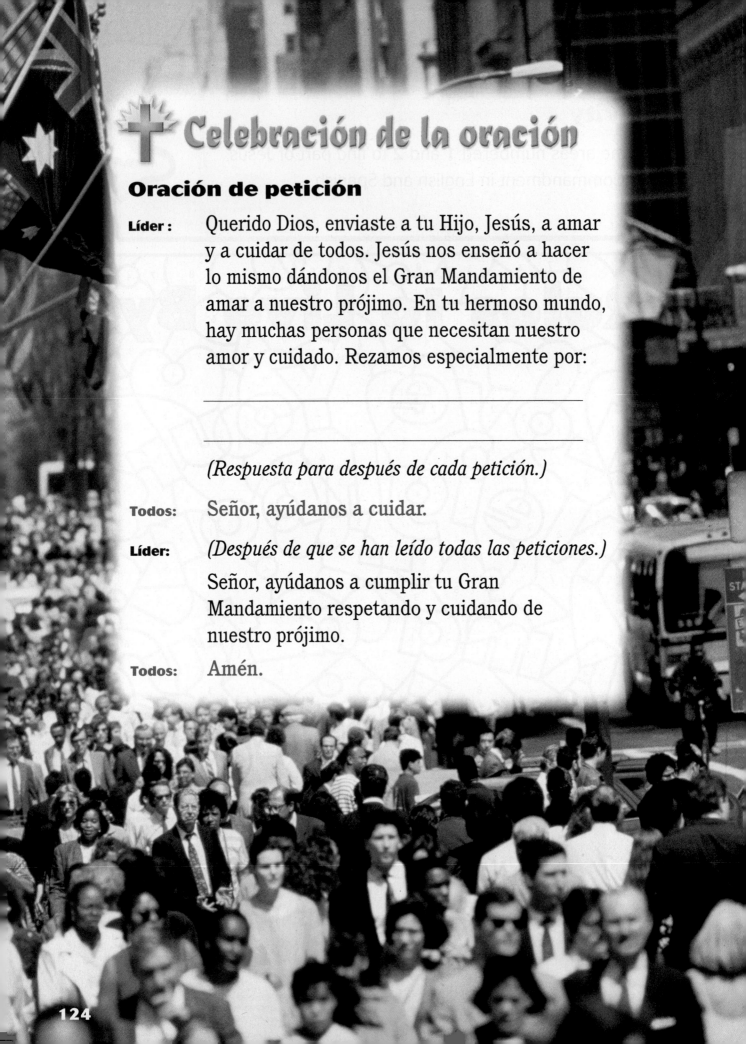

✟ Celebración de la oración

Oración de petición

Líder : Querido Dios, enviaste a tu Hijo, Jesús, a amar y a cuidar de todos. Jesús nos enseñó a hacer lo mismo dándonos el Gran Mandamiento de amar a nuestro prójimo. En tu hermoso mundo, hay muchas personas que necesitan nuestro amor y cuidado. Rezamos especialmente por:

_____

_____

(Respuesta para después de cada petición.)

Todos: Señor, ayúdanos a cuidar.

Líder: *(Después de que se han leído todas las peticiones.)*

Señor, ayúdanos a cumplir tu Gran Mandamiento respetando y cuidando de nuestro prójimo.

Todos: Amén.

✝ Prayer Celebration

A Prayer of Petition

Leader : Dear God, you sent your Son, Jesus, to love and care for everyone. Jesus taught us to do the same by giving us the Great Commandment to love our neighbor. In your beautiful world, there are many people who need our love and care. We pray especially for:

_____

_____

(Response after each petition.)

All: Lord, help us to care.

Leader: *(After all petitions have been read)*

Lord, help us to keep your Great Commandment by respecting and caring for our neighbor.

All: Amen.

La fe en acción

Ministerios juveniles   Los ministerios juveniles parroquiales tienen actividades para adolescentes que quieren aprender más sobre su fe y sobre vivir como discípulos de Cristo. Los jóvenes católicos saben lo importante que es encontrar formas de obedecer el mandamiento de Jesús de amarse unos a otros. Se demuestran este amor mutuamente. También trabajan para mostrar a otras personas ejemplos del maravilloso amor de Jesús por ellos. Todavía no eres adolescente, pero hay muchas maneras en que puedes obedecer el mandamiento de Jesús de amarse unos a otros.

En la vida diaria

Actividad   Para cada una de las siguientes actividades familiares, di una forma en que la harías con otras personas que no pertenecen a tu familia.

Familia	Otras personas
Jugamos juntos a juegos divertidos.	_____
Nos cuidamos mutuamente cuando estamos enfermos.	_____
Nos ayudamos con las tareas.	_____

En tu parroquia

Actividad   Si pudieras escribir cartas o visitar a una persona mayor de tu parroquia, ¿qué podrían aprender el uno del otro?

• Una persona mayor podría enseñarme _____

_____

• Yo podría ayudar a una persona mayor a aprender _____

_____

Faith in Action

Youth Ministries Parish youth ministries have activities for teenage parishioners who want to learn more about their faith and live as disciples of Christ. Catholic youth know how important it is to find ways to obey Jesus' commandment to love one another. They show this love to one another. They also work together to show other people examples of Jesus' amazing love for them. You are not yet a teenager, but there are many ways that you can obey Jesus' commandment to love one another.

In Everyday Life

Activity For each family activity below, tell one way you could do the activity with other people who are not family members.

Family	Other People
We play fun games together.	_____
We care for each other when we're sick.	_____
We help each other with chores.	_____

In Your Parish

Activity If you could be pen pals (sharing letters) or parlor pals (sharing visits) with an older person in your parish, what are some things that you might learn from each other?

• An older person might teach me _____

_____

• I could help an elderly person learn _____

_____

8 Rezamos al Espíritu Santo

Pidan y se les dará, busquen y hallarán, llamen a la puerta y les abrirán.

Lucas 11:9

Compartimos

La familia López planeaba arreglar el jardín de atrás. Los tres hermanos hablaban sobre lo que querían. Carlos deseaba tener una piscina, pero no quería pedirla. "Me gustaría un gimnasio de escalada", pensó Miguel. "¿Debería pedirlo?" José fue directo hasta sus padres y preguntó: "¿Podemos poner un lugar para guardar nuestras bicicletas?".

"Creo que sí", respondió su padre.

Actividad

¿Puedes recordar alguna vez en que les pediste a tus padres algo que querías mucho? Dibújalo en la caja de regalos que está aquí.

8 We Pray to the Holy Spirit

Ask and you will receive; seek and you will find; knock and the door will be opened to you.

Luke 11:9

Share

The Lopez family was planning to fix up their backyard. The three brothers talked about what they wanted. Carlos hoped for a swimming pool, but didn't want to ask. "I'd like a climbing gym," thought Miguel. "Should I ask for that?" José went right to his parents. He asked, "Could we add a place to store our bikes?"

"I think we can do that," his father answered.

Activity

Can you remember a time when you asked your parents for something you wanted very much? Draw it on the gift box here.

Escuchamos y creemos

✝ La Escritura   El hombre que no renunciaba

Jesús quería que sus discípulos fueran perseverantes en la oración. Les dijo que Dios siempre les daría lo que necesitaran. Aun cuando pensamos que Dios no nos escucha, explicaba Jesús, no debemos dejar de rezar. "Dios Padre los ama", decía. "No tengan miedo de pedirle al Padre celestial lo que necesitan". Para ayudarlos a entender, Jesús les contó este relato:

"Supongan que uno de ustedes tiene un amigo y va a medianoche a su casa a decirle: 'Amigo, préstame tres panes, porque un amigo mío ha llegado de viaje y no tengo nada que ofrecerle'.

Y el otro le responde: 'No me molestes. La puerta está cerrada y mis hijos y yo estamos ya acostados; no puedo levantarme a dártelos'. Pero usted sigue pidiendo. Yo les digo, aunque el hombre no se levante para dárselo porque es amigo suyo, si usted se pone pesado, al final le dará todo lo que necesita".

Basado en Lucas 11:5–8

Hear & Believe

✝ Scripture   The Man Who Would Not Quit

Jesus wanted his disciples to be strong in prayer. He told them that God always would provide for their needs. Even when we think that God is not listening to us, Jesus explained, we must not stop praying. "God the Father loves you," he said. "Don't be afraid to ask your heavenly Father for what you need." To help them understand, Jesus told this story:

"Suppose one of you has a friend to whom you go at midnight and say, 'Friend, lend me three loaves of bread, for a friend of mine has come to my house from a journey and I have nothing to give him.'

"And he says, 'Do not bother me. This door is already locked. My children and I are already in bed. I cannot get up to give you anything.' "But you keep asking. I tell you, if he does not get up to give you the bread because he is your friend, then he will get up and bring you whatever you need because you did not stop asking."

Based on Luke 11:5–8

Confiamos en la bondad de Dios Padre

En el relato que Jesús contó, un hombre sigue golpeando la puerta de un amigo hasta que consigue la ayuda que necesita. Jesús dice que debemos hacer lo mismo, pidiendo a Dios Padre lo que necesitamos. Porque Dios nos ama tanto, podemos confiar en que Él cuidará de nosotros. Dios no promete una vida perfecta, pero promete amarnos y estar con nosotros siempre. Cuando rezamos y le pedimos a Dios lo que necesitamos, demostramos que creemos que Él nos cuidará.

Nuestra Iglesia nos enseña

Dios promete estar con nosotros siempre. Dios se presenta a nosotros en las tres Personas de la **Santísima Trinidad**. Jesús es la segunda Persona de la Santísima Trinidad. Por el poder del Espíritu Santo, sentimos la presencia, o cercanía, de Jesús. El Espíritu Santo es la tercera Persona de la Santísima Trinidad. Con la **guía** del Espíritu Santo, aprendemos a pedir lo que necesitamos. El Espíritu Santo une, guía y ayuda a la Iglesia a crecer. La Iglesia es santa porque el Espíritu Santo está con nosotros.

We Trust in God the Father's Goodness

In the story Jesus told, a man keeps knocking on a friend's door until he gets the help he needs. Jesus says we should do the same by asking God the Father for what we need. Because God loves us so much, we can trust he will take care of us. God does not promise a perfect life, but he does promise to love us and be with us always. When we pray and ask God for what we need, we show that we believe God will take care of us.

Our Church Teaches

God promises to be with us always. God is present to us in the three Persons of the **Holy Trinity**. Jesus is the second Person of the Holy Trinity. Through the power of the Holy Spirit, we feel the presence, or nearness, of Jesus. The Holy Spirit is the third Person of the Holy Trinity. With the **guidance** of the Holy Spirit, we learn to ask for what we need. The Holy Spirit unites, guides, and helps the Church to grow. The Church is holy because the Holy Spirit is with us.

We Believe

Jesus teaches us to ask the Father for what we need. God sends his Holy Spirit to guide us. We believe there is one God in the three persons of the Trinity.

Faith Words

guidance
Guidance means "to lead or show the way." We pray for the guidance of the Holy Spirit.

Holy Trinity
The Holy Trinity is one God in three persons.

San Patricio reza al Espíritu

Patricio se crió en Inglaterra como hijo de un soldado romano. A los 16 años, Patricio fue capturado por piratas, que lo llevaron a Irlanda para trabajar como pastor esclavo. A menudo, tenía frío y hambre, y estaba solo. Tenía mucho tiempo para pensar, rezar y pedir ayuda a Dios. Patricio pensaba que nunca más volvería a ver su hogar ni a su familia. Pero no perdió la esperanza. Finalmente, después de seis años, escapó.

Cuando Patricio volvió a su casa, estudió para ordenarse sacerdote. Patricio quería conocer el plan de Dios para él. Entonces, rezó pidiendo una respuesta. El Espíritu Santo lo guió de regreso a Irlanda. Era un lugar peligroso. Sin embargo, Patricio siguió al Espíritu Santo. Viajó por toda Irlanda y predicó a muchas personas sobre la Santísima Trinidad. Muchas no entendían cómo podía haber tres Personas en un Dios. "Miren este trébol", decía Patricio. "Hay una planta y un tallo. Pero hay tres hojas. El misterio de la Trinidad se parece en algo al trébol".

Como San Patricio estaba abierto a la guía del Espíritu Santo, muchas personas aprendieron sobre el amor de Dios.

Saint Patrick Prays to the Spirit

Patrick grew up as the son of a Roman soldier living in England. At age 16, Patrick was captured by pirates and taken to Ireland to work as a shepherd slave. Often, he was cold, hungry, and lonely. He had a lot of time to think, pray, and ask God for help. It seemed to Patrick that he would never again be able to see his home and family. But he did not lose hope. Finally, after six years, he escaped.

When Patrick returned home, he studied to become a priest. Patrick wanted to know God's plan for him. So, he prayed for an answer. The Holy Spirit guided him back to Ireland. It was a dangerous place. Yet, Patrick followed the Holy Spirit. He traveled all over Ireland and preached to many people about the Holy Trinity. Many didn't understand how there could be three persons in one God. "Look at this shamrock," Patrick said. "There is one plant and one stem. But there are three leaves. The mystery of the Trinity is a little like the shamrock."

Because St. Patrick was open to the guidance of the Holy Spirit, many people learned about God's love.

Actividades

1. Lee las frases sobre los problemas de Paul y Anne. Luego, en los siguientes renglones, escribe lo que crees que deberían hacer para seguir la guía del Espíritu Santo.

Paul es bueno en ciencias. El equipo de la feria de ciencias se reúne el sábado por la mañana. En ese momento, Paul mira sus dibujos animados preferidos.

_____

_____

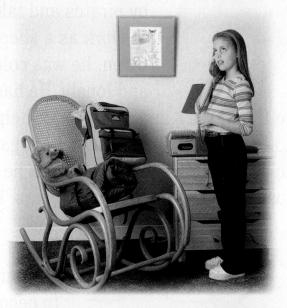

La amiga de Anne tiene una fiesta de pijamas el viernes. Se supone que el viernes Anne tiene que ir a cuidar al bebé de la vecina.

_____

_____

2. Ordena las letras para descifrar esta oración. Coloca las letras sobre las líneas en el orden correcto.

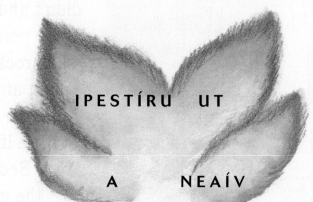

I P E S T Í R U   U T

A   N E A Í V

Señor, e __ __ __ __   a t __

E __ __ __ __ __ __ __ .

Activities

1. Read the sentences about the problems of Paul and Anne. Then on the lines below, write what you think they should do to follow the guidance of the Holy Spirit.

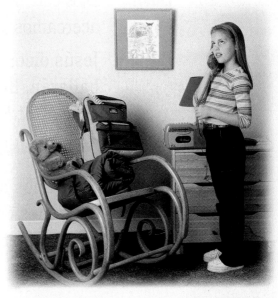

Paul is good at science. The science fair team meets Saturday morning. That is when Paul watches his favorite cartoons.

Anne's friend is having a sleep-over on Friday. Anne is supposed to look after the neighbor's baby on Friday.

_____   _____

_____   _____

2. Unscramble the letters to decode this prayer. Place the letters on the lines in the correct order.

IPSTIR   RYOU

SU   NDES

Lord, S __ __ __   __ s   y __ __ __

s __ __ __ __ __.

✝ Celebración de la oración

Oración a la Santísima Trinidad

Líder: Dios está siempre dispuesto a escucharnos. Nos acercamos a la Santísima Trinidad en oración.

Lector 1: Jesús dice: "Pidan y se les dará, busquen y hallarán, llamen a la puerta y les abrirán". (Lucas 11:9)

Todos: Señor, venimos a ti con nuestras necesidades.

Lector 2: Buscamos al Espíritu Santo con nuestras oraciones de petición. Por nuestro Papa y por los líderes de todas las iglesias, pedimos

_____.

Todos: Espíritu, ven a nosotros.

Lector 3: Señor, nos amas tanto que nos invitas a llamarte Padre. Por las necesidades de nuestra familia y de nuestros amigos, pedimos

_____.

Todos: Dios nuestro Padre esté con nosotros. Amén.

✝ Prayer Celebration

A Prayer to the Holy Trinity

Leader: God is always ready to listen to us. We approach the Holy Trinity in prayer.

Reader 1: Jesus says, "Ask and you will receive; seek and you will find; knock and the door will be opened to you." (Luke 11:9)

All: Lord, we come to you with our needs.

Reader 2: We seek the Holy Spirit with our prayers of petition. For our pope and all church leaders, we ask

_____.

All: Spirit, come to us.

Reader 3: Lord, you love us so much that you invite us to call you Father. For the needs of our families and friends, we ask

_____.

All: God our Father be with us. Amen.

La fe en acción

Pastores Como Jesús el Buen Pastor, nuestros pastores están llamados a ser líderes, a ser pastores del pueblo de Dios. El Espíritu Santo trabaja a través de los sacerdotes para hacernos fuertes espiritualmente, para consolarnos y para alentarnos. Los sacerdotes nos ayudan a estar más cerca de Dios guiándonos en la oración en la Misa y en los sacramentos. Nos enseñan a rezar por nuestras necesidades y las de los demás. Ellos nos conducen, como rebaño, mientras sirven a Dios y a la Iglesia. Una gran parte de su ministerio es mantenernos juntos y a salvo.

En la vida diaria

Actividad Imagina que eres un pastor que tiene un rebaño de ovejas. Escribe algunas cosas que harías como buen pastor.

_____

_____

_____

_____

_____

En tu parroquia

Actividad Nuestros sacerdotes rezan por nosotros, pero nosotros también podemos rezar por ellos. Escribe una oración al Espíritu Santo para ayudar a tu sacerdote a ser el mejor pastor posible para las personas de tu parroquia.

_____

_____

_____

_____

Faith in Action

Pastors Like Jesus the Good Shepherd, our pastors are called to be leaders, to be shepherds for God's people. The Holy Spirit works through priests to make us spiritually strong, to comfort us, and to encourage us. Priests help us be closer to God by leading us in prayer at Mass and in the sacraments. They teach us to pray for our own needs and the needs of others. They shepherd us, their flock, as they serve God and the Church. Keeping us together and safe is a big part of their ministry.

In Everyday Life

Activity Imagine that you are a shepherd with a flock of sheep. Write about some things that would make you a good shepherd.

_____

_____

_____

_____

_____

In Your Parish

Activity Our priests pray for us, but we can also pray for them. Write a prayer to the Holy Spirit to help your pastor be the best shepherd possible to the people of your parish.

_____

_____

_____

_____

La Iglesia es católica

Jesús nos enseñó que Dios es el Padre de todos. Nuestra Iglesia da la bienvenida a todos los hijos de Dios.

Si conocieras el don de Dios…
tú misma le pedirías agua viva y Él te la daría.

Juan 4:10

Esta antigua pintura de una tumba romana muestra a Jesús en un pozo hablando sobre la vida eterna con una mujer. Hoy, algunas mujeres que viven en los lugares bíblicos siguen sacando agua de los pozos.

The Church Is Catholic

Jesus taught us that God is the Father of all. Our Church welcomes all God's children.

If you knew the gift of God… you would have asked him and he would have given you living water.

John 4:10

This ancient painting from a Roman tomb shows Jesus talking about eternal life to a woman at a well. Today, some women in Bible lands still get water from wells.

143

Vamos todos al banquete

ESTRIBILLO

Va - mos to - dos al ban - que - te, A la
me - sa de la cre - a - ción; Ca - da cual, con su ta - bu -
re - te, Tie - ne_un pues - to y_u - na mi - sión.

ESTROFAS

1. Hoy me le - van - to muy tem - pra - no, Ya me_es -
2. Dios in - vi - ta_a to - dos los po - bres A es - ta
3. Dios nos man - da_a_ha - cer de_es - te mun - do U - na

pe - ra la co - mu - ni - dad. Voy su - bien - do a - le - gre la
me - sa co - mún por la fe, Don - de no_hay a - ca - pa - ra -
me - sa don - de_ha - ya_i - gual - dad; Tra - ba - jan - do_y lu - chan - do

D.C.

cues - ta, Voy en bus - ca de tu_a - mis - tad.
do - res Don - de to - dos pue - dan co - mer.
jun - tos, Com - par - tien - do la pro - pie - dad.

Texto: *Misa popular salvadoreña*, Guillermo Cuéllar
Música: Guillermo Cuéllar
© 1994, 2005, GIA Publications, Inc.

Let Us Go Now to the Banquet

REFRAIN

Let us go now to the ban - quet, To the

feast of the u - ni - verse. The ta - ble's set and a place is

wait - ing;—— Come, ev - 'ry - one, with your gifts to share.

VERSES

1. I will rise in the ear - ly morn - ing. The com -
2. God in - vites all the poor and hun - gry To the
3. May we build such a place a - mong us Where all

mu - ni - ty's wait - ing for me. With a spring in my step—— I'm
ban - quet of jus - tice and good, Where the har - vest will not—— be
peo - ple are e - qual in love. God has called us to work—— to -

D.C.

walk - ing With my friends and my fam - i - ly.
hoard - ed, So that no one will lack for food.
geth - er And to share ev - 'ry - thing we have.

Text: *Misa popular salvadoreña*, Guilermo Cuéllar; tr. by Bret Hesla and William Dexheimer-Pharris
Tune: Guilermo Cuéllar
© 1994, 2005, GIA Publications, Inc.

9 Los católicos estamos "abiertos a todos"

OREMOS

El que beba del agua que yo le daré nunca volverá a tener sed.

Juan 4:14

Compartimos

¿Qué soy?

> Muchas veces me desperdicias, pero sin mí morirías.

¿Qué soy?

Me necesitas dentro y fuera de tu cuerpo. Si tratas de agarrarme, me escapo. Me necesita tu mascota y, también, todas las flores, los árboles, los arbustos y las plantas. ¿Has descubierto ya que soy el agua?

Actividad

¿Has estado alguna vez muy agradecido por el regalo del agua que nos hizo Dios? Mira las fotografías de esta página. Explica por qué las personas en las fotografías están contentas de tener agua.

9 Catholics Are "Open to All"

 **LET US PRAY** Whoever drinks the water I shall give will never thirst.

John 4:14

Share

What Am I?

> You often throw me away, but without me you would die.
>
> **What am I?**

You need me inside and outside your body. If you try to hold me, I run away. Your pet needs me, and so does every flower, tree, bush, and plant. Have you guessed by now that I am water?

Activity

Have you ever been very thankful for God's gift of water? Look at the pictures on this page. Explain why people in the pictures are happy to have water.

✝ La Escritura La samaritana

Jesús había estado recorriendo Judea para difundir la Buena Nueva. En su camino hacia Galilea, Jesús entró en el distrito de Samaria. Estaba fatigado y se detuvo a descansar cerca de un pozo. Llegó una mujer para llenar su tinaja con agua del pozo.

Jesús le dijo: "Dame de beber". Pero se suponía que los judíos no bebían nada que hubiera tocado un samaritano. Por eso, sorprendida, la mujer le preguntó: "¿Cómo puedes tú, que eres judío, pedirme a mí, que soy samaritana, que te dé de beber?".

Jesús le dijo: "El que bebe agua de este pozo volverá a tener sed; pero el que bebe el agua viva que yo doy nunca volverá a tener sed; el agua que yo doy, trae la vida eterna".

La mujer sabía que Jesús realmente quería ayudarla. "Señor, dame esta agua para que no vuelva a tener sed", le dijo. Pero Jesús la sorprendió otra vez. "Yo sé por todo lo que has pasado. Tu vida ha sido muy desdichada", le dijo.

"Debes ser profeta para saber tanto sobre mí", dijo la mujer. Entonces, Jesús le dijo que Él era el Mesías.

La mujer volvió a su pueblo y dijo: "Vengan a ver a un hombre que me dijo todo lo que he hecho. ¿Es el Mesías?". Los pobladores fueron a encontrarse con Jesús. Cuando volvieron, muchos creían en Él porque habían estado con Él. Dijeron: "Ahora sabemos que éste es verdaderamente el Salvador del mundo".

Basado en Juan 4:2–4

Hear & Believe

✝ Scripture — The Samaritan Woman

Jesus had been traveling in Judea spreading the Good News. On his way to Galilee, Jesus entered the district of Samaria. He became tired and stopped to rest near a well. A woman arrived to fill her jar with water from the well.

"Give me a drink," Jesus said to her. But Jewish people were not supposed to drink out of anything a Samaritan had touched. So, she asked in surprise, "How can you, a Jew, ask me, a Samaritan woman, for a drink?"

Jesus said to her, "Everyone who drinks water from this well will be thirsty again; but whoever drinks the living water I give will never thirst; the water I give brings eternal life."

The woman knew that Jesus really wanted to help her. "Sir, give me this water, so that I may not be thirsty again," she said. But Jesus again surprised her. "I know all about your life. It has been a very unhappy one for you," he said.

"You must be a prophet to know so much about me," the woman said. Then, Jesus told her that he was the Messiah.

The woman went back to her town and said, "Come see a man who told me everything I have done. Is he the Messiah?" People went out to meet Jesus. When they returned, many believed in him because they had been with him. They said, "Now we know that this is truly the savior of the world."

Based on John 4:2–4

Jesús ofrece el agua viva

Jesús no se alejó de la samaritana porque Dios lo envió a llevar la Buena Nueva a todos. Jesús habló con la mujer para poder ofrecerle el "agua viva". Jesús prometió que esta agua traería nueva vida y que la haría feliz por siempre. Jesús nos ofrece la misma "agua viva". Quiere que sepamos que su vida, su muerte, su **Resurrección** y su Ascensión son para todos. Jesús quiere que las personas de todos los colores de piel, las razas, las edades y las nacionalidades participen de su **Misterio Pascual** y que sean felices por siempre con Dios Padre, Hijo y Espíritu Santo.

Nuestra Iglesia nos enseña

El regalo de Dios para todos fue la Resurrección de Jesucristo, por el poder del Espíritu Santo. Ahora Jesús quiere que nosotros, su Iglesia, amemos y aceptemos a todos, como Él lo hizo. La Iglesia se llama **católica** porque está abierta a todos los habitantes del mundo.

Jesus Offers Living Water

Jesus did not turn away from the Samaritan woman because God sent him to bring the Good News to all people. Jesus spoke to the woman so he could offer her "living water." Jesus promised this water would bring new life and make her happy forever. Jesus offers us the same "living water." He wants us to know that his life, death, **Resurrection**, and Ascension are for everyone. Jesus wants people of all colors, races, ages, and nationalities to share in his **Paschal mystery** and be happy forever with God the Father, Son, and Holy Spirit.

Our Church Teaches

God's gift to everyone was the Resurrection of Jesus Christ, through the power of the Holy Spirit. Now Jesus wants us, his Church, to love and accept everyone, just as he did. The Church is called **catholic** because it is open to everyone from anywhere in the world.

Faith Words

Resurrection

The Resurrection is Jesus Christ's rising from death to new life. The death and Resurrection of Jesus Christ are for everyone.

Paschal Mystery

The Paschal Mystery is the suffering, death, Resurrection, and Ascension of Jesus Christ.

catholic

To be catholic is to be open to anyone. The Holy Spirit helps the Church be catholic.

Aprender a estar "abiertos a todos"

A veces, no es fácil estar abiertos a todas las personas que son diferentes de nosotros mismos. Cuando tenemos dificultades para aceptar a los demás, debemos pensar en cómo Jesús acepta a todos. Debemos tratar de hacer lo mismo.

¿Cómo me llamo?

Todos los niños de la clase de la señorita Osean tenían sobrenombres. Les pidió a todos que propusieran un sobrenombre que les gustara.

"Yo quiero que me digan *la Veloz*", dijo Ángela. Ella pensaba que era la corredora más rápida de la escuela. Agregó: "Cuando corro, ¡nadie puede tocarme porque soy *la Veloz*!".

"Yo soy *el Grandote*", dijo Joey. "Soy el niño más alto de la escuela".

Pero no todos estaban contentos. Un niño quería que lo llamaran *Calvin*, porque ése era el nombre de su tira cómica preferida. Su nombre verdadero era Watadziu Dubinsky. Los demás niños pensaban que su nombre era raro, porque era difícil de decir. Le ponían nombres feos como *Watty*.

Pero a Joey no le gustaba que los otros niños se burlaran del nombre de Watadziu. Creía que sólo porque el nombre de alguien era diferente o difícil de decir no significaba que estuviera bien reírse. Joey decidió que iba a aprender el nombre de Watadziu. Entonces, cada vez que lo dijera, otros niños también lo dirían correctamente.

Al día siguiente, durante el almuerzo, Joey vio a Watadziu y dijo: "Hola, Watadziu, siéntate conmigo hoy".

Respond

Learning to Be "Open to All"

Sometimes, it is not easy to be open to people who are different from ourselves. When we have trouble accepting others, we should think of how Jesus accepts everyone. We must try to do the same.

What's my name?

All the children in Ms. Osean's classroom had nicknames. She asked everyone to come up with a nickname they liked.

"I want to be called 'Speedy,'" said Angela. She thought she was the fastest runner in the school. "When I race," Angela said, "no one can touch me because I'm just 'Speedy!'"

"I'm 'Big J,'" said Joey. "I'm the tallest boy in the school."

But not everyone was happy. One boy wanted to be called "Calvin" because "Calvin" was the name of his favorite comic strip. His real name was Watadziu (vwá-jū) Dubinsky. Other children thought his name was weird because it was hard to say. They called him mean names like "Watty."

But Joey didn't like the fact that other children poked fun at Watadziu's name. He thought that just because someone's name was different or hard to say didn't mean it was OK to make fun. Joey decided he was going to learn Watadziu's name. So whenever he would say it, other children would also say it the right way.

The next day at lunch, Joey saw Watadziu and said, "Hey, Watadziu, sit with me today."

Actividad

Mira las siguientes ilustraciones. En el espacio correspondiente, di en qué se diferencia cada persona de Joey. Luego, di o escribe cómo puede Joey mostrar respeto al ayudar a cada persona.

_____

_____

_____

_____

_____

_____

_____

_____

_____

_____

_____

_____

Activity

Look at the pictures below. In the space given, tell how each person is different from Joey. Then, tell or write how Joey can show respect by helping each person.

_____
_____
_____
_____
_____

_____
_____
_____
_____
_____

_____
_____
_____
_____

 # Celebración de la oración

Oración para pedir guía

Líder: Aprendemos de Jesús cómo tratar a las personas que son diferentes. Como judío, Jesús era diferente de la samaritana. Aun así, la respetó y quiso ayudarla. Debido a que nuestra Iglesia es católica, nosotros también recibimos a todos. No importa cómo son ni en qué idioma hablan. En esta oración, compartimos palabras en polaco.

Todos: Guía nuestros pensamientos, palabras y acciones. Que aprendamos a amar como Jesús.

Lector: Que aprendamos a amar como Jesús.

żeby się nauczyè

(ze bi) (shel) (na u chich)

kochaè tak jak sam

(co jach) (tak) (iak) (sam)

Jezus kochał.

(ie zuz) (co jau)

Lado 1: Espíritu de Amor, abre nuestros ojos para ver la bondad en todos.

Lado 2: Espíritu de Amor, abre nuestro corazón para respetar las diferencias de los demás.

Todos: Amén.

Prayer Celebration

A Prayer for Guidance

Leader: We learn from Jesus how to treat people who are different. As a Jew, Jesus was different from the Samaritan woman. He still respected her and wanted to help. Because our Church is catholic, we welcome all people, too. It does not matter what they look like or what language they speak. In this prayer, we share words in the Polish language.

All: Guide our thoughts, words, and actions. May we learn to love as Jesus does.

Reader: May we learn to love as Jesus does.

żeby się nauczyć

(szeh bee) (shelh) (nah oo chitch)

kochać tak jak sam

(koh hutch) (tahk) (yahk) (sahm)

Jezus kochał.

(Yeh zooz) (koh how)

Side 1: Spirit of Love, open our eyes to see goodness in all people.

Side 2: Spirit of Love, open our hearts to respect the differences of others.

All: Amen.

La fe en acción

Ministros de hospitalidad   Los ministros de hospitalidad reciben a las personas cuando se reúnen para celebrar la Misa. Ayudan a crear un ambiente agradable recibiendo, con una sonrisa cálida, a los que llegan, entregando hojas de cantos y boletines, y ayudando a las personas a encontrar asiento. Estos ministros, llamados también ujieres, ayudan con la colecta. Se ocupan de las personas que necesitan ayuda especial para recibir la Comunión. Se encargan de las emergencias que puedan surgir durante la Misa.

En la vida diaria

Actividad   A menudo, las personas generosas hacen más de lo que se espera de ellas. Para cada acción, escribe qué podrías hacer para ser más amable o más generoso.

• Recibir a una persona mayor en la puerta de la iglesia.

_____

_____

• Dar un juego como regalo de cumpleaños.

_____

_____

• Poner la mesa para cenar.

_____

_____

En tu parroquia

Actividad   Nombra a alguien de tu parroquia que te causó una buena primera impresión. _____

¿Cuáles son tres de las cualidades de esta persona que más te gustaría imitar? Estas cualidades te ayudarán a causar una buena impresión en las personas cuando te conocen.

1. _____

2. _____

3. _____

Faith in Action

Ministers of Hospitality   Ministers of hospitality welcome people as they gather to celebrate Mass. They help create a friendly environment by greeting people with a warm smile as they arrive, by handing out song sheets and bulletins, and by helping people find seats. Also called ushers, these ministers help with the collection. They care for people who need special help receiving Communion. They handle emergencies that may arise during Mass.

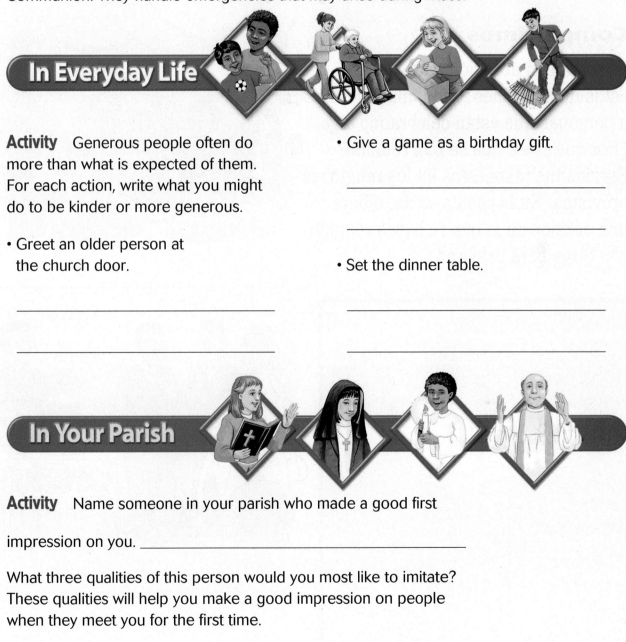

In Everyday Life

Activity   Generous people often do more than what is expected of them. For each action, write what you might do to be kinder or more generous.

• Greet an older person at the church door.

_____

_____

• Give a game as a birthday gift.

_____

_____

• Set the dinner table.

_____

_____

In Your Parish

Activity   Name someone in your parish who made a good first

impression on you. _____

What three qualities of this person would you most like to imitate? These qualities will help you make a good impression on people when they meet you for the first time.

1. _____

2. _____

3. _____

10 Nos reunimos para la Misa

... con gran alegría los recibimos en la familia de los cristianos, en la que conocerán a Cristo cada día mejor.

Rito de aceptación

Compartimos

Observa con atención cada una de estas ilustraciones. Cada una muestra a personas que están celebrando algo. ¿Por qué crees que se han reunido? Escribe tus respuestas en los renglones provistos. En la casilla vacía, dibuja una ocasión en la que te hayas reunido con otros para celebrar.

10 We Gather for Mass

We welcome you joyfully into our Christian family, where you will come to know Christ better day by day.

Rite of Acceptance

Share

Look carefully at each of these pictures. Each one shows people celebrating something. Why do you think they have gathered together? On the lines provided, write your answers. In the empty box, draw a picture of a time you have gathered with others to celebrate.

Escuchamos y creemos

El culto El Día del Señor

Al domingo se lo llama el Día del Señor. El domingo es un día de gran alegría. Es un día para descansar del trabajo. Es un día para estar con nuestra familia de la iglesia y con nuestra propia familia en casa. Cada domingo, celebramos el don de la vida, la muerte y la Resurrección de Jesús. Todos los domingos, los católicos de todo el mundo se reúnen para alabar a Dios Padre, Hijo y Espíritu Santo. Todas las personas son bienvenidas a unirse a la celebración.

"… con gran alegría los recibimos en la familia de los cristianos, en la que conocerán a Cristo cada día mejor. Y juntamente con nosotros ustedes se esforzarán en vivir como hijos de Dios, según nos enseñó Cristo Nuestro Señor: 'Amarás a Dios con todo tu corazón. Ámense los unos a los otros como yo los he amado a ustedes'."

Rito de aceptación

Hear & Believe

Worship The Lord's Day

Sunday is called the Lord's Day. Sunday is a day of great joy. It is a day to rest from work. It is a day to spend with our church family and our own family at home. Each Sunday we celebrate the gift of Jesus' life, death, and Resurrection. Every Sunday Catholics from all over the world come together to praise God the Father, Son, and Holy Spirit. All people are welcome to join the celebration.

"We welcome you joyfully into our Christian family, where you will come to know Christ better day by day. Together with us you will try to live as children of God, for our Lord has taught us: 'Love God with all your heart and love one another as I have loved you.'"

Rite of Acceptance

Nos reunimos

El Día del Señor, nos reunimos como hermanos y hermanas en la familia de Dios. Juntos, pedimos perdón por las formas en que nos hemos apartado de Dios y nos hemos lastimado mutuamente. Rezamos, cantamos y glorificamos a Dios en la Santísima Trinidad.

Toda la Iglesia celebra la **liturgia**. Ésta es una manera especial de venerar y de alabar a Dios. En la Liturgia de la Palabra, escuchamos las palabras de la **Sagrada Escritura**. Aprendemos más sobre la bondad de Dios y su voluntad para nosotros. Rezamos el Padre Nuestro, que resume el mensaje del Evangelio. Le pedimos a Dios lo que necesitamos. En la Liturgia de la **Eucaristía**, le damos gracias a Dios por nuestros dones y recibimos el don más grande: el don de Jesucristo.

Nuestra Iglesia nos enseña

El domingo, los católicos celebran el Día del Señor. Descansamos e invitamos a los demás a dejar a un lado su trabajo. Es un día para disfrutar de la familia y los amigos. En la Misa, celebramos al Señor Resucitado. Cristo está presente con nosotros en el Pueblo de Dios. Está presente en su Palabra, la Sagrada Escritura. En la Eucaristía, está presente con su Cuerpo y su Sangre. El Sacramento de la Eucaristía nos fortalece. Nos ayuda a usar nuestros **talentos** para servir a los demás como enseña Jesucristo.

We Gather Together

On the Lord's Day, we come together as brothers and sisters in God's family. Together, we ask forgiveness for the ways we have turned away from God and hurt each other. We pray, sing, and give glory to God in the Holy Trinity.

The whole Church celebrates **liturgy**. This is a special way to worship and praise God. In the Liturgy of the Word, we listen to words from **Scripture**. We learn more about God's goodness and his will for us. We pray the Lord's Prayer. It sums up the message of the Gospel. We ask God for what we need. In the Liturgy of the **Eucharist**, we thank God for our gifts, and we receive the greatest gift— the gift of Jesus Christ.

Our Church Teaches

On Sunday, Catholics celebrate the Lord's Day. We rest and invite others to put aside their work. It is a day to enjoy family and friends. At Mass, we celebrate the Risen Lord. Christ is present with us in the People of God. He is present in his Word, the Holy Scripture. In the Eucharist, he is present with his Body and Blood. The Sacrament of the Eucharist makes us strong. It helps us use our **talents** to serve others as Jesus Christ teaches.

Faith Words

liturgy
A liturgy is a special way to worship and praise God.

Eucharist
Eucharist is a Sacrament of Initiation. In this sacrament, Jesus Christ makes us stronger with his Body and Blood.

talents
Talents are abilities or gifts to do something well. We can use our talents to serve others as Jesus Christ teaches.

Actividades

1. Como católicos, aprendemos las oraciones que se dicen en la Misa de manera que podamos unirnos a toda la Iglesia para alabar a Dios. Cuando el sacerdote nos da la bienvenida en la Misa, ¿sabes lo que dice?

Forma la oración de bienvenida completando los espacios en blanco con las palabras que están en las flores.

TU

CON

VOSOTROS

Y

SEÑOR

ESPÍRITU

ESTÉ

CON

EL S __ __ __ __ __ __   __ __ __ __   C __ __   __ __ __ __ __ __ __ __ __.

Respondemos:

__   C __ __   __ __   E __ __ __ __ __ __ __ __ __.

2. Al terminar los Ritos Iniciales, decimos o cantamos esta hermosa oración de alabanza. Descifra el código escribiendo cada tercera letra en los espacios correspondientes y podrás rezar esta oración.

```
E F G A M L I N O J S
R E B I O V A O M A N
O D I B I D Y O A C S
R O E U M N A J E O P
L X T C A L I R T E D
H L S E O R S
```

__ __ __ __ __ __ __ __   __ __ __ __ __ __ __

__ __   __ __ __   __ __ __ __ __ __ __.

Respond

Activities

1. As Catholics, we learn the prayers spoken at Mass so we can join with the whole Church in praising God. When the priest welcomes us at Mass, do you know what he says?

Complete the welcome prayer by filling in the blanks using the words in the flowers.

YOU WITH YOUR AND LORD WITH BE SPIRIT

The L __ __ __ __ __ W __ __ __ __ __ __.

We answer,

A __ __ W __ __ __ y __ __ __ S __ __ __ __ __ __.

2. At the end of the Introductory Rites, we say or sing this beautiful prayer of praise. Break the code by writing every third letter on the spaces below, and you can pray this prayer.

```
E F G A M L I N O J S
R E B y O V T O M O N
O G I B O D y D A C I
R O N U M T E L H O P
E X T H A L I R T G E
L H I S E B R S A S T
```

__ __ __ __ __ __ __ __ __ __ __ __ __ __

__ __ __ __ __ __ __ __ __ __ __ __.

3. En todo el mundo, los católicos celebran la Misa de la misma manera.

VEA la página 376 para ver el Ordinario de la Misa.

Coloca la letra de la parte de la Misa frente
a la oración que se dice en ella.

Partes de la Misa

A. Ritos Iniciales

B. Liturgia de la Palabra

C. Liturgia Eucarística

D. Rito de la Comunión

E. Rito de Conclusión

Oración

E Despedida

___ Acto Penitencial

E Primera lectura

___ Señal de la Paz

___ Comunión

___ Profesión de fe

___ Procesión de Entrada

___ El Padre Nuestro

___ Salmo Responsorial

B Evangelio

C Plegaria Eucarística

A Gloria

4. Piensa en estas preguntas y habla de ellas:

¿Quiénes son las personas con las que te reúnes para
celebrar el Día del Señor?

¿Qué parte de la Misa te gusta más y por qué?

3. All around the world, Catholics celebrate Mass in the same way.

GO TO The Order of Mass page 377.

Place the letter of the part of the Mass in front of the prayer that goes with it.

Parts of Mass

A. Introductory Rites

B. Liturgy of the Word

C. Liturgy of the Eucharist

D. Communion Rite

E. Concluding Rites

Prayer

___ Dismissal

___ Penitential Act

___ First Reading

___ Sign of Peace

___ Communion

___ Profession of Faith

___ Entrance Procession

___ The Lord's Prayer

___ Responsorial Psalm

___ Gospel

___ Eucharistic Prayer

___ Gloria

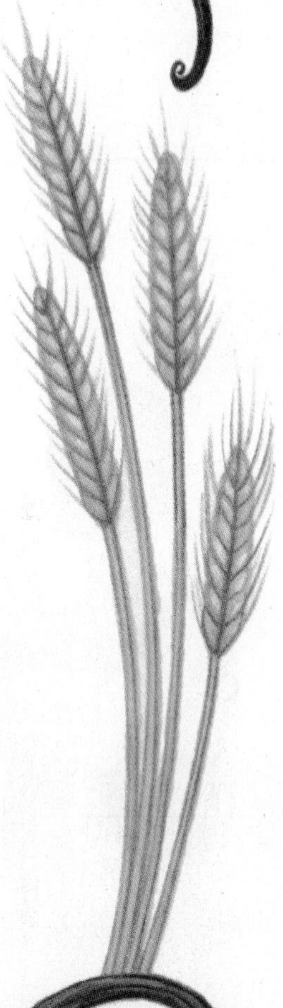

4. Think and talk about these questions:

Who are the people you gather with to celebrate the Lord's Day?

What part of the Mass do you like the best and why?

✟ Celebración de la oración

Oración de alabanza

Líder: Querido Dios, te alabamos en nuestro idioma y en el de nuestros hermanos y hermanas de Vietnam.

Todos: Gloria a Dios en el cielo, y en la tierra paz a los hombres que ama el Señor. Por tu inmensa gloria, te alabamos, te bendecimos, te adoramos, te glorificamos, te damos gracias, Señor Dios, Rey celestial, Dios Padre todopoderoso. Señor, Hijo único, Jesucristo. Señor Dios, Cordero de Dios, Hijo del Padre; tú que quitas el pecado del mundo, ten piedad de nosotros; tú que quitas el pecado del mundo, atiende nuestra súplica; tú que estás sentado a la derecha del Padre, ten piedad de nosotros. Porque sólo tú eres Santo, sólo tú Señor, sólo tú Altísimo,

Lector 1: Lay chúa giê-xu kitô, (Jesucristo,)
(la) (du ah) (jei su) (ki to)

Lector 2: cùng với chúa thánh thần, (con el Espíritu Santo,)
(kumg) (vi e) (du a) (tan) (tan)

Lector 3: chùa muôn nơi vinh hiê'n với chúa cha. Amen.
(en la gloria de Dios Padre. Amén.)
(du ah) (mun) (ni e) (ven) (hen) (vi e) (du a) (ta a)

Ordinario de la Misa

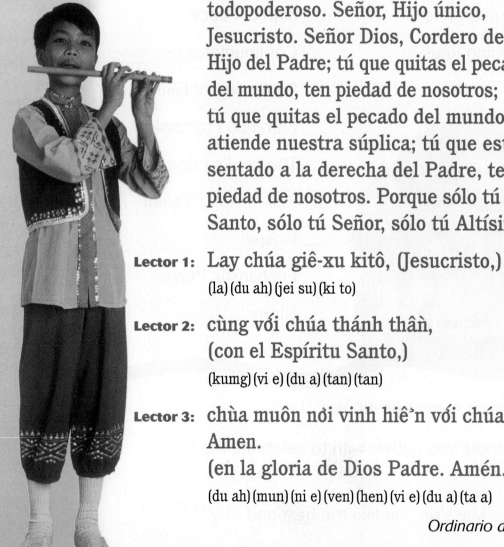

Prayer Celebration

A Prayer of Praise

Leader: Dear God, we praise you in our language and in the language of our brothers and sisters from Viet Nam.

All: Glory to God in the highest,
and on earth peace to people of good will.
We praise you, we bless you,
we adore you, we glorify you,
we give you thanks for your great glory,
Lord God, heavenly King,
O God, almighty Father.

Lord Jesus Christ, Only Begotten Son,
Lord God, Lamb of God,
Son of the Father, you take away
the sins of the world, have mercy on us;
you take away the sins of the world,
receive our prayer; you are seated
at the right hand of the Father,
have mercy on us.

For you alone are the Holy One,
you alone are the Lord,
you alone are the Most High,

Reader 1: Lay chúa giê-xu kitô, (Jesus Christ,)
(laa) (doo uh) (jay soo) (keeh toh)

Reader 2: cùng với chúa thánh thần,
(with the Holy Spirit,)
(koomgh) (vi eh) (doo uh) (tahn) (tahn)

Reader 3: chùa muôn nởi vinh hiể'n với chúa cha.
Amen.
(in the glory of God the Father. Amen.)
(doo uh) (muhn) (ni eh) (vehn) (hehn) (vi eh) (doo uh) (tah ah)

The Order of Mass

La fe en acción

Monaguillos Los monaguillos ayudan al sacerdote que celebra una Misa. Llevan la cruz y las velas mientras los ministros van en procesión hacia el altar. Sostienen el libro de oraciones mientras el sacerdote lee. Los monaguillos ayudan al sacerdote a lavarse las manos mientras prepara los dones del pan y el vino para el sacrificio de la Misa. Hacen todo –incluso ponerse de rodillas y hacer la genuflexión– con respeto y honor mientras sirven a Jesús y al Pueblo de Dios en la Misa.

En la vida diaria

Actividad Las costumbres cotidianas muestran respeto por los demás. Para cada una de las reglas sobre las costumbres, escribe lo que crees que significa.

• Usa sólo un tono de voz bajo. _____

_____

• Háblales con respeto a tus abuelos. _____

_____

En tu parroquia

Actividad Enumera tres cosas que podría hacer un monaguillo durante la Misa para ayudar al sacerdote.

Durante la Misa

1. _____

2. _____

3. _____

Faith in Action

Altar Servers Altar servers help the priest who is celebrating a Mass. They carry the cross and candles as ministers process to the altar. They hold the Roman Missal for the priest to read. Altar servers help wash the priest's hands as he prepares the gifts of bread and wine for the sacrifice of the Mass. They do everything—including kneeling and genuflecting—with respect and honor as they serve Jesus and the People of God at Mass.

In Everyday Life

Activity Everyday manners show respect for others. For each rule about manners, write what you think the rule means.

• Use your indoor voice only. _____

_____

• Talk respectfully to your grandparents. _____

_____

In Your Parish

Activity List three things an altar server might do during Mass to help the priest.

During Mass

1. _____

2. _____

3. _____

11 Servimos a los demás

Hagan como el Hijo del Hombre, que no vino a ser servido, sino a servir y a dar su vida como rescate por muchos.

Mateo 20:28

Compartimos

Actividad

Charlie necesita ayuda. Su jefe quiere que escriba un aviso para buscar personas que quieran unirse a su compañía de mensajes, "La Entrega Inmediata, Inc.". Ha empezado a escribir el aviso, pero tiene dificultades para terminarlo. Ayuda a Charlie a terminar el aviso eligiendo palabras del banco de palabras. Asegúrate de elegir palabras que describan a alguien que sea capaz de llevar mensajes importantes.

miedoso   perezoso   feliz

fiel   honesto   indiferente

sincero   confiable   maleducado

autoritario   trabajador   valiente

amable   cuidadoso

Vacante inmediata para una persona dispuesta a llevar mensajes importantes. Es importante ser:

_____

_____

_____

Grandes beneficios, fantástico plan de jubilación. Presentarse personalmente en La Entrega Inmediata, Inc., camino Buenanueva n.º 1212, o llamar al 1-800-LA-VELOZ.
Pregunte por Charlie.

¿Cuáles de estas cualidades tienes tú?

_____

_____

_____

174

11 We Serve Others

LET US PRAY The Son of Man did not come to be served but to serve and to give his life as a ransom for many.

Matthew 20:28

Share
Activity

Charlie needs help. His boss wants him to write a newspaper ad for people to join his messenger company, "Get It There, Inc." He has begun writing the ad, but is having trouble finishing it. Help Charlie finish the ad by choosing words from the word bank. Be sure to choose words that describe someone who is able to carry important messages.

Immediate opening for person to carry important message. Helpful qualities include:

_____

_____

_____

Good benefits, fantastic retirement package. Apply in person at Get It There, Inc., 1212 Goodnews Lane, or call 1-800-GET-THERE. Ask for Charlie.

fearful   lazy   happy

faithful   honest   uncaring

truthful   trustworthy   rude

bossy   hardworking   brave

friendly   careful

Which of these qualities do you have?

_____

_____

_____

✝ La Escritura *Felipe y el etíope*

Felipe era un fiel discípulo de Cristo. Era feliz viajando a cualquier lugar que lo enviara el Espíritu Santo para llevar la Buena Nueva. Un día, el Espíritu lo envió a hacer un viaje especial. Felipe todavía no sabía que lo enviaban a enseñarle a un hombre importante de Etiopía. Sólo sabía que tenía que caminar por el camino que, desde Jerusalén, iba al sur. Pero la fe de Felipe era fuerte. Estaba seguro de que el Espíritu lo guiaría.

En el camino, pasó un carro junto a Felipe. Vio que el hombre que estaba sentado en el carro estaba leyendo la Sagrada Escritura. Felipe corrió para alcanzarlo.

"Señor, ¿entiende usted lo que está leyendo?", preguntó Felipe.

"¿Cómo lo voy a entender? No hay nadie que me enseñe", dijo el etíope. "¿Puede decirme qué significan estas palabras?"

Felipe le dijo todo lo que sabía sobre la Sagrada Escritura. No presumió, o alardeó, de que era el mensajero especial de Dios. Felipe sólo le explicó que Dios envió a su Hijo, Jesús, para que nos enseñara a vivir y a amarnos unos a otros como hermanos. Entonces, el etíope decidió que él también quería ser un fiel discípulo de Cristo.

"Mira", dijo el hombre señalando una fuente de agua que había cerca del camino. "Aquí hay agua. ¿Me bautizarías?", preguntó.

Entonces Felipe llevó al etíope al agua y lo bautizó. El hombre se fue feliz de empezar su nueva vida en Cristo.

Basado en Hechos 8:26–39

Hear & Believe

✝ Scripture Philip and the Ethiopian

Philip was a faithful disciple of Christ. He was happy to travel wherever the Holy Spirit sent him to spread the Good News. One day, the Spirit sent him on a special trip. Philip did not yet know that he was being sent to teach an important man from Ethiopia. He only knew that he was to walk along the road going south from Jerusalem. But Philip's faith was strong. He was sure that the Spirit would guide him.

On the road, a chariot passed by Philip. He saw that the man seated in the chariot was reading Scripture. Philip ran to catch up with him.

"Sir, do you know what you are reading?" Philip asked.

"How can I? There is no one to teach me," the Ethiopian said. "Can you tell me what these words mean?"

Philip told all that he knew about Scripture. He did not boast, or brag that he was God's special messenger. Philip just explained that God sent his Son, Jesus, to teach us how to live and love one another as brothers and sisters. Then, the Ethiopian man decided that he also wanted to become a faithful disciple of Christ.

"Look," the man said, pointing to some water near the road. "There is some water here. Will you baptize me?" he asked.

So Philip led the Ethiopian into the water and baptized him. The man went away happy to begin his new life in Christ.

Based on Acts 8:26–39

El don de la gracia

Felipe era **misionero** de Dios. Le habló al etíope del amor de Jesús. Por la **gracia** de Dios, el hombre ya quería conocerlo. Entonces, cuando Felipe le habló de la Buena Nueva, estaba listo para aceptarla. El hombre estaba contento de participar de la vida de Dios. La gracia también ayudó a Felipe. Lo hizo lo bastante fuerte para ir a dondequiera que lo enviaran y para predicar la Buena Nueva.

Nuestra Iglesia nos enseña

Así como Felipe, se llama a todos los cristianos a ser misioneros y a compartir la Buena Nueva con los demás. Compartimos la Buena Nueva hablando a los demás sobre Jesucristo y viviendo como Él nos enseña. Compartimos la Buena Nueva cuando amamos a Dios y a nuestro prójimo. La gracia nos ayuda a vivir como hijos de Dios y a llevar su mensaje a todos. La fe, la esperanza y la caridad son también dones de Dios que nos ayudan.

VEA la página 382 para aprender más sobre la fe, la esperanza y la caridad.

Creemos

Como católicos, estamos llamados a compartir la Buena Nueva con los demás. La gracia de Dios nos ayuda a actuar con fe, esperanza y caridad.

Palabras de fe

misionero
El misionero cuenta la Buena Nueva de Jesús a los demás.

gracia
La gracia es el don de la presencia de Dios en nuestra vida. Participamos de la vida y el amor de Dios.

The Gift of Grace

Philip was God's **missionary**. He explained Jesus' love to the Ethiopian man. By God's **grace**, the man already wanted to know about God. So when Philip told him the Good News, he was ready to accept it. The man was happy to share in God's life. Grace also helped Philip. It made him strong enough to go wherever he was sent and preach the Good News.

Our Church Teaches

Just like Philip, every Christian is called to be a missionary and to share the Good News with others. We share the Good News by telling people about Jesus Christ and by living as he teaches us. We share the Good News when we love God and our neighbor. Grace helps us to live as God's children and carry his message to everyone. Faith, hope, and charity are also gifts from God that help us.

GO TO page 383 to learn more about faith, hope, and charity.

We Believe

As Catholics, we are called to share the Good News with others. God's grace helps us to act with faith, hope, and charity.

Faith Words

missionary
A missionary tells others the Good News of Jesus.

grace
Grace is the gift of God's presence in our lives. We share in God's life and love.

Respondemos

Augustus Tolton, primer sacerdote negro de los Estados Unidos

Martha Tolton sabía que la vida sería dura para Augustus, su hijo menor. Durante el siglo XIX, en algunas partes de los Estados Unidos, se seguía obligando a los negros a trabajar como esclavos. Buscando una vida mejor, los Tolton se escaparon a Illinois. Allí no estaba permitida la esclavitud. Los miembros de la familia podían vivir libres.

Sin embargo, la vida no fue fácil. En las escuelas, no se aceptaban estudiantes negros. La señora Tolton tuvo que luchar para conseguir que una escuela aceptara a Augustus. La familia era muy pobre. Y Augustus tenía que faltar mucho a la escuela para poder trabajar y ayudar a su madre. Todos estos problemas no dañaron la fe de Augustus. Su madre le había enseñado a confiar en que el Señor los ayudaría en los momentos difíciles.

Cuando Augustus creció, supo que Dios quería que fuera sacerdote. Quería difundir la Buena Nueva como misionero en África. Pero, en los Estados Unidos, se necesitaban sacerdotes negros, porque no había ninguno. Fue difícil encontrar una escuela que quisiera ayudar a Augustus a estudiar para ser sacerdote.

Augustus no se rindió. La gracia de Dios le dio fortaleza. Finalmente, lo aceptó como estudiante una escuela en Roma (Italia). Volvió a Illinois en 1886, para servir como el primer sacerdote negro de los Estados Unidos.

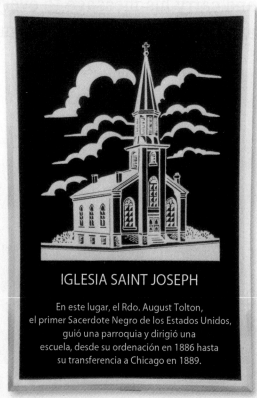

IGLESIA SAINT JOSEPH

En este lugar, el Rdo. August Tolton, el primer Sacerdote Negro de los Estados Unidos, guió una parroquia y dirigió una escuela, desde su ordenación en 1886 hasta su transferencia a Chicago en 1889.

Respond

Augustus Tolton, America's First Black Priest

Martha Tolton knew life would be hard for her young son, Augustus. During the 1800s in parts of America, black people were still forced to work as slaves. Wanting a better life, the Toltons escaped to Illinois. Slavery was not allowed there. The family could live as free people.

Still, life was not easy. Schools did not like to have black students. Mrs. Tolton had to fight to get a school to accept Augustus. The family was very poor. And, Augustus had to miss a lot of school so that he could work and help his mother. All these problems did not hurt Augustus' faith. His mother had taught him to trust that the Lord would help them in hard times.

As Augustus got older, he came to know that God wanted him to be a priest. He wanted to spread the Good News as a missionary in Africa. But there was a need for black priests in America as there were none. Finding a school that would help Augustus study to be a priest was hard.

Augustus didn't give up. God's grace gave him strength. Finally, a school in Rome, Italy accepted him as a student. He came back to Illinois in 1886, to serve as America's first black priest.

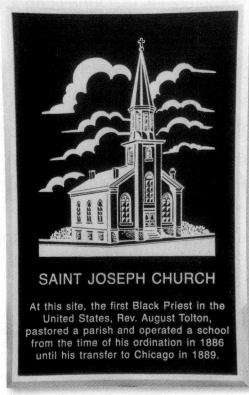

SAINT JOSEPH CHURCH

At this site, the first Black Priest in the United States, Rev. August Tolton, pastored a parish and operated a school from the time of his ordination in 1886 until his transfer to Chicago in 1889.

Actividades

1. Piensa en el primer sacerdote negro de los Estados Unidos. Muestra lo que recuerdas, completando el crucigrama. Todas las respuestas se pueden encontrar en el relato.

Verticales

1. Augustus T_____

2. Los Estados Unidos necesitaban un s_____ negro.

3. La misión de Augustus era s_____ en los Estados Unidos.

4. Augustus recibió la g_____ de ordenarse sacerdote.

Horizontales

5. Augustus tenía la esperanza de ser m_____ en África.

6. La gracia de Dios le dio a Augustus f_____ para servir.

2. Completa las oraciones con las palabras de los recortes de periódico.

¿Qué puedes hacer para compartir la Buena Nueva?

Puedes compartir la Buena Nueva con tus _____.
Puedes enviar tarjetas de saludos a gente que está en un hogar de ancianos o en un _____.
Puedes ayudar a empaquetar ropa y alimentos enlatados para los _____. Puedes regalar algunos de tus juguetes a niños necesitados.

amigos

compartir

pobres

flores

desamparados

misionero

hospital

Activities

1. Think about America's first black priest. Show what you remember by completing the crossword puzzle. All the answers can be found in the story.

Down

1. Augustus T_____

2. America needed a Black p_____.

3. Augustus' mission was to s_____ in America.

4. Augustus received the g_____ to become a priest.

Across

5. Augustus hoped to be a m_____ in Africa.

6. God's grace gave Augustus s_____ to serve.

2. Complete the sentences with words from the newspaper pieces.

What could you do to share the Good News? You could share the Good News with your _____. You could send cards of caring to folks at a nursing home or in a _____. You could help pack clothes and canned food for the _____. You could give some of your toys to needy children.

friends

share

poor

followers

homeless

missioner

hospital

✝ Celebración de la oración

Oración de alabanza

Líder: Querido Señor, con San Felipe y con todos los Santos rezamos para pedir la gracia para llevar tu Buena Nueva a todos los pueblos.

Lado 1: Canten al Señor un canto nuevo, cante al Señor, toda la tierra.

Lado 2: Canten al Señor, bendigan su nombre, anuncien su salvación día tras día.

Lado 1: Canten al Señor, bendigan el su nombre, anuncien su salvación día tras día. Cuenten su gloria a las naciones y a todos los pueblos, sus maravillas.

Lado 2: Ríndanle al Señor tribus y pueblos, ríndanle al Señor gloria y poder. ¡Ríndanle al Señor la gloria de su nombre!

Todos: Canten al Señor un canto nuevo. Cante al Señor, toda la tierra.

Basada en el Salmo 96

✝ Prayer Celebration

A Prayer of Praise

Leader: Dear Lord, with Saint Philip and with all the Saints, we pray for the grace to spread your Good News to all people.

Side 1: Sing to the Lord a new song;
Sing to the Lord, all the earth.

Side 2: Sing to the Lord, bless his name;
Announce his salvation to all.

Side 1: Sing to the Lord, bless his name;
Announce the Lord's salvation, day after day.
Tell of God's glory among the nations;
Among all people, God's wondrous deeds.

Side 2: Give to the Lord, you families of nations,
Give to the Lord glory and praise;
Give to the Lord the glory due God's name!

All: Sing to the Lord a new song;
Sing to the Lord, all the earth.

Based on Psalms 96

La fe en acción

Trabajadores de mantenimiento de la parroquia   Mantener el edificio de la iglesia en buenas condiciones requiere mucho trabajo. Afuera, puede ser necesario cuidar parques y jardines, rastrillar hojas o palear nieve. Adentro, también hay que hacer trabajos de limpieza, pintura, plomería y electricidad. ¡Los trabajadores de mantenimiento conservan limpia y hermosa tu iglesia! Es posible que las personas que van a la parroquia los fines de semana o por la noche nunca se encuentren con estos trabajadores, pero están agradecidas por el trabajo que hacen.

En la vida diaria

Actividad   Piensa en algo especial que puedes hacer por alguien que ayuda a mantener limpio y en buenas condiciones tu hogar. Escribe aquí el nombre de esa persona y tus ideas.

_____

_____

_____

En tu parroquia

Actividad   Para ayudar a los trabajadores de mantenimiento de tu parroquia a cuidar tu iglesia, escribe dos formas en que tu grupo puede participar en este ministerio. Piensa en un nombre para todas tus ideas, como el programa *Adopt-a-Spot* (Adopta un lugar).

1. _____

_____

2. _____

_____

Nombre: _____

Faith in Action

Parish Maintenance Workers Keeping your church building in good condition takes a lot of work. On the outside, there may be gardens and lawns to care for, leaves to rake, or snow to shovel. On the inside, there is also cleaning, painting, plumbing, and electrical work. Maintenance workers keep your church clean and beautiful! People who come to the parish on weekends or at night may never meet these workers, but they are grateful for all they do.

In Everyday Life

Activity Think about something special you can do for someone who helps keep your home clean and in good condition. Write that person's name and your ideas here.

_____

_____

_____

In Your Parish

Activity To help your parish maintenance workers take care of your church, write two ways that your group could share in this ministry. Think of a name for all your ideas, such as the Adopt-a-Spot program.

1. _____

_____

2. _____

_____

Name: _____

12 Rezamos por todos

Todos quedaron llenos del Espíritu Santo y empezaron a hablar en lenguas diferentes, según el Espíritu les daba el poder de expresarse.

Basado en Hechos 2:4

Compartimos

Apenas llegó a su casa, Beth llamó a su mamá. "¡Qué bien que lo pasé! ¿Sabías que la tía Janice sabe patinar sobre hielo? Hasta fuimos al museo. La tía Janice sabe montones de cosas muy buenas sobre lo que hay allí. Y la próxima vez que la visite, me va a enseñar a tejer. ¡Es bárbara! Cuando crezca, ¡voy a ser como ella!"

Actividad

¿Conoces a una persona especial a la que te quieres parecer? Una persona a la que te quieres parecer es un modelo de conducta. En el diario de abajo, escribe qué cosas hacen que la persona que es tu modelo de conducta sea especial para ti.

Querido diario:

La persona a la que quiero parecerme es Mamá

Esta persona es muy especial para mí porque

Porque travaja

12 We Pray for All People

 They were all filled with the Holy Spirit and began to speak in different tongues, as the Spirit gave them the power to say.

Based on Acts 2:4

Share

As soon as she got home, Beth called out to her mom. "What a great time I had! Did you know Aunt Janice can ice skate? We even went to the museum. Aunt Janice knows tons of neat stuff about everything there. And next time I visit, she's going to teach me how to knit. She's super! When I'm older, I'm going to be just like her!"

Activity

Do you have a special person that you want to be like?
A person that you want to be like is called a role model.
In the diary below, write about what makes your role model special to you.

Dear Diary,

The person I want to be like is

_____

This person is really special to me because

_____

_____

_____

Escuchamos y creemos

✝ La Escritura El fuego en Pentecostés

Después de su Resurrección, Jesucristo dijo a los discípulos que permanecieran en Jerusalén y que esperaran una promesa especial de Dios. Les había dicho a sus discípulos que serían bautizados en el Espíritu Santo. Entonces, serían capaces de difundir la Buena Nueva a todo el mundo.

En Jerusalén, el pueblo judío estaba celebrando la fiesta de la cosecha, Pentecostés. Las calles estaban llenas de personas que habían llegado de muchos lugares lejanos.

Pedro, Santiago, Juan, Felipe y los demás también se reunieron con María, la madre de Jesús, en Jerusalén. Empezaron a rezar. Entonces, sucedió algo increíble, tal como Jesucristo había prometido.

De repente, del cielo bajó un ruido muy fuerte. Un viento potente entró en la casa "retumbando" y "rugiendo". Los discípulos vieron luces extrañas que se posaron sobre cada uno de ellos. ¡Parecían pequeñas lenguas de fuego! Era el Espíritu Santo. Y sintieron que una paz y una alegría maravillosas crecían dentro de ellos. Dejaron la casa para hablar a los demás sobre la grandeza de Dios. Todos los que los oyeron quedaron sorprendidos. "Yo no hablo su idioma, pero entiendo lo que están diciendo", expresó uno de los visitantes. Otro dijo: "¡Los escucho hablar de los hechos poderosos de Dios!".

Basado en Hechos 2:1–13

Hear & Believe

✝ Scripture The Fire at Pentecost

After his Resurrection, Jesus Christ told the disciples to stay in Jerusalem and wait for a special promise from God. He had told his disciples that they would be baptized in the Holy Spirit. Then they would be able to spread the Good News to the whole world.

In Jerusalem, Jewish people were celebrating the harvest festival, Pentecost. The streets were filled with people who had come from many faraway places.

Peter, James, John, Philip, and the others also gathered with Jesus' mother, Mary, in Jerusalem. They began to pray. Then something incredible happened, just as Jesus Christ had promised.

Suddenly, from the sky came a really loud noise. A strong wind "rumbled" and "whoooooshed" into their house. The disciples saw strange lights that came to rest on each of them. They looked like little tongues of fire! It was the Holy Spirit. And they felt a wonderful peace and joy grow inside them. They left the house to tell others about God's greatness. Everyone who heard them was amazed. "I do not speak their language but I understand what they are saying," said one of the visitors. Another said, "We hear them speaking of the mighty acts of God!"

Based on Acts 2:1–13

El Espíritu nos guía

En **Pentecostés**, el Espíritu Santo llenó de poder a los discípulos. Nunca más sintieron miedo. El Espíritu Santo les dio fuerza para contar a todos la Buena Nueva.

Por el poder del Espíritu Santo a través de María, Dios Padre envió a su Hijo para todas las personas. Hoy, el Espíritu Santo está en la Iglesia. El Espíritu fortalece a las personas, ayudándolas a mostrar el camino correcto hacia una vida feliz con Cristo.

Nuestra Iglesia nos enseña

Se llama a cada persona a estar abierta al Espíritu Santo y a aceptar su ayuda. Podemos aprender a hacerlo siguiendo a María, la madre de Jesús. Ella confió completamente en el Espíritu Santo y siguió su guía sin dudarlo. La Iglesia tiene muchas **devociones** a María. Una devoción especial es el **Rosario**. Las devociones a María nos ayudan a conocer y a amar a Jesucristo de una mejor manera.

Creemos

María nos muestra cómo estar abiertos al Espíritu Santo. El Espíritu Santo hace que Jesucristo sea conocido en el mundo.

Palabras de fe

Pentecostés
Pentecostés es el día en que los discípulos de Jesucristo recibieron el don del Espíritu Santo.

devociones
Las devociones son oraciones especiales para honrar a Jesús, a María o a un santo.

Rosario
El Rosario es una oración especial a María. Nos ayuda a meditar sobre la vida de Jesús.

"Pentecostés" Arte de los cristianos Mafa del norte de Camerún, cortesía de Vie de Jésus MAFA, 24 rue Maréchal Joffre, 78000 Versailles, Francia

The Spirit Guides Us

On **Pentecost**, the Holy Spirit filled the disciples with power. They did not feel afraid anymore. The Holy Spirit gave them strength to tell everyone the Good News.

By the power of the Holy Spirit through Mary, God the Father sent his Son for all people. Today, the Holy Spirit is in the Church. The Spirit makes people stronger by helping show the right path to a happy life with Christ.

Our Church Teaches

Each person is called to be open to the Holy Spirit and to accept help from the Spirit. We can learn how to do this by following Mary, Jesus' mother. She trusted the Holy Spirit completely and followed the Spirit's guidance without question. The Church has many **devotions** to Mary. The **Rosary** is a special devotion. Devotions to Mary help us to know and love Jesus Christ in a better way.

Faith Words

Pentecost
Pentecost is the day Jesus Christ's disciples received the gift of the Holy Spirit.

devotions
Devotions are special prayers that honor Jesus, Mary, or a saint.

Rosary
The Rosary is a special devotion to Mary. It helps us to meditate on the life of Jesus.

"Pentecost" Art by North Cameroon Mafa Christians, Courtesy of Vie de Jésus MAFA, 24 rue Maréchal Joffre, 78000 Versailles, France

Respondemos

Rezamos a María

Como católicos, nos dirigimos a María en busca de ayuda. Le pedimos sus oraciones. Cuando honramos a María, honramos a Dios. Dios eligió a María para que fuera la madre de Jesús, nuestro Salvador. Honramos a María cuando celebramos la Misa en sus días festivos.

También honramos a María en una devoción llamada letanía. En una letanía, honramos a María usando alguno de sus muchos títulos. Algunos títulos son Madre de Cristo y Madre de la Iglesia.

El Rosario

El Rosario es una devoción especial que nos ayuda a meditar sobre la vida de Jesucristo. Está dividido en cinco partes, o decenas. En cada decena, pensamos sobre un misterio o momento especial en la vida de Jesucristo y de María.

 Misterios del Santo Rosario, en la página 396.

Actividades

1. Colorea de azul las cuentas del Ave María. En las cuentas marcadas, escribe el nombre de la oración que se dice allí.

Respond

We Pray to Mary

As Catholics, we can turn to Mary for help. We ask for her prayers. When we honor Mary, we honor God. God chose Mary to be the mother of Jesus, our Savior. We honor Mary when we celebrate Mass on her feast days.

We also honor Mary in a devotion called a litany. In a litany, we honor Mary using some of her many titles. Some titles are Mother of Christ, and Mother of the Church.

The Rosary

The Rosary is a special devotion to help us meditate on the life of Jesus Christ. It is divided into five parts, or decades. At each decade, we think about a mystery or special time in the lives of Jesus Christ and Mary.

 Mysteries of the Holy Rosary page 397.

Activities

1. Color the Hail Mary beads blue. For the marked beads, write in the name of the prayer said there.

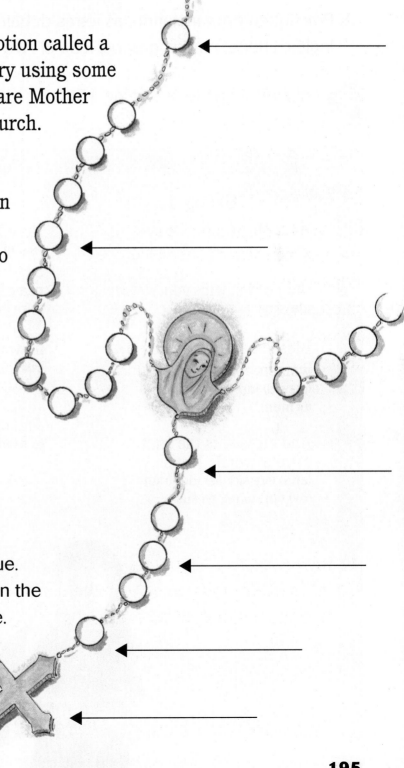

Oración mundial

Los católicos de todo el mundo piensan en María como su madre. En algunas partes de los Estados Unidos y en países como México, los católicos honran a María como Nuestra Señora de Guadalupe. Muchos católicos rezan el Rosario en español.

2. Practiquen pronunciando las letras debajo de las palabras en inglés. Luego, en dos grupos, lean el Ave María, el *Hail Mary*.

 VEA el *Hail Mary* de la página 15.

Grupo 1:

Hail, Mary, full of grace,
(JEIL), (ME ri), (ful) (ov) (GREIS),

the Lord is with you.
(de) (LORD) (is) (uid) (iu).

Blessed are you among women,
(BLE sid) (ar) (iu) (a MANG) (ui men),

And blessed is the fruit of your womb, Jesus.
(and) (BLE sid) (is) (de) (FRUT) (ov) (ior) (uum), (yi sus).

Grupo 2:

Holy Mary, Mother of God,
(JOU li) (ME ri), (MA der) (ov) (GOD),

pray for us sinners,
(PREI) (for) (as) (SI ners),

now and at the hour of our death.
(NAU) (and) (at) (de) (AU ar) (ov) (AU ar) (DEZ).

Amen.
(EI men).

A Global Prayer

Catholics around the world think of Mary as their mother. In parts of the United States, and in countries like Mexico, Catholics honor Mary as Our Lady of Guadalupe. Many Catholics pray the Rosary in Spanish.

2. Practice sounding out the letters beneath the Spanish words. Then, in two groups, read the Hail Mary, the *Ave María*.

 the *Ave María* on page 14.

Group 1:

Dios te salve, María,
(dee YOS) (teh) (SAL veh), (ma REE ya)

llena eres de gracia,
(YEH na) (EH rehz) (deh) (GRAH see ya),

el Señor es contigo.
(el) (sehn YOR) (EHZ) (kon TEE go).

Bendita Tú eres
(behn DEE tah) (TOO) (EH rehz)

entre todas las mujeres,
(ehn treh) (TOH dahz) (lahz) (moo HEH rehz),

y bendito es el fruto
(ee) (behn DEE toh) (ehz) (el) (FROO toh)

de tu vientre, Jesús.
(deh) (too) (vee EHN treh), (hey ZOOS)

Group 2:

Santa María, Madre de Dios,
(SAHN tah) (ma REE ya), (MA dreh) (deh) (dee YOS),

ruega por nosotros, pecadores,
(roo EH gah) (pohr) (noh SOH trohz), (peh kah DOH rehz),

Ahora y en la hora de nuestra muerte.
(ah OH rah) (ee) (ehn) (lah) (OH rah) (deh) (noo EHZ trah) (moo EHR teh).

Amén.
(ah MEN).

✝ Celebración de la oración

Letanía de María

Líder: Como católicos, nos dirigimos a María en busca de ayuda. Le pedimos sus oraciones. Honramos a María como la Madre del Hijo de Dios. En una letanía, honramos a María por sus muchos títulos.

Santa María,	ruega por nosotros.
Santa Madre de Dios,	ruega por nosotros.
Madre de Cristo,	ruega por nosotros.
Madre purísima,	ruega por nosotros.
Madre del Salvador,	ruega por nosotros.
Madre de la Iglesia,	ruega por nosotros.
Virgen fiel,	ruega por nosotros.
Auxilio de los cristianos,	ruega por nosotros.
Reina de los Ángeles,	ruega por nosotros.
Reina de la Paz,	ruega por nosotros.

Líder: Dios, Padre nuestro, ayúdanos a seguir el ejemplo de María, la Madre de tu Hijo, Jesucristo. Que siempre podamos guardarla en nuestro corazón.

Todos: Que siempre tratemos de ayudar a los demás como hizo María. Amén.

Basado en la Letanía de Loreto

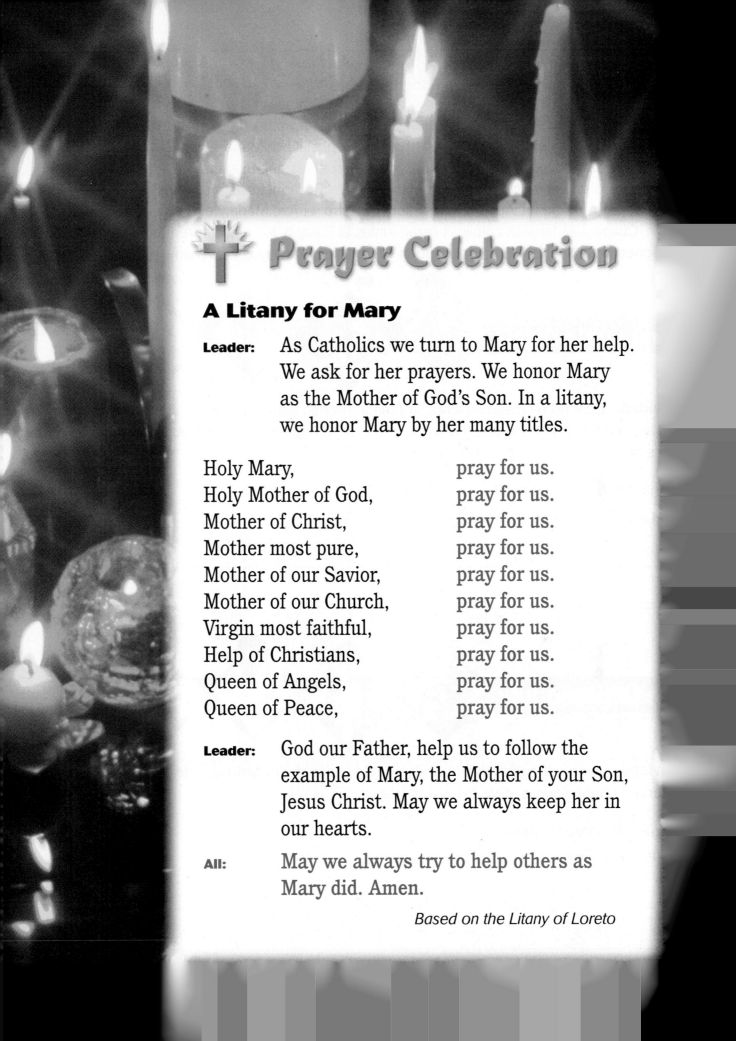

✝ Prayer Celebration

A Litany for Mary

Leader: As Catholics we turn to Mary for her help. We ask for her prayers. We honor Mary as the Mother of God's Son. In a litany, we honor Mary by her many titles.

Holy Mary,	pray for us.
Holy Mother of God,	pray for us.
Mother of Christ,	pray for us.
Mother most pure,	pray for us.
Mother of our Savior,	pray for us.
Mother of our Church,	pray for us.
Virgin most faithful,	pray for us.
Help of Christians,	pray for us.
Queen of Angels,	pray for us.
Queen of Peace,	pray for us.

Leader: God our Father, help us to follow the example of Mary, the Mother of your Son, Jesus Christ. May we always keep her in our hearts.

All: May we always try to help others as Mary did. Amen.

Based on the Litany of Loreto

La fe en acción

Grupos de rezo del Rosario en familia   Hay muchas formas en que nosotros, como católicos, podemos mostrar nuestro amor especial por María. Una forma de mostrar nuestra devoción es rezar el Rosario. Las cuentas que usamos nos ayudan a seguir las distintas oraciones que forman parte del Rosario. Estas oraciones incluyen el Credo de los Apóstoles, el Padre Nuestro, el Ave María y el Gloria al Padre. Cuando las familias católicas rezan juntas el Rosario, los niños aprenden las oraciones de la Iglesia mientras aprenden sobre la vida de Jesús y de María.

En la vida diaria

Actividad   Cuando respetamos a nuestra madre por su papel en nuestra vida, honramos a María y su devoción a la Sagrada Familia. Agrega a la lista algunas cosas que puedes hacer para honrar a tu madre.

Formas de honrar a mamá

1. Limpiar tu cuarto sin que te lo pida.

2. _____

3. _____

En tu parroquia

Actividad   Aunque no seas miembro de una Sociedad del Rosario, puedes honrar a María. Agrega algunas ideas tuyas a la lista.

Formas de honrar a María

1. Pedir la ayuda de María en tus oraciones.

2. _____

3. _____

Faith in Action

Family Rosary Groups   There are many ways that we, as Catholics, can show our special love for Mary. One way to show our devotion is by praying the Rosary. The beads we use help us keep track of the different prayers that are part of the Rosary. These prayers include the Apostles' Creed, the Lord's Prayer, the Hail Mary, and the Glory Be. When Catholic families pray the Rosary together the children learn the prayers of the Church as they learn about the life of Jesus and Mary.

In Everyday Life

Activity   When we respect our mothers for their role in our lives, we honor Mary and her devotion to the Holy Family. Add to the list some things you can do to honor your mother.

Ways to Honor Mom

1. Clean up your room without being asked. _____

2. _____

3. _____

In Your Parish

Activity   Although you are not a member of a Rosary Society, you can still honor Mary. Add some ideas of your own to the list.

Ways to Honor Mary

1. Ask for Mary's help in your prayers. _____

2. _____

3. _____

La Iglesia es apostólica

Durante los últimos dos mil años, la Iglesia se ha extendido por todo el mundo. Es fiel a las enseñanzas de los Apóstoles, que aprendieron de Jesús.

Vayan por todo el mundo y anuncien la Buena Nueva a toda la creación.

Marcos 16:15

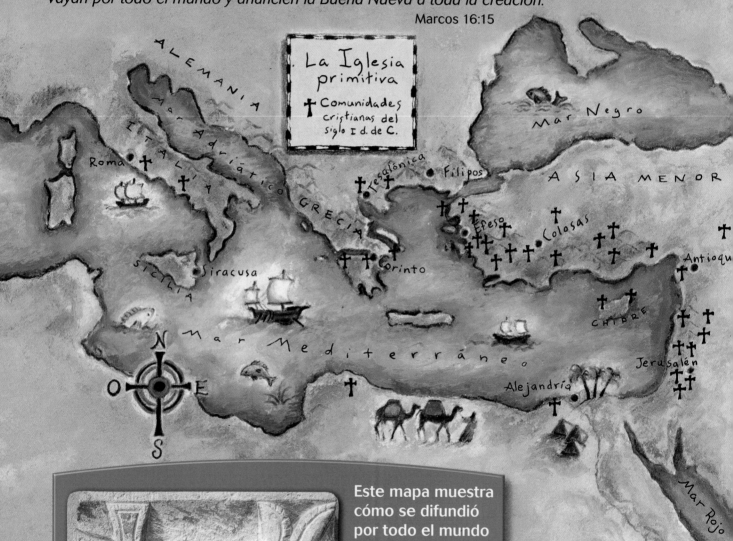

La Iglesia primitiva

✝ Comunidades cristianas del siglo I d. de C.

Este mapa muestra cómo se difundió por todo el mundo antiguo la Buena Nueva acerca de Jesucristo. Los primeros cristianos usaban los símbolos de una cruz y un pescado para mostrar su creencia en Cristo.

The Church Is Apostolic

For the past two thousand years, the Church has spread throughout the world. It is faithful to the teachings of the Apostles who were taught by Jesus.

Go into the whole world and proclaim the gospel to every creature.

Mark 16:15

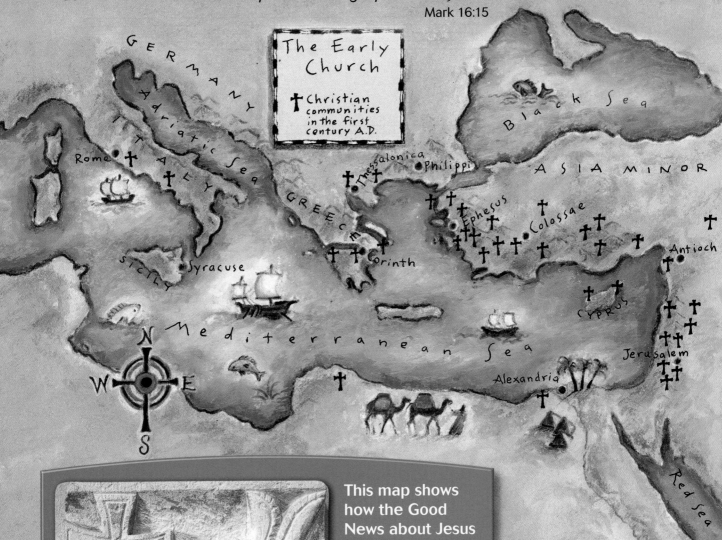

The Early Church

† Christian communities in the first century A.D.

GERMANY

ITALY

Adriatic Sea

Rome †

SICILY

Syracuse

GREECE

Corinth †

Thessalonica

Philippi

Black Sea

ASIA MINOR

Ephesus

Colossae

Antioch

CYPRUS

Jerusalem

Mediterranean Sea

Alexandria

Red Sea

N W E S

This map shows how the Good News about Jesus Christ spread throughout the ancient world. Early Christians used the symbols of a cross and a fish to show their belief in Christ.

Jubilate, Servite / Al Señor aclama

Texto: Salmo 100; Comunidad de Taizé, 1978
Música: Jacques Berthier, 1923-1994
© 1979, 2006, Les Presses de Taizé, GIA Publications, Inc., agente

Jubilate, Servite / Raise a Song of Gladness

Canon

Ju - bi - la - te De - o om - nis ter - ra.
Raise a song of glad - ness, peo - ples of the earth.

Ser - vi - te Do - mi - no in lae - ti - ti - a!
Christ has come, bring - ing peace, joy to ev - 'ry heart.

Al - le - lu - ia, al - le - lu - ia, in lae - ti - ti - a.
Al - le - lu - ia, al - le - lu - ia, joy to ev - 'ry heart!

Al - le - lu - ia, al - le - lu - ia, in lae - ti - ti - a!
Al - le - lu - ia, al - le - lu - ia, joy to ev - 'ry heart!

Text: Psalm 100; Taizé Community, 1978
Tune: Jacques Berthier, 1923-1994
© 1979, Les Presses de Taizé, GIA Publications, Inc., agent

13 La Iglesia continúa la misión de los Apóstoles

Vayan por todo el mundo y anuncien la Buena Nueva a toda la creación.

Marcos 16:15

Compartimos

Sammy miraba a su padre que, con cuidado, tallaba una madera dándole forma de ciervo. El cuchillo se movía rápidamente. Creaba y daba forma a cada uno de los músculos del ciervo. Para hacer las astas, su padre usó una lima. Las hizo suaves y redondeadas.

"¡Ah!", dijo Sammy. "Parece muy real, papi. ¿Dónde aprendiste la manera de hacerlo?"

"Me enseñó mi papá", dijo el padre de Sammy. "Así como su padre se lo enseñó a él. Ven, te enseñaré".

Actividad

¿Cuáles son algunas de las cosas que, tal vez, hayas aprendido de uno de tus padres, tus abuelos o de otro adulto?

_____

_____

¿Qué cosas podrías enseñarle a otra persona?

_____

_____

13 The Church Continues the Mission of the Apostles

 Go into the whole world and proclaim the gospel to every creature.

Mark 16:15

Share

Sammy watched his father carefully carve a piece of wood into the shape of a deer. The knife moved fast. It created and shaped each of the deer's muscles. For the antlers, his father used a file. It made the antlers smooth and round.

"Wow!" said Sammy. "It looks so real, Dad. Where did you learn how to do that?"

"My father taught me," Sammy's father said. "Just like his father taught him. Come, I'll teach you."

Activity

What are some things you may have learned from a parent, grandparent, or another adult?

_____

_____

What things could you teach someone else?

_____

_____

Escuchamos y creemos

✝ La Escritura — Jesús envía a los Apóstoles

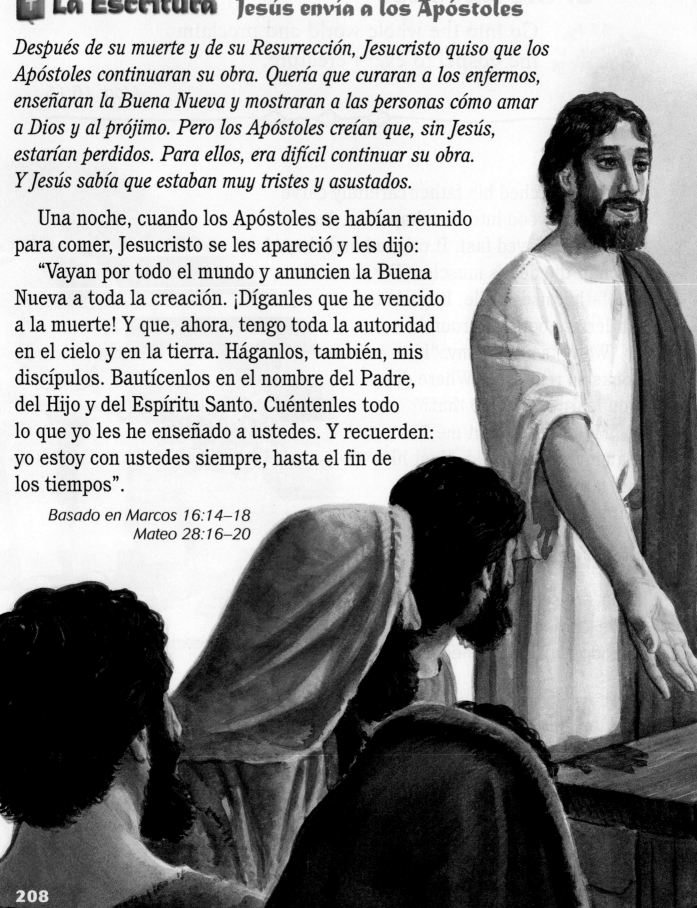

Después de su muerte y de su Resurrección, Jesucristo quiso que los Apóstoles continuaran su obra. Quería que curaran a los enfermos, enseñaran la Buena Nueva y mostraran a las personas cómo amar a Dios y al prójimo. Pero los Apóstoles creían que, sin Jesús, estarían perdidos. Para ellos, era difícil continuar su obra. Y Jesús sabía que estaban muy tristes y asustados.

Una noche, cuando los Apóstoles se habían reunido para comer, Jesucristo se les apareció y les dijo:

"Vayan por todo el mundo y anuncien la Buena Nueva a toda la creación. ¡Díganles que he vencido a la muerte! Y que, ahora, tengo toda la autoridad en el cielo y en la tierra. Háganlos, también, mis discípulos. Bautícenlos en el nombre del Padre, del Hijo y del Espíritu Santo. Cuéntenles todo lo que yo les he enseñado a ustedes. Y recuerden: yo estoy con ustedes siempre, hasta el fin de los tiempos".

Basado en Marcos 16:14–18
Mateo 28:16–20

Hear & Believe

✚ Scripture Jesus Sends the Apostles

After his death and Resurrection, Jesus Christ wanted his Apostles to carry on his work. He wanted them to heal the sick, teach the Good News, and show people how to love God and each other. But the Apostles thought that they were lost without Jesus. It was hard for them to continue his work. And Jesus knew that they had become very sad and scared.

One night, as the Apostles had come together to eat, Jesus Christ appeared to them and said,

"Go into the whole world and spread the Gospel to every creature. Tell them that I have conquered death! And that, now, I hold all the power of heaven and earth. Make them my disciples, also. Baptize them in the name of the Father, the Son, and the Holy Spirit. Tell them all that I have taught you. And remember: I am with you always, until the end of time."

Based on Mark 16:14–18
Matthew 28:16–20

209

La Iglesia es apostólica

A través de su vida, su muerte y su Resurrección, Jesús enseñó a sus **Apóstoles** acerca del amor de Dios. Antes de su Ascensión, les ordenó que fueran por el mundo y que enseñaran a todos lo que Él les había enseñado. Aquéllos que creyeron formaron el Pueblo de Dios, la Iglesia. La Iglesia Católica es **apostólica** porque es fiel a las enseñanzas de Jesús y de los Apóstoles. Como católicos, compartimos la fe de los Apóstoles y de María. Estamos llamados a vivir nuestra fe y a llevar la Buena Nueva a todas las personas.

Nuestra Iglesia nos enseña

La Iglesia Católica es una, santa, católica y apostólica. Éstos son los signos o **Atributos de la Iglesia**. La Iglesia es una a través del Espíritu Santo, que reúne a los seguidores de Jesucristo en una familia. La Iglesia es santa porque sus miembros aman a Dios. Se aman unos a otros y realizan la obra de Dios en el mundo. Decimos que la Iglesia es católica porque está abierta a todos los habitantes del mundo. Es apostólica porque sigue las enseñanzas de Jesucristo y la obra de los Apóstoles. Cuando somos uno, santos, católicos y apostólicos, los demás saben que somos católicos.

Creemos

La Iglesia es apostólica. La estableció Jesucristo. Es fiel a sus enseñanzas y a las de los Apóstoles. Es una, santa, católica y apostólica. Cristo nos pide que compartamos su Buena Nueva con los demás.

Palabras de fe

Apóstoles
Los Apóstoles fueron los primeros a quienes Jesús llamó para guiar y enseñar a sus seguidores.

apostólico
Ser *apostólico* significa "ser fiel a las enseñanzas de Jesús y de sus Apóstoles".

Atributos de la Iglesia
Los Atributos de la Iglesia son signos que identifican a la Iglesia como una, santa, católica y apostólica.

The Church is Apostolic

Through his life, death, and Resurrection, Jesus taught his **Apostles** about God's love. Before his Ascension, he commanded them to go into the world and teach everyone what he had taught them. Those who believed became the People of God, the Church. The Catholic Church is **apostolic** because it is faithful to the teachings of Jesus and the Apostles. As Catholics, we share the faith of the Apostles and Mary. We are called to live our faith and spread the Good News to all people.

Our Church Teaches

The Catholic Church is one, holy, catholic, and apostolic. These are the signs or **Marks of the Church**. The Church is one through the Holy Spirit, who brings Jesus Christ's followers together into one family. The Church is holy because its members love God. They love each other and do God's work in the world. Because the Church is open to everyone from all over the world, we say the Church is catholic. It is apostolic because it follows the teachings of Jesus Christ and the work of the Apostles. When we are one, holy, catholic, and apostolic, people know we are Catholic.

We Believe

The Church is apostolic. It is set up by Jesus Christ. It is faithful to his and the Apostles' teachings. It is one, holy, catholic, and apostolic. Christ asks us to share his Good News with others.

Faith Words

Apostles
The Apostles were those first called by Jesus to lead and teach his followers.

apostolic
Apostolic means, "to be faithful to the teachings of Jesus and his Apostles."

Marks of the Church
The Marks of the Church are signs that identify the Church as one, holy, catholic, and apostolic.

Respondemos

Un modelo de fe

En el Antiguo Testamento, leemos sobre muchas mujeres santas que son fieles a Dios. El Nuevo Testamento cuenta la historia de una mujer que está muy cerca de Jesús. Aunque no forma parte de los Apóstoles, esta mujer rezaba con ellos y, hoy, sigue haciéndolo por nosotros. Debido a que está tan cerca de Dios, se la conoce como "la primera discípula". Cree en la voluntad de Dios y la sigue plenamente. Es el modelo de conducta de nuestra fe. ¿Sabes quién es?

Actividades

1. En el siguiente dibujo, halla las letras y coloréalas para descubrir el nombre de la primera discípula de Jesús.

Colorea los espacios

1-Azul

2-Rojo

3-Amarillo

Respond

A Model of Faith

In the Old Testament, we read about many holy women who are faithful to God. The New Testament tells the story of a woman who is very close to Jesus. Although she is not one of the Apostles, this woman prayed with them and continues to pray for us today. Because she is so close to God, she is known as the "first disciple." She believes and follows God's will perfectly. She is the role model for our faith. Do you know who she is?

Color the spaces

1-Blue

2-Red

3-Yellow

Activities

1. Find the letters in the drawing below and color them to find out the name of Jesus' first disciple.

Como buenos cristianos, queremos continuar la obra de los Apóstoles. Cuando lo hacemos, a veces damos pasos pequeños. Otra veces, para seguir las enseñanzas de los Apóstoles, damos pasos grandes.

2. Mira los siguientes pasos. Cada uno tiene algo que puedes haber hecho para continuar la obra de los Apóstoles. Piensa en lo que has hecho esta semana pasada. Luego, colorea cada paso que muestre lo que has hecho.

Anuncien la Buena Nueva.

Síganme

Celebro la Misa del domingo con mis padres.

Voy a clase de religión.

Les digo "te quiero" a mis padres.

Animo a alguien que está triste o enfermo.

Digo "lo lamento" cuando lastimo a alguien.

Soy amable con alguien a quien no conozco.

Rezo en casa con mi familia.

Ayudo a un compañero que tiene un problema.

Ofrezco colaborar con una tarea doméstica.

Leo sobre un santo católico o una persona santa.

As good Christians, we want to continue the work of the Apostles. When we do this, sometimes we take little steps. Sometimes, we take big steps to follow the Apostles' teachings.

2. Look at the steps below. Each one has something that you may have done to continue the Apostles' work. Think about what you have done this past week. Then, color in each step that shows what you have done.

Spread the Good News.

Follow Me

I celebrate Sunday Mass with my parents.

I go to religious education class.

I say "I love you" to my parents.

I cheer someone who is sad or ill.

I say "I'm sorry" when I hurt someone.

I'm kind to someone I don't know.

I pray at home with my family.

I offer to help with a family chore.

I help a classmate with a problem.

I read about a Catholic saint or holy person.

✝ Celebración de la oración

Oración de profesión de fe

Líder: Padre, te damos gracias por la fe que compartimos con los Apóstoles. Rezamos para que nuestra fe crezca.

Todos: Creemos que somos personas llenas de fe.

Lector 1: Estamos todos reunidos en unidad como el Pueblo de Dios.

Todos: Creemos que nuestra Iglesia es una.

(Cruzar las manos sobre el pecho.)

Lector 2: Se nos ha hecho santos a través de Cristo.

Todos: Creemos que nuestra Iglesia es santa.

(Levantar los ojos y las manos.)

Lector 3: Somos católicos porque estamos abiertos a todos.

Todos: Creemos que nuestra Iglesia es católica.

(Abrir los brazos.)

Lector 4: Nuestra Iglesia es apostólica porque permanece fiel a las enseñanzas de los Apóstoles.

Todos: Creemos que nuestra Iglesia es apostólica.

(Levantar las manos y, lentamente, bajarlas hacia los costados.)

Líder: Rezamos en el nombre de Dios Padre, Hijo y Espíritu Santo. Pedimos que nuestra fe crezca y que tengamos la fuerza de vivirla cada día.

Todos: Amén.

Prayer Celebration

A Prayer of Belief

Leader: Father, we thank you for the faith we share with the Apostles. We pray that our faith will grow.

All: We believe that we are a faith-filled people.

Reader 1: We are all brought together in unity as the People of God

All: We believe that our Church is one.

(Cross hands over chest.)

Reader 2: We are made holy through Christ.

All: We believe that our Church is holy.

(Raise eyes and hands upward.)

Reader 3: We are catholic because we are open to all.

All: We believe that our Church is catholic.

(Open arms wide.)

Reader 4: Our Church is apostolic because it remains faithful to the teachings of the Apostles.

All: We believe that our Church is apostolic.

(Raise hands and slowly bring them down to sides.)

Leader: We pray in the name of God, the Father, Son, and Holy Spirit. We ask that our faith grow and that we will have the strength to live our faith each day.

All: Amen.

La fe en acción

Obra misionera mundial La Iglesia está llamada a continuar el ministerio de Jesús en el mundo de hoy. Jesús nos enseña a amarnos los unos a los otros y a hacer la obra de Dios en el mundo. Un grupo de extensión parroquial ayuda a la gente cuando un desastre natural, como una inundación o un terremoto, sacude su país. Tienden la mano y ofrecen su ayuda donde ven a un necesitado, aun antes de que alguien se la pida.

En la vida diaria

Actividad Describe cómo te sentirías si tu casa fuera destruida y tu familia perdiera todas sus pertenencias. _____

_____

_____

En tu parroquia

Actividad Cuando ocurre un desastre natural en un país, ¿qué necesita la gente que vive allí? Completa el siguiente cuadro. Luego, coloca una ✗ en cuatro cosas en las que más te gustaría ver a tu parroquia ayudar.

Necesidad	¿Por qué son necesarias?	Ayuda de la parroquia
alimentos/agua		
hospitales		
escuelas		
caminos		
casas		
ropa		
medicinas		

Faith in Action

World Mission Work The Church is called to continue the ministry of Jesus in the world today. Jesus teaches us to love each other and to do God's work in the world. A parish outreach group helps people when a natural disaster, such as a flood or earthquake, strikes their country. They reach out and offer help wherever they see a need, even before someone asks for their help.

In Everyday Life

Activity Describe how you would feel if your home was destroyed and

your family lost all their belongings. _____

_____

_____

In Your Parish

Activity When a natural disaster strikes a country, what do the people living there need? Complete the chart below. Then, put an ✗ to show four things you would most like to see your parish help with.

Need	Why Are They Needed?	Parish Help
food/water		
hospitals		
schools		
roads		
houses		
clothes		
medicine		

14 Estamos comprometidos por los sacramentos

Que estén preparados y dispuestos para ayudar y consolar a todos los necesitados que acudan a ustedes.

Basado en el Rito del Matrimonio

Compartimos

La promesa

La abuela trabajaba mucho en el jardín rastrillando hojas. Le dolían la espalda y los brazos. Estaba muy cansada. Tamara, su nieta, le había prometido ayudarla después de clase. La abuela esperaba que Tamara cumpliera su promesa.

Actividad

Mira las ilustraciones. Elige una y di cómo terminará la historia de la abuela.

¿Qué promesa has hecho para ayudar a otra persona?

_____

_____

¿Por qué crees que es importante cumplir una promesa que has hecho?

_____

_____

14 We Are Committed Through the Sacraments

May you be ready and willing to help and comfort all who come to you in need.

Rite of Marriage

Share

The Promise

Grandma was working hard in the yard raking up leaves. Her back and arms hurt. She was so tired. Tamara, her granddaughter, had promised to help after school. Grandma hoped Tamara would keep her promise.

Activity

Look at the pictures. Choose one and tell how Grandma's story will end.

What is one promise that you have made to help someone else?

_____

_____

Why do you think it's important to keep a promise you've made?

_____

_____

Escuchamos y creemos

 **El culto** Estamos llamados a servir

Jesucristo llama a sus discípulos para que sirvan a todos. Nos da dos sacramentos que nos ayudan a construir la Iglesia sirviendo como Él. Son el Sacramento del Matrimonio y el Sacramento del Orden Sagrado. Se llaman Sacramentos al Servicio de la Comunidad. Ambos sacramentos nos ayudan a celebrar y a fortalecer nuestra promesa de servir.

"… esfuércense por reunir a los fieles en una sola familia, de forma que en la unidad del Espíritu Santo, por Cristo, pueda conducirlos al Padre. Tengan siempre presente el ejemplo del Buen Pastor, que no vino a ser servido, sino a servir…"

Ritual de la Ordenación del Obispo, de los Presbíteros y de los Diáconos

Hear & Believe

Worship We Are Called to Serve

Jesus Christ calls his disciples to serve all people. He gives us two sacraments that help us build up the Church by serving as he did. They are the Sacrament of Matrimony and the Sacrament of Holy Orders. They are called Sacraments at the Service of Communion. Both sacraments help us celebrate and strengthen our promise to serve.

". . . seek to bring the faithful together into a unified family, and to lead them effectively, through Christ and the Holy Spirit, to God the Father. Always remember the example of the Good Shepherd who came not to be served but to serve."

Rite of Ordination of a Priest

El don de la vocación

Dios nos llama a cada uno para servir a los demás de maneras diferentes. La forma en que usamos nuestros talentos para servir a los demás se llama **vocación**. Nuestra vocación es un don de Dios. Dios llama a algunas personas para la vocación del **Matrimonio**. En el Matrimonio, un hombre y una mujer prometen amarse y servirse el uno al otro y a sus hijos. Prometen formar una familia fuerte que ayude a los demás. Los padres ayudan a los hijos a encontrar su vocación.

Dios llama a algunas personas para la vocación del **Orden Sagrado**. En el Orden Sagrado, un obispo aprueba que un hombre sea ordenado diácono, sacerdote u obispo. Los sacerdotes y los obispos prometen ayudar a enseñar y a servir al pueblo de Dios. Los obispos enseñan y sirven como líderes de una diócesis.

Nuestra Iglesia nos enseña

La Iglesia celebra dos **Sacramentos al Servicio de la Comunidad**, el Matrimonio y el Orden Sagrado. Por el poder del Espíritu Santo, estos sacramentos ayudan a las personas a mantener su **compromiso**, o promesa, de servir. Dios nos dio talentos para servir a los demás. El Espíritu Santo nos ayuda a saber cuál es la vocación que Dios quiere que tengamos.

Palabras de fe

vocación

La vocación es el llamado de Dios para que usemos nuestros talentos para servir a los demás.

Matrimonio

El Matrimonio es el sacramento en el que un hombre y una mujer se comprometen a amarse el uno al otro por toda la vida como marido y mujer.

Orden Sagrado

El Orden Sagrado es un sacramento en el que se ordena a los obispos, sacerdotes y diáconos para un servicio especial de la Iglesia.

The Gift of Vocation

God calls each of us to serve others in different ways. The way we use our talents to serve is called our **vocation**. Our vocation is a gift from God. God calls some people to the vocation of **Matrimony**. This is also called marriage. In Matrimony, a man and woman promise to love and serve each other and their children. They promise to build a strong family that will help others. Parents help children find their vocations.

God calls some people to the vocation of **Holy Orders**. In Holy Orders, a bishop approves a man to be ordained a deacon, priest, or bishop. Priests and deacons promise to help teach and serve God's people. Bishops teach and serve as leaders of a diocese.

Our Church Teaches

The Church celebrates two **Sacraments at the Service of Communion**, Matrimony and Holy Orders. By the power of the Holy Spirit, these sacraments help people keep their **commitment**, or promise, to serve. God gave us talents to serve others. The Holy Spirit helps us to know the vocation God wants us to have.

Faith Words

vocation
A vocation is God's call to use our talents to serve others.

Matrimony
In the Sacrament of Matrimony a man and a woman promise to love one another for the rest of their lives as husband and wife.

Holy Orders
Holy Orders is a sacrament in which bishops, priests, and deacons are ordained to special service in the Church.

El Sacramento del Matrimonio

Bill estaba por ver una celebración especial. ¡Se casaba Jenny, su hermana! ¡La iglesia estaba bellamente decorada! Allí estaban todos sus amigos y sus familiares.

Durante la Misa, Jenny y Dale se comprometieron a amarse y a servirse el uno al otro para siempre, a recibir el don de los hijos y a enseñarles a seguir a Jesucristo.

Para mostrar su amor, Jenny y Dale se pusieron el uno al otro un anillo en el dedo. El sacerdote los bendijo. Rezaron para ser ejemplos del amor de Dios.

El Sacramento del Orden Sagrado

Zach vio una celebración diferente. A Pete, el hermano de Zach, lo estaban ordenando diácono en el Sacramento del Orden Sagrado. La iglesia estaba llena de amigos y de familiares.

Durante la Misa, Pete se comprometió a dedicar su vida a ser un siervo del pueblo de Dios. Prometió difundir la Buena Nueva por medio de sus palabras y acciones. El obispo impuso las manos sobre la cabeza de Pete. Luego, lo bendijo. Rezó para que el Espíritu Santo ayudara a Pete a mantener su compromiso. Zach vio cuando Pete recibió el Libro de los Evangelios y las vestimentas especiales de diácono.

Respond

The Sacrament of Matrimony

Bill was about to see a special celebration. His sister Jenny was getting married! The church was decorated beautifully! All of their friends and family were there.

During the Mass, Jenny and Dale promised to love and serve each other forever, to welcome the gift of children, and to teach them to follow Jesus Christ.

Jenny and Dale put rings on each other's finger to show their love. The priest blessed them. He prayed that they would be examples of God's love.

The Sacrament of Holy Orders

Zach saw a different celebration. Zach's brother, Pete, was being ordained as a deacon in the sacrament of Holy Orders. The church was filled with their friends and family.

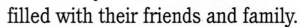

During the Mass, Pete promised to commit his life to be a servant to God's people. He promised to spread the Good News through his words and actions. The bishop laid his hands on Pete's head. Then, he blessed him. He prayed that the Holy Spirit would help Pete keep his commitment. Zach watched as Pete received the Book of Gospels and the special garments of a deacon.

Actividad

Un día, sabrás cuál es la vocación que Dios ha planeado para ti. Podrías ser llamado para la vocación del Matrimonio o del Orden Sagrado. Podrías ser llamado a permanecer soltero o a ser un hermano o hermana **religioso.** En tu vocación, usarás tus talentos para servir a los demás. Piensa en los talentos que Dios te ha dado y escribe sobre ellos o haz un dibujo en las cajas.

Activity

Someday, you will know the vocation God has planned for you. You might be called to the vocation of Matrimony or Holy Orders. You might be called to remain single or become a **religious** brother or sister. In your vocation, you will use your talents to serve others. Think about the talents God has given you and write or draw a picture of them on the gift boxes.

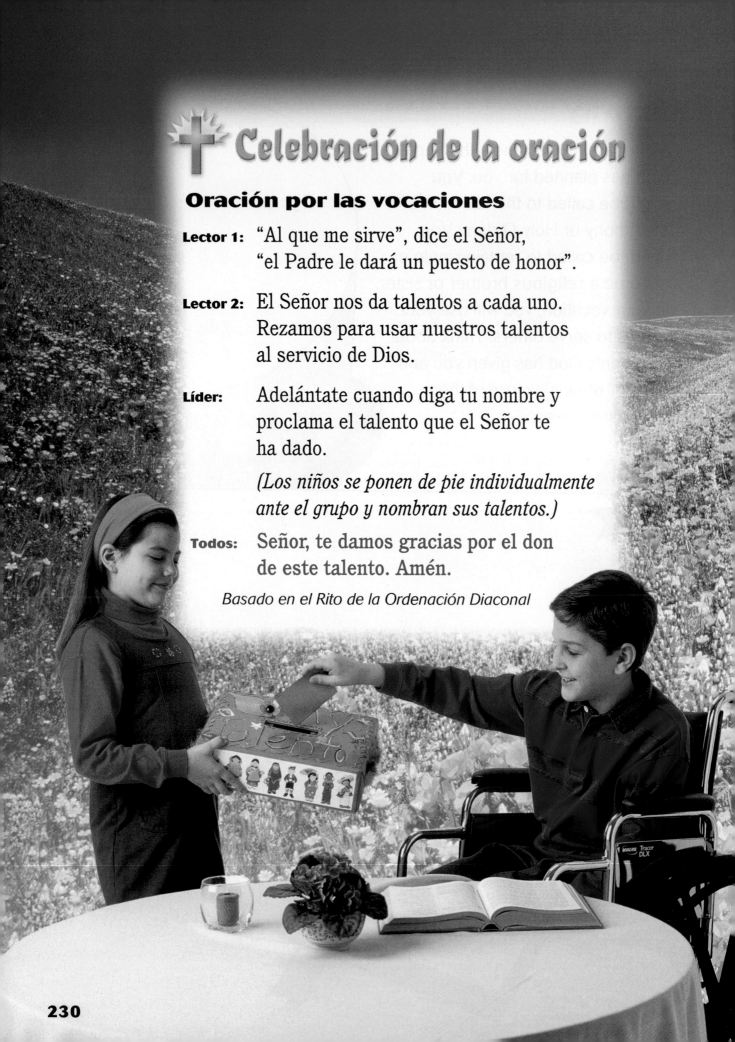

✝ Celebración de la oración

Oración por las vocaciones

Lector 1: "Al que me sirve", dice el Señor,
"el Padre le dará un puesto de honor".

Lector 2: El Señor nos da talentos a cada uno.
Rezamos para usar nuestros talentos
al servicio de Dios.

Líder: Adelántate cuando diga tu nombre y
proclama el talento que el Señor te
ha dado.

*(Los niños se ponen de pie individualmente
ante el grupo y nombran sus talentos.)*

Todos: Señor, te damos gracias por el don
de este talento. Amén.

Basado en el Rito de la Ordenación Diaconal

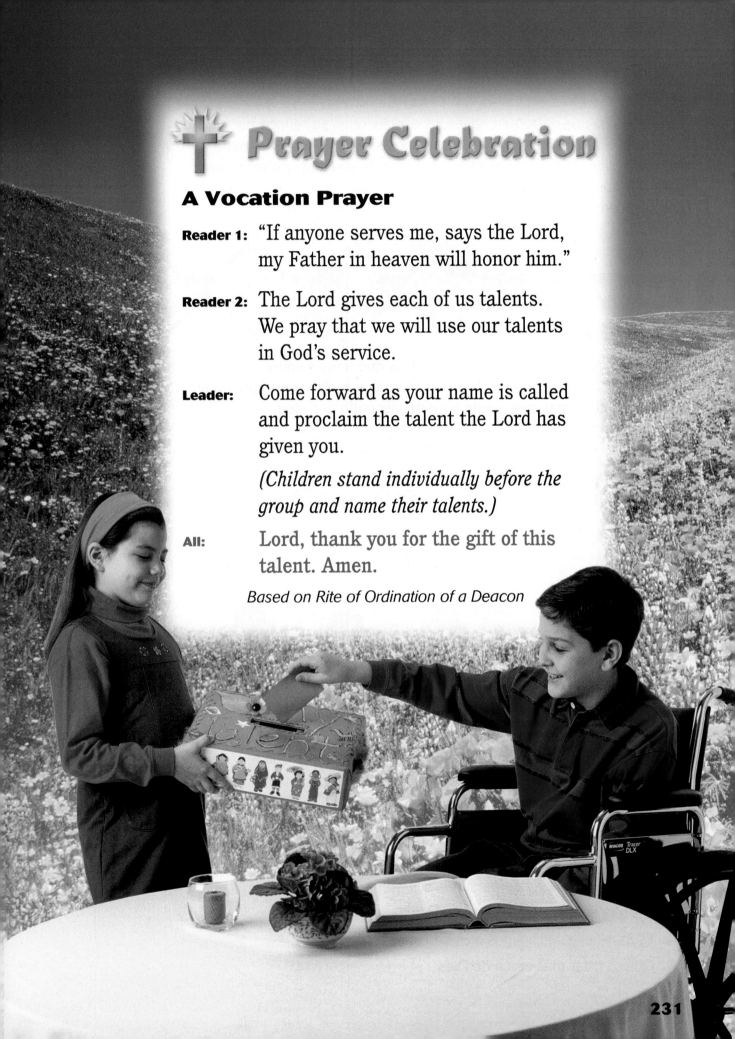

✟ Prayer Celebration

A Vocation Prayer

Reader 1: "If anyone serves me, says the Lord, my Father in heaven will honor him."

Reader 2: The Lord gives each of us talents. We pray that we will use our talents in God's service.

Leader: Come forward as your name is called and proclaim the talent the Lord has given you.

(Children stand individually before the group and name their talents.)

All: Lord, thank you for the gift of this talent. Amen.

Based on Rite of Ordination of a Deacon

La fe en acción

Visiones   En una parroquia, sacerdotes y diáconos se reúnen para hablar con hombres jóvenes sobre las vocaciones sacerdotales. A su grupo lo llaman "Visiones", porque ayudan a los jóvenes a ver las posibilidades para su futuro. Comparten las muchas formas en que se puede servir, como sacerdote o diácono parroquial, misionero o maestro.

En la vida diaria

Actividad   Anota a continuación dos ideas que tengas sobre lo que te gustaría ser cuando crezcas. Junto a cada una, escribe el nombre de un adulto que conozcas que pueda haberte inspirado esa idea.

1. _____

   _____

2. _____

   _____

En tu parroquia

Actividad   Lee la lista de descripciones que podría llevar a alguien a hacer un compromiso especial con la Iglesia. Subraya las que te recuerden a personas conocidas de tu parroquia. Encierra en un círculo la que describe mejor la forma en que te ves a ti mismo.

1. Quiere vivir sencillamente y no se preocupa por tener una casa grande o cosas caras.

2. Se lleva muy bien con personas diferentes.

3. Disfruta ayudando a los demás.

4. Es muy fiel a sus amigos más cercanos.

5. Quiere estar más cerca de Dios.

Faith in Action

Visions   In one parish, priests and deacons come together to talk with young men about vocations to the priesthood. They call their group "Visions," because it helps the young men see possibilities for their future. They share the many different ways to serve, such as parish priest or deacon, missionary, and teacher.

In Everyday Life

Activity   List below two ideas you have about what you would like to be when you grow up. Next to each one, write the name of an adult you know who may have inspired that idea.

1. _____

   _____

2. _____

   _____

In Your Parish

Activity   Read the list of descriptions that might lead someone to make a special commitment to the Church. Underline the ones that remind you of people you know in your parish. Circle the one that best describes how you see yourself.

1. Wants to live simply and doesn't care about having a big house or expensive things.

2. Gets along very well with all kinds of people.

3. Enjoys helping others.

4. Is very faithful to his or her closest friends.

5. Wants to be closer to God.

15 Somos fieles a nuestros compromisos

OREMOS

Después los envió a anunciar el Reino de Dios.

Lucas 9:2

Compartimos

Actividad

Dios da talentos a todos para hacer bien algo. Quiere que todos usen sus talentos para servir a los demás. Mira las fotografías. Explica cómo usan sus talentos los niños que aparecen en ellas.

15 We Are Faithful to Our Commitments

 LET US PRAY He sent them to proclaim the kingdom of God.

Luke 9:2

Share

Activity

God gives everyone talents to do something well. He wants everyone to use his or her talents to serve others. Look at the pictures. Explain how the children in the pictures are using their talents.

Escuchamos y creemos

✝ La Escritura La misión de los Apóstoles

Cuando Jesús empezó su ministerio, le dijo a la gente que Dios lo había enviado para traer la Buena Nueva. Su misión era mostrarles el amor de Dios y hablarles de él. Jesús recibió de Dios, su Padre, esta autoridad, o derecho, para enseñar y curar. Jesús dio este mismo derecho a sus Apóstoles. Los envió a predicar y a curar.

Jesús les dijo: "No lleven nada con ustedes. No lleven comida. No lleven dinero. No lleven ropa de más. No necesitarán ninguna de estas cosas. En cambio, quédense con quienquiera que los reciba. Les darán las cosas que ustedes necesiten. Pero si no los reciben, sacúdanse el polvo de ese pueblo de los pies y váyanse".

Era pedir mucho. Pero Jesús había hecho lo mismo. Entonces, los Apóstoles supieron que tenían que actuar como Jesús lo había hecho. Así fue que salieron sin dinero, ni alimento, ni ropa de más para predicar y curar a las personas. Fueron de pueblo en pueblo difundiendo la Buena Nueva. Cuando volvieron, le contaron a Jesús todo lo que habían hecho.

Basado en Lucas 9:1–12

Hear & Believe

✝ Scripture The Apostles' Mission

When Jesus began his ministry, he told people God had sent him to bring the Good News. His mission was to show and tell people about God's love. Jesus got his authority, or right, to teach and heal from God, his Father. Jesus gave that same right to his Apostles. He sent them out to preach and heal.

Jesus said to them, "Do not take anything with you. Do not take any food. Do not take any money. Do not take any extra clothes. You will not need any of these things. Instead, stay with whomever welcomes you. They will give you the things you need. But if you are not welcomed, shake the dirt of that town from your feet and move on."

It was a lot to ask. But Jesus had done the same. Now, the Apostles knew that they had to act as Jesus did. So they set out without any money, food, or extra clothes to preach and to heal people. They went from village to village spreading the Good News. When they came back, they told Jesus all they had done.

Based on Luke 9:1–12

Los Apóstoles son fieles

Los Apóstoles fueron fieles al pedido de Jesús. Hicieron todo lo que les pidió. Gracias a que fueron fieles a su misión, muchas personas empezaron a creer en Jesucristo. Como discípulos de Cristo, cada uno de nosotros tiene la misma misión, difundir la Buena Nueva.

Nuestra Iglesia nos enseña

Los talentos que Dios nos da son dones muy especiales. Debemos usar estos dones sabiamente para nuestro bien y el de los demás. Hacemos un compromiso para usar nuestros talentos al servicio del pueblo de Dios. Ésta es nuestra vocación.

Muchas veces, Dios llama a las personas para que se casen. En el matrimonio, un esposo y una esposa hacen una **alianza** para amarse. Una alianza es un acuerdo, o promesa, que se hace entre personas o grupos de personas. Un esposo y una esposa hacen su alianza libremente. Prometen ser fieles, amarse y honrar siempre a Dios.

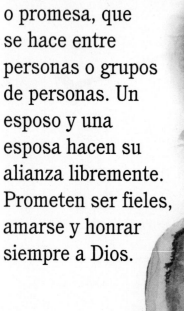

The Apostles Are Faithful

The Apostles were faithful to Jesus' command. They did all that he asked. Because they were faithful to their mission, many people came to believe in Jesus Christ. As a disciple of Christ, each of us has the same mission, to spread the Good News.

Our Church Teaches

The talents God gives us are very special gifts. We must use these gifts wisely for our own good and the good of others. We make a commitment to use our talents to serve God's people. This is our vocation.

Often, God calls people to be married. In marriage, a husband and wife make a **covenant** to love each other. A covenant is an agreement, or promise, made between persons or groups of people. A husband and wife make their covenant freely. They promise to be faithful, to love each other, and to honor God always.

Respondemos

Actividades

1. El Señor da a cada uno de nosotros una vocación para servir a la Iglesia. Lee cada una de las siguientes frases para aprender lo que hacen algunos de los líderes, ministros y servidores de nuestra Iglesia. Luego mira la siguiente ilustración. Encuentra a cada uno de ellos en la ilustración y enciérralos en un círculo.

A. El papa dirige la Iglesia Católica de todo el mundo.

B. Un sacerdote sirve predicando y dirigiendo la celebración de los sacramentos.

C. Un obispo actúa como líder pastoral de una diócesis.

D. Un diácono ayuda al sacerdote a servir al pueblo de Dios.

E. Los catequistas nos ayudan a aprender sobre Dios.

F. Los músicos nos ayudan a practicar el culto por medio de la música y el canto.

G. Un lector proclama, o lee, la palabra santa de Dios.

H. Los monaguillos asisten al sacerdote y a otros ministros en la liturgia.

Respond

Activities

1. The Lord gives each of us a vocation to serve the Church. Read each sentence below to learn about what some of our church leaders, ministers, and servers do. Then look at the picture beneath it. Find and circle each of them in the picture.

   A. The pope leads the Catholic Church around the world.

   B. A priest serves by preaching and leading sacrament celebrations.

   C. A bishop acts as the pastoral leader of a diocese.

   D. A deacon helps the priest serve God's people.

   E. Catechists help us learn about God.

   F. Musicians help us worship through music and song.

   G. A lector proclaims, or reads, God's holy word.

   H. Altar servers assist the priest and other ministers at liturgy.

2. Mira los talentos que escribiste o dibujaste en el Capítulo 14, en la página 228. Escribe uno de ellos a continuación y di cómo puedes usar ese talento para servir a los demás.

ESPÍRITU SANTO, ¡ILUMÍNAME, HASTA QUE TUS IDEAS SEAN MIS IDEAS.

Mi talento es

_____.

Con este talento, sirvo a los demás cuando

_____

3. Dios te ha dado un don que puedes usar para ayudar a fortalecer al Pueblo de Dios, la Iglesia. ¿Estás de acuerdo en usar tu don para servir a los demás? Si la respuesta es sí, completa el siguiente certificado y guárdalo para la Celebración de la oración.

Certificado de Compromiso

Dios me ha dado el talento de

_____

para

_____.

Prometo hacer todo lo posible para usar mi talento al servicio de los demás.

_____
(escribe tu nombre)

_____
(fecha)

2. Look at the talents that you wrote or drew in Chapter 14 on page 229. Write one of them below and tell how you can use that talent to serve others.

HOLY SPIRIT, THINK THROUGH ME, TILL YOUR IDEAS ARE MY IDEAS.

My talent is

_____.

With this talent, I serve others when I

_____

_____

3. God has given you a gift that you can use to help build up the People of God, the Church. Do you agree to use your gift to serve others? If you do, complete the certificate below, and save it for the Prayer Celebration.

Commitment Certificate

God has given me the talent of

_____

to

_____.

I promise to do my best to use my talent to serve others.

_____
(sign your name)

_____
(date)

✝ Celebración de la oración

Oración de compromiso

Lector 1: Existen dones diferentes, pero el Espíritu es el mismo. El Espíritu le da a cada persona un don para el bien de todos.

Todos: Ven, Espíritu Santo.

Lector 2: A uno el Espíritu le da el don de predicar; a otro, el poder de enseñar.

Todos: Ven, Espíritu Santo.

Lector 3: Otros reciben el don de curar o de comprender. Le corresponde al Espíritu dar estos dones a cada uno.

Todos: Ven, Espíritu Santo.

Basado en 1.ª Corintios 12:4–11

Líder: Dios te ha dado un talento que puedes usar para fortalecer al Pueblo de Dios. Has hecho una promesa de usar tu talento para servir a los demás. Adelántate cuando te llame y recibe un recordatorio de tu compromiso.

(Llame a los niños y entréqueles los certificados.)

Prayer Celebration

A Prayer of Commitment

Reader 1: There are different gifts but the same Spirit. To each person the Spirit gives a Gift for the good of all.

All: Come Holy Spirit.

Reader 2: To one the Spirit gives the gift of preaching, to another the power of teaching.

All: Come Holy Spirit.

Reader 3: Others receive the gift of healing or understanding. It is up to the Spirit to give these gifts to each one.

All: Come Holy Spirit.

Based on 1 Corinthians 12:4–11

Leader: God has given you a talent that you can use to build up the People of God. You have made a promise to use your talent to serve others. Come forward when I call your name to receive a reminder of your commitment.

(Call names and give out certificates.)

245

La fe en acción

Ministerio musical de la parroquia   Algunos talentos, como el musical, son fáciles de descubrir. Pero, hasta un talento musical puede estar oculto o puede perderse, si no se usa. En público o entre bastidores, existen muchas formas de compartir los talentos musicales en la vida de la Iglesia. Un director musical nos ayuda a entonar salmos e himnos. Un organista o un pianista tocan música especial para que la escuchemos mientras rezamos. Todos podemos formar parte del ministerio musical escuchando, rezando y cantando con todo nuestro corazón.

En la vida diaria

Actividad   Usa estas palabras para completar las frases.

intentar
cantar
esfuerzo
canción
sorprender
ánimo

Con un poco de _____ de los demás y un poco

de _____ de tu parte, puedes aprender a hacer casi todo,

¡hasta _____ , tocar un instrumento o escribir

una _____! A veces, todo lo que tienes que hacer

es _____. ¡Los resultados te pueden _____ !

En tu parroquia

Actividad   Sé un cazatalentos en tu parroquia y busca a determinadas personas. Piensa en todos los ministerios parroquiales de los que te has enterado. Enumera aquí tres de ellos. Junto a cada uno, escribe el nombre de alguien conocido que crees que tiene el talento para servir a tu parroquia en este ministerio.

Ministerio	Persona talentosa
1. _____	1. _____
2. _____	2. _____
3. _____	3. _____

Faith in Action

Parish Music Ministry Some talents, such as a musical talent, are easy to discover. But even musical talent can be hidden, or lost, if it is not used. In the open or behind the scenes, there are many ways to share musical talents in the life of the Church. A song leader helps us all to sing psalms and hymns. An organist or pianist plays special music that we listen to as we pray. We can all be part of the music ministry by listening, praying, and singing with all our hearts.

In Everyday Life

Activity Use these words to complete the sentences.

With a little _____ from others and a little

_____ on your part, you could learn to do almost

anything, even _____ , play an instrument, or write

a _____! Sometimes all you have to do is

_____. The results could _____ you!

| try |
| sing |
| effort |
| song |
| surprise |
| encouragement |

In Your Parish

Activity Be a talent scout in your parish and search for certain people. Think about all the parish ministries you have learned about. List three of them here. Next to each ministry, write the name of someone you know whom you think has the talent to serve your parish in this ministry.

Ministry	A Talented Person
1. _____	1. _____
2. _____	2. _____
3. _____	3. _____

16 Rezamos por la fe

Veo al Hijo del Hombre a la derecha de Dios.

Basado en Hechos 7:56

Compartimos

Actividad

Tú eres un cristiano católico. ¿En qué cosas crees acerca de tu fe? Mira las siguientes casillas. Colorea cada enunciado con el que estés de acuerdo.

Nunca volveremos a ver a Jesús.	Dios es nuestro Padre amoroso.	Dios está demasiado ocupado para nosotros.
El Espíritu Santo nos guía.	Jesús murió en la cruz por nosotros.	La Iglesia recibe a todas las personas.
No recordamos lo que enseñaron los Apóstoles.	Dios hizo el cielo y la tierra.	No se debe ayudar a todas las personas.

16 We Pray for Faith

Behold, I see the Son of Man standing at the right hand of God.

Based on Acts 7:56

Share

Activity

You are a Catholic Christian. What things do you believe about your faith? Look at the puzzle below. Color in every statement you agree with.

We will never see Jesus again.	God is our loving Father.	God is too busy for us.
The Holy Spirit guides us.	Jesus died on the cross for us.	The Church welcomes all people.
We do not remember what the Apostles taught.	God made heaven and earth.	People should not help everyone.

✝ La Escritura Esteban está llamado a servir

Después de Pentecostés, los Apóstoles llevaban la Buena Nueva a todos. Los discípulos vivían y trabajaban juntos. Pronto, eran tantos los seguidores de Jesús que los Apóstoles necesitaron que otros los ayudaran a alimentar a los pobres. Eligieron a siete hombres, entre los que se encontraba Esteban.

Muchos sabían que Esteban era un curador y un maestro sabio. Pero algunas personas que no creían en Jesucristo dijeron mentiras sobre Esteban. Lo obligaron a presentarse ante un juez, el Sumo Sacerdote. "Este hombre dice que Cristo destruirá nuestro Templo y las leyes que recibimos de Moisés", le dijeron al Sumo Sacerdote.

"¿Es verdad lo que dicen?", preguntó el Sumo Sacerdote.

"Dios envió a Moisés para que les diera a sus padres los Diez Mandamientos, pero sus padres se apartaron de Dios", explicó Esteban. "Ahora, el Espíritu Santo ha mostrado que Jesucristo es el Hijo de Dios, pero ustedes siguen sin creer".

Los hombres se enojaron mucho. Sacaron a Esteban de Jerusalén y empezaron a tirarle piedras. Esteban le pidió a Dios que los perdonara: "Señor, no les tomes en cuenta este pecado". Y luego Esteban murió.

Basado en Hechos 6:2–15; 7:1–2, 37–60

Hear & Believe

✝ Scripture Stephen Is Called to Serve

After Pentecost, the Apostles spread the Good News to everyone. The disciples lived and worked together. Soon, there were so many followers of Jesus that the Apostles needed others to help bring food to the poor. They chose seven men to help, one of whom was Stephen.

Many people knew that Stephen was a healer and a wise teacher. But some people who didn't believe in Jesus Christ told lies about Stephen. They forced him to appear in front of a judge, the High Priest. "This man says Christ will destroy our temple and the laws we received from Moses," they told the High Priest.

"Is this true?" the High Priest asked.

"God sent Moses to give your fathers the Ten Commandments, but your fathers turned away from God," Stephen explained. "Now the Holy Spirit has shown you that Jesus Christ is God's Son, but you still do not believe."

The men became very angry. They dragged Stephen out of Jerusalem and began to throw stones at him. Stephen asked God to forgive the men. "Lord, do not hold this sin against them."

And then Stephen died.

Based on Acts 6:2–15; 7:1–2, 37–60

Esteban es fiel

La fe de Esteban en Jesucristo era muy fuerte. Creía que Cristo era el único Hijo de Dios, que vivió entre nosotros y murió por todos. Aun cuando estaba muriendo, Esteban creyó en el amor de Dios. Como Jesucristo, Esteban perdonó a las personas que lo odiaban. Quería que todos conocieran y amaran a Cristo. Quería que todos creyeran como lo hizo él. Trató de compartir su **credo** con todos.

Nuestra Iglesia nos enseña

Esteban y los Apóstoles nos transmitieron su fe. Ésta es la fe que decimos en el Credo de los Apóstoles.

Cuando rezamos el Credo, decimos que creemos en un Dios amoroso: el Padre, Jesucristo, su Hijo, y el Espíritu Santo. Creemos que la Iglesia es la comunidad de Jesucristo. Creemos que, después de nuestra muerte, estaremos con Dios por siempre. Mientras rezamos, el Espíritu Santo nos ayuda a ser fieles al Credo de los Apóstoles.

Creemos

Los cristianos católicos compartimos la fe de los Apóstoles. Las creencias de la Iglesia Católica están en el Credo de los Apóstoles. En el Credo, decimos que creemos en el Padre, el Hijo y el Espíritu Santo.

Palabras de fe

credo
Un credo es un enunciado de fe. El Credo de los Apóstoles resume las creencias y las enseñanzas de los Apóstoles.

Stephen Is Faithful

Stephen's faith in Jesus Christ was very strong. He believed that Christ was God's only Son, who lived among us and died for all. Even as he was dying, Stephen believed in God's love. Like Jesus Christ, Stephen forgave those people who hated him. He wanted everyone to know and love Christ. He wanted people to believe as he did. This was his creed. He tried to share his **creed** with everyone.

Our Church Teaches

Stephen and the Apostles pass their faith on to us. This is the faith that we say in the Apostles' Creed.

When we pray the Creed, we are saying that we believe in a loving God: the Father, his Son, Jesus Christ, and the Holy Spirit. We believe that the Church is the community of Jesus Christ. We believe that after we die, we will be with God forever. As we pray, the Holy Spirit helps us be faithful to the Apostles' Creed.

Respondemos

El Credo de los Apóstoles

Rezamos el Credo de los Apóstoles para recordar nuestras
creencias y para crecer en la fe. El Credo nos recuerda que
estamos unidos en la fe con los católicos de todas partes.
El Credo de los Apóstoles es una forma en que los católicos
pueden transmitir su fe a los demás.

El Credo de los Apóstoles	Lo que significa
Creo en Dios, Padre Todopoderoso, Creador del cielo y de la tierra.	Creemos que Dios es nuestro Padre amoroso. Dios creó para nosotros todo lo que tenemos.
Creo en Jesucristo, su único Hijo, Nuestro Señor, que fue concebido por obra y gracia del Espíritu Santo, nació de Santa María Virgen,	Creemos que Jesús es el Hijo de Dios. Jesús es nuestro hermano y amigo amoroso.
padeció bajo el poder de Poncio Pilato, fue crucificado, muerto y sepultado, descendió a los infiernos, al tercer día resucitó de entre los muertos,	Jesús sufrió y murió por nosotros y resucitó para que podamos tener una nueva vida.
subió a los cielos y está sentado a la derecha de Dios, Padre Todopoderoso. Desde allí ha de venir a juzgar a vivos y muertos.	Al final de los tiempos, Jesús volverá para juzgarnos. Determinará cuánto nos hemos amado los unos a los otros.
Creo en el Espíritu Santo, la santa Iglesia Católica, la comunión de los santos, el perdón de los pecados, la resurrección de la carne y la vida eterna.	Creemos que la Iglesia Católica es la comunidad del Pueblo de Dios. Nos amamos, nos respetamos y nos ayudamos. Creemos que, después de la muerte, tendremos vida nueva para siempre con Jesús.
Amén.	Decimos: "Sí, creo que es verdad".

Respond

The Apostles' Creed

We pray the Apostles' Creed to remember our beliefs and to grow in faith. The Creed reminds us that we are united in faith with Catholics everywhere. The Apostles' Creed is one way Catholics can pass their faith on to others.

The Apostles' Creed	What it Means
I believe in God, the Father almighty, Creator of heaven and earth,	We believe God is our loving Father. God created for us all that we have.
and in Jesus Christ, his only Son, our Lord, who was conceived by the Holy Spirit, born of the Virgin Mary,	We believe Jesus is God's Son. Jesus is our loving brother and friend.
suffered under Pontius Pilate, was crucified, died and was buried; he descended into hell; on the third day he rose again from the dead;	Jesus suffered and died for us and was raised up so we could have new life.
he ascended into heaven, and is seated at the right hand of God the Father almighty; from there he will come to judge the living and the dead.	At the end of time, Jesus will return in judgment. He will determine how well we have loved one another.
I believe in the Holy Spirit, the holy catholic Church, the communion of saints, the forgiveness of sins, the resurrection of the body, and life everlasting.	We believe the Catholic Church is the community of God's people. We love, respect, and help each other. We believe that after death, we will have new life forever with Jesus.
Amen.	We say, "Yes, I believe it is true."

Actividades

1. Esteban y los Apóstoles pasaron su vida diciendo a los demás lo que creían sobre Jesucristo. Piensa en lo que crees sobre Dios Padre, Hijo y Espíritu Santo. Luego escribe tu credo a continuación. Cuando termines, comparte el credo con tu grupo.

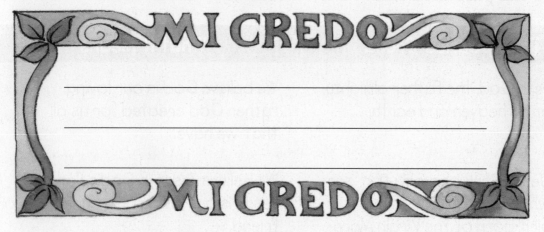

2. A continuación hay algunos de los signos que los primeros cristianos hicieron para transmitir sus creencias. ¿Qué signos se te ocurren para mostrar que crees en Dios Padre, Hijo y Espíritu Santo? Dibújalos en el siguiente espacio.

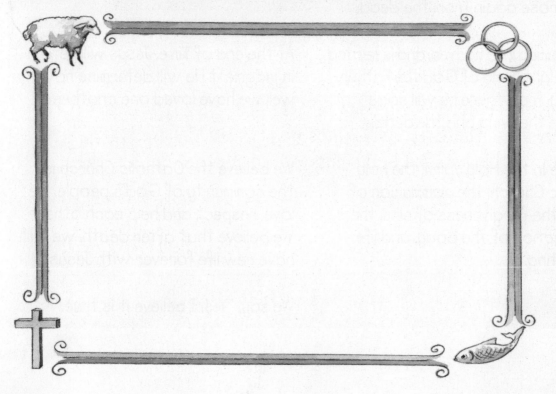

Activities

1. Stephen and the Apostles spent their lives telling others what they believed about Jesus Christ. Think about what you believe about God the Father, Son, and Holy Spirit. Then write your creed below. After you finish, share your creed with your group.

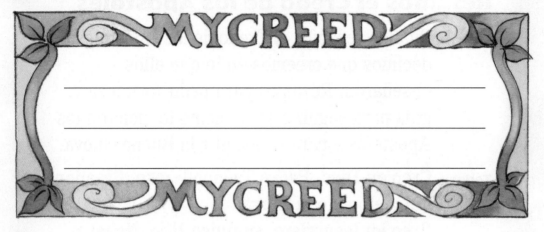

2. Below are some of the signs that early Christians made to pass along their beliefs. What signs can you think of to show you believe in God the Father, Son, and Holy Spirit? Draw them in the space below.

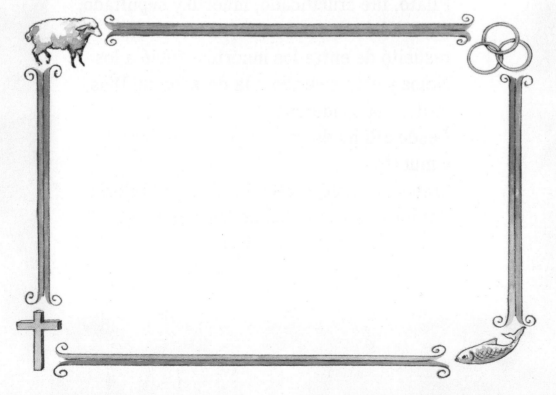

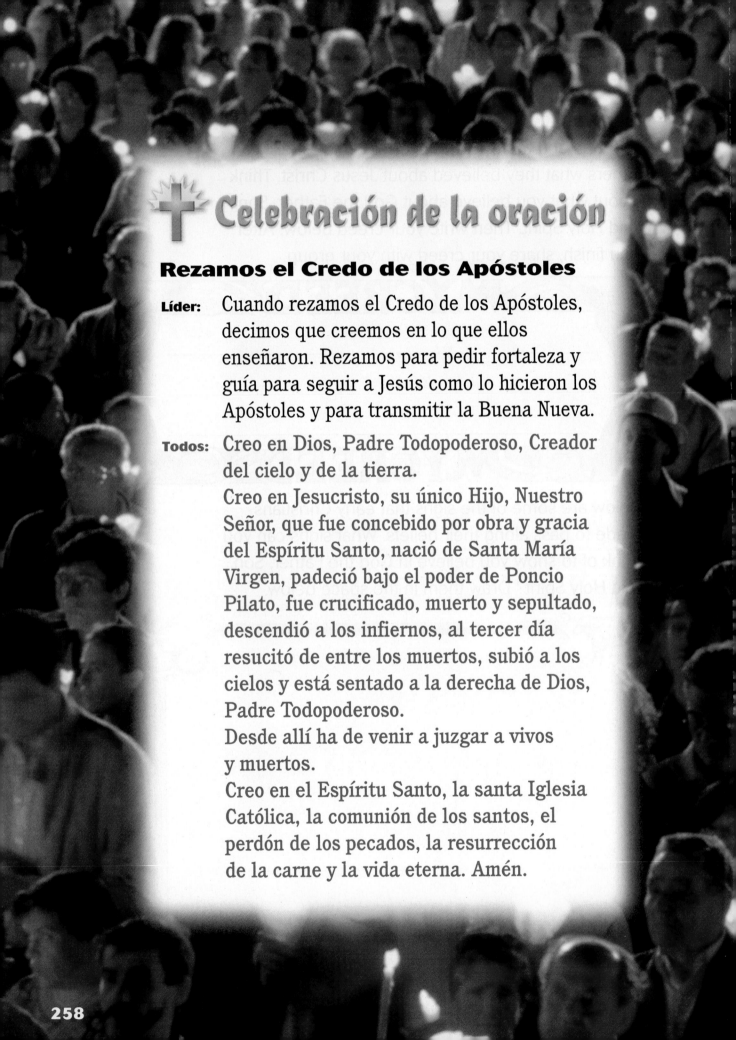

✝ Celebración de la oración

Rezamos el Credo de los Apóstoles

Líder: Cuando rezamos el Credo de los Apóstoles, decimos que creemos en lo que ellos enseñaron. Rezamos para pedir fortaleza y guía para seguir a Jesús como lo hicieron los Apóstoles y para transmitir la Buena Nueva.

Todos: Creo en Dios, Padre Todopoderoso, Creador del cielo y de la tierra.

Creo en Jesucristo, su único Hijo, Nuestro Señor, que fue concebido por obra y gracia del Espíritu Santo, nació de Santa María Virgen, padeció bajo el poder de Poncio Pilato, fue crucificado, muerto y sepultado, descendió a los infiernos, al tercer día resucitó de entre los muertos, subió a los cielos y está sentado a la derecha de Dios, Padre Todopoderoso.

Desde allí ha de venir a juzgar a vivos y muertos.

Creo en el Espíritu Santo, la santa Iglesia Católica, la comunión de los santos, el perdón de los pecados, la resurrección de la carne y la vida eterna. Amén.

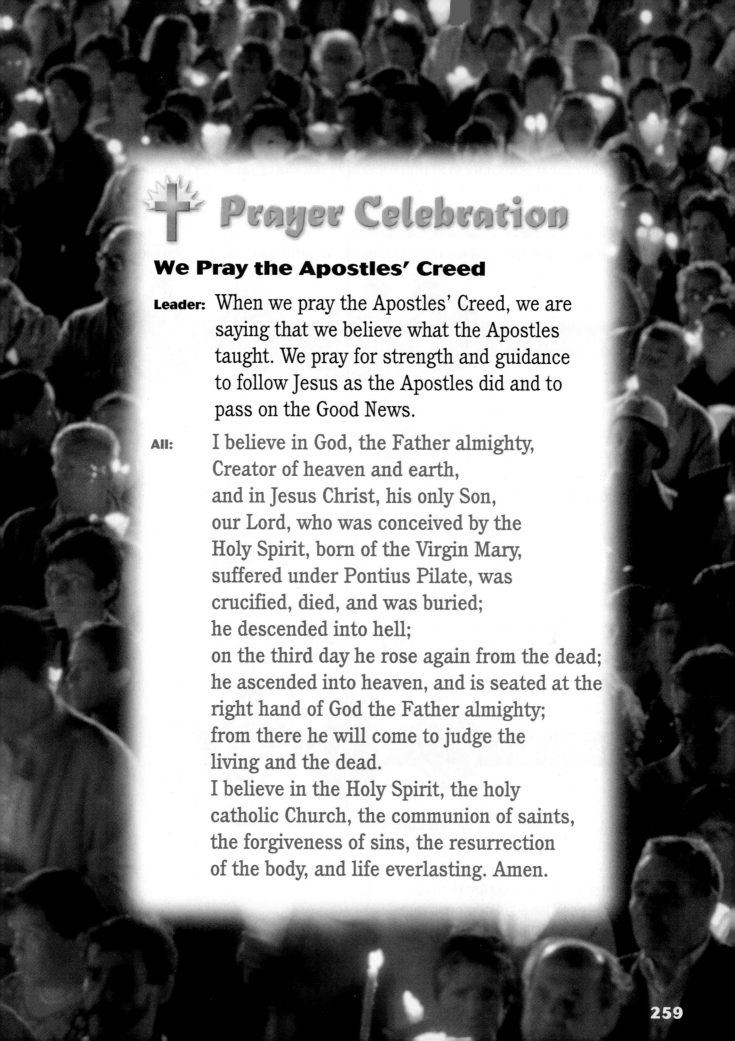

✝ Prayer Celebration

We Pray the Apostles' Creed

Leader: When we pray the Apostles' Creed, we are saying that we believe what the Apostles taught. We pray for strength and guidance to follow Jesus as the Apostles did and to pass on the Good News.

All: I believe in God, the Father almighty,
Creator of heaven and earth,
and in Jesus Christ, his only Son,
our Lord, who was conceived by the
Holy Spirit, born of the Virgin Mary,
suffered under Pontius Pilate, was
crucified, died, and was buried;
he descended into hell;
on the third day he rose again from the dead;
he ascended into heaven, and is seated at the
right hand of God the Father almighty;
from there he will come to judge the
living and the dead.
I believe in the Holy Spirit, the holy
catholic Church, the communion of saints,
the forgiveness of sins, the resurrection
of the body, and life everlasting. Amen.

La fe en acción

Comité de administración de la tierra   Cuidar y respetar la tierra es un requisito de nuestra fe. Muchas parroquias tienen comités de administración de la tierra. Enseñan a su familia parroquial acerca de la importancia del reciclado y de la responsabilidad ambiental. Ayudan a los miembros de la parroquia a reducir los desechos y a reciclar recursos por medio de la recolección de papel, plástico, vidrio, metal e, incluso, teléfonos celulares y cartuchos de tinta. El dinero reunido con los productos reciclados se usa para ayudar a los necesitados de la parroquia o de la comunidad.

En la vida diaria

Actividad   Une los puntos para ver un símbolo que nos recuerda una manera importante en que podemos ayudar a cuidar la tierra. Luego, ordena las letras para formar las tres palabras que este símbolo representa.

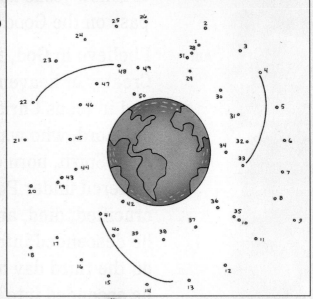

Retaizulir _____

Recrical _____

Rudicer _____

En tu parroquia

Actividad   Los eslóganes son dichos cortos que son fáciles de recordar y que tienen un mensaje. Un ejemplo es "Dé su aprobación. No a la contaminación". Escribe tu propio eslogan para recordar a las personas que cuiden el mundo de Dios.

Faith in Action

Earth Stewardship Committee   Caring and respecting the earth is a requirement of our faith. Many parishes have earth stewardship committees. They teach their parish family about the importance of recycling and environmental responsibility. They help parish members reduce waste and recycle resources by collecting paper, plastic, glass, metal, and even cell phones and ink cartridges. The money collected for the recycled products is used to help people in need in the parish or in the community.

In Everyday Life

Activity   Connect the dots to see a symbol that reminds us about an important way we can help care for the earth. Then, unscramble the letters to make the three words that this symbol represents.

Resue _____

Reycelc _____

Rudece _____

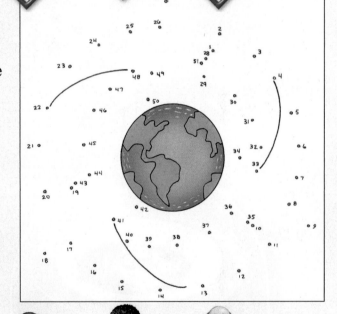

In Your Parish

Activity   Slogans are short sayings that are easy to remember and have a message. One example is "Give a hoot. Don't pollute." Write your own slogan to remind people to take care of God's world.

La Iglesia tiene una misión en el mundo

La comunidad de la Iglesia Católica es una señal de la justicia y la paz del reino de Dios en este mundo y en el que va a venir.

¿A qué se parece el Reino de Dios? ¿Con qué comparación lo podríamos expresar?

Marcos 4:30

Jesús compara el reino de Dios con una pequeña semilla de mostaza. Nos dice que así como la semilla de mostaza crece lo bastante para que los pájaros aniden, de la misma manera crecerá el reino de Dios para ser el hogar de todos.

The Church Has a Mission to the World

The Catholic Church community is a sign of the justice and peace of God's kingdom in this world and in the world to come.

To what shall we compare the kingdom of God?
Mark 4:30

Jesus compares the kingdom of God to a tiny mustard seed. He tells us that just as the mustard seed grows large enough for birds to nest in, so too will the kingdom of God grow big enough to be everyone's home.

Venga el Reino del Cielo

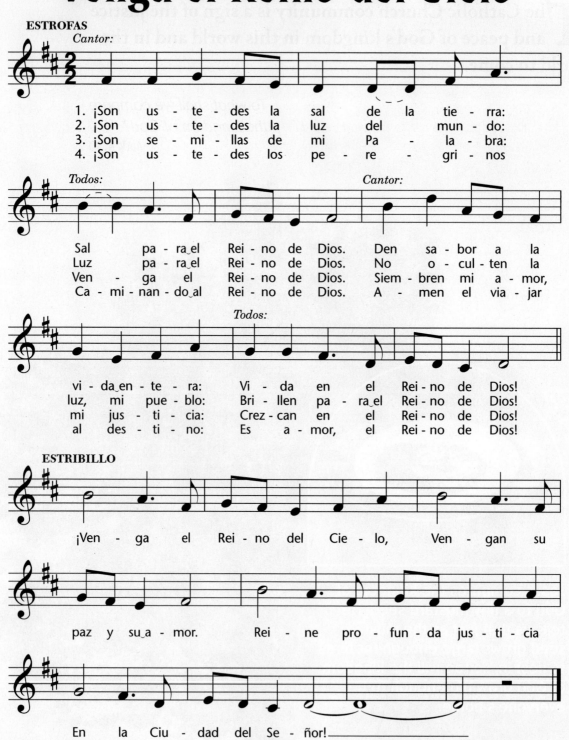

ESTROFAS

Cantor:

1. ¡Son us - te - des la sal de la tie - rra:
2. ¡Son us - te - des la luz del mun - do:
3. ¡Son se - mi - llas de mi Pa - la - bra:
4. ¡Son us - te - des los pe - re - gri - nos

Todos: *Cantor:*

Sal pa - ra el Rei - no de Dios. Den sa - bor a la
Luz pa - ra el Rei - no de Dios. No o - cul - ten la
Ven - ga el Rei - no de Dios. Siem - bren mi a - mor,
Ca - mi - nan - do al Rei - no de Dios. A - men el via - jar

Todos:

vi - da en te - ra: Vi - da en el Rei - no de Dios!
luz, mi pue - blo: Bri - llen pa - ra el Rei - no de Dios!
mi jus - ti - cia: Crez - can en el Rei - no de Dios!
al des - ti - no: Es a - mor, el Rei - no de Dios!

ESTRIBILLO

¡Ven - ga el Rei - no del Cie - lo, Ven - gan su

paz y su a - mor. Rei - ne pro - fun - da jus - ti - cia

En la Ciu - dad del Se - ñor!

Texto: Marty Haugen, trad. por Ronald F. Krisman
Música: Marty Haugen
© 1986, 2006, GIA Publications, Inc.

Bring Forth the Kingdom

VERSES

Cantor:

1. You are—— salt for the earth, O peo - ple:
2. You are a light on the hill, O peo - ple:
3. You are a seed of the Word, O peo - ple:
4. We are a blest and a pil - grim peo - ple:

All: ... *Cantor:*

Salt for the King - dom of God! Share the fla - vor of
Light for the Cit - y of God! Shine so ho - ly and
Bring forth the King - dom of God! Seeds of mer - cy and
Bound for the King - dom of God! Love our jour - ney and

All:

life, O peo - ple: Life in the King - dom of God!
bright, O peo - ple: Shine for the King - dom of God!
seeds of jus - tice, Grow in the King - dom of God!
love our home - land: Love is the King - dom of God!

REFRAIN

Bring forth the King - dom of mer - cy, Bring forth the
King - dom of peace; Bring forth the King - dom of jus - tice,
Bring forth the Cit - y of God!————

Text: Marty Haugen
Tune: Marty Haugen
© 1986, 2006, GIA Publications, Inc.

17 La Iglesia es una señal del Reino de Dios

Vengan, tomen posesión del reino preparado para ustedes desde el principio del mundo.

Basado en Mateo 25:34

Compartimos

Mamá y papá llamaron a una reunión familiar. Era tiempo de planear las vacaciones de verano. Pronto, todos estaban haciendo sugerencias. "Un lugar cálido." "Mucha natación." "¡Un lugar donde no haya discusiones!" "¡Algún lugar impresionante!" "Tranquilo." "¡Un lugar feliz!"

Actividad

¡Sé un agente de viajes! Diseña un folleto de viaje para un lugar que sea divertido, tranquilo, impresionante y feliz.

17 The Church Is a Sign of the Kingdom of God

Come, inherit the kingdom prepared for you from the foundation of the world.

Based on Matthew 25:34

Share

Mom and Dad called a family meeting. It was time to plan summer vacation. Soon everyone was offering suggestions. "A warm place." "Lots of swimming." "A place with no arguing!" "Some place awesome!" "Peaceful." "A happy place!"

Activity

Be a travel agent! Design a travel brochure for a place that would be fun, peaceful, awesome, and happy.

Escuchamos y creemos

✝ La Escritura Jesús describe el Reino de Dios

La mayoría de los seguidores de Jesús eran judíos. Creían que Dios establecería un reino en la tierra. Pensaban que ellos formarían parte de este reino poderoso y estupendo. Jesús dijo a sus seguidores que el Reino que Dios prometió no es así. Es diferente.

En un relato, Jesús dijo: "El Reino de Dios es como una semilla que se ha sembrado. La semilla brota, crece y se convierte en un tallo de trigo".

Jesús dijo también: "El Reino de Dios es como una pequeña semilla de mostaza. Nadie cree que de una semilla tan pequeña pueda brotar una planta tan grande. Pero una vez que está sembrada, esta pequeña semilla crece hasta ser un árbol, lo bastante grande para brindar refugio a muchos pájaros".

Jesús contó estos relatos sobre semillas para que la gente empezara a comprender cómo es el Reino de Dios y que crecerá lo suficiente para ser el hogar de todos.

Basado en Marcos 4:26–34

Hear & Believe

✝ Scripture Jesus Describes God's Kingdom

Most of Jesus' followers were Jews. They believed that God would set up a kingdom on earth. They thought they would be a part of this powerful and wonderful kingdom. Jesus told his followers that the Kingdom God promised is not like that. It is different.

In one story, Jesus said, "The Kingdom of God is like a seed that is planted. The seed sprouts, grows, and becomes a stalk of wheat."

Jesus also said, "The Kingdom of God is like a tiny mustard seed. No one thinks that such a little seed can grow to be very large. But once it is planted, this little seed grows to be a tree, large enough to provide shelter for many birds."

Jesus told these stories about seeds so people could begin to understand what the Kingdom of God is like and that it will grow big enough to be everyone's home.

Based on Mark 4:26–34

El Reino ya ha empezado

Jesucristo dijo a la gente que el reino de Dios ya había empezado. Habló sobre el poder del amor que está presente en el mundo. La Buena Nueva de Dios se difunde cada vez que una persona sigue la enseñanza de Jesús. Incluso aquéllos que siguen una vida buena, pero que no han oído la enseñanza de Cristo pueden formar parte del Reino de Dios.

Nuestra Iglesia nos enseña

Como seguidores de Cristo, ayudamos a los demás a aprender sobre este reino. Al amar a los demás, ayudamos a crear paz y justicia. Jesucristo nos ayuda a ser señales del reino. Él está en la Eucaristía. Leemos acerca de Jesús en la Biblia. Jesucristo está también en su pueblo, la Iglesia.

El Reino de Dios sigue creciendo y se completará al final de los tiempos. Entonces, compartiremos la **vida eterna** y la felicidad con Jesucristo por siempre en el cielo.

The Kingdom Has Already Begun

Jesus Christ told people that God's kingdom had already begun. He spoke about the power of love being present in the world. God's Good News spreads each time a person follows Jesus' teaching. Even those who live good lives but have not heard of Christ's teaching can be part of the Kingdom of God.

Our Church Teaches

As followers of Christ, we help others learn about this kingdom. By loving others, we help bring about peace and justice. Jesus Christ helps us be signs of the kingdom. He is in the Eucharist. We read about Jesus in the Bible. Jesus Christ is also in his people, the Church.

God's kingdom continues to grow and will be completed at the end of time. Then we will share **eternal life** and happiness with Jesus Christ forever in heaven.

We Believe

We can be signs of God's kingdom of peace, love, and justice. Jesus Christ guides us. The kingdom will be completed at the end of time.

Faith Words

eternal life
Eternal life is happiness forever with Jesus Christ in God's kingdom.

Respondemos
Actividades

1. Tacha todas las palabras que no describan el Reino de Dios y encontrarás una oración de esperanza. Escribe la oración en los renglones que están debajo del acertijo.

```
H A M B R E P O B R E Z A
L A G R I M A S V E N G A
M U E R T E M E N T I R A
T R I S T E Z A D O L O R
M A T A R T U G U E R R A
O D I O R E I N O G U L A
P E C A D O S O L E D A D
```

_____ __ _____.

2. Jesús compara el Reino de Dios con una pequeña semilla de mostaza que se convierte en un árbol grande. En el siguiente espacio, escribe un poema o haz un dibujo que muestre cómo crees que es el Reino de Dios.

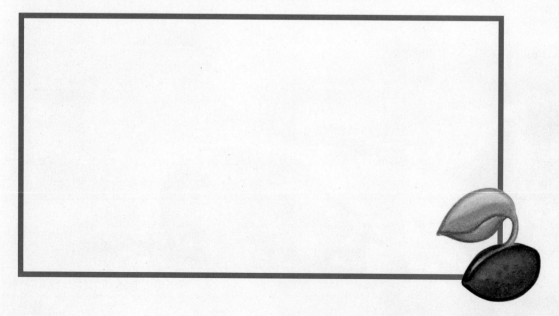

Respond
Activities

1. Cross out all the words that do not describe the Kingdom of God and you will find a prayer of hope. Write the prayer on the lines below the puzzle.

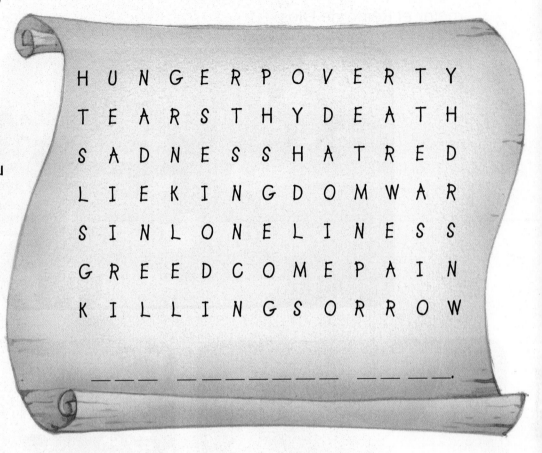

```
H U N G E R P O V E R T Y
T E A R S T H Y D E A T H
S A D N E S S H A T R E D
L I E K I N G D O M W A R
S I N L O N E L I N E S S
G R E E D C O M E P A I N
K I L L I N G S O R R O W
```

____ _____ ___ ___.

2. Jesus compares the Kingdom of God to a tiny mustard seed that grows into a big tree. In the space below, write a poem or draw a picture that shows what you think the Kingdom of God is like.

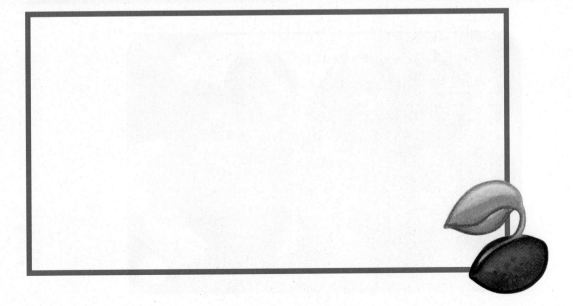

3. Haz una X en las siguientes fotografías que describen mejor el Reino de Dios.

3. Make an X on the pictures below that best describe the Kingdom of God.

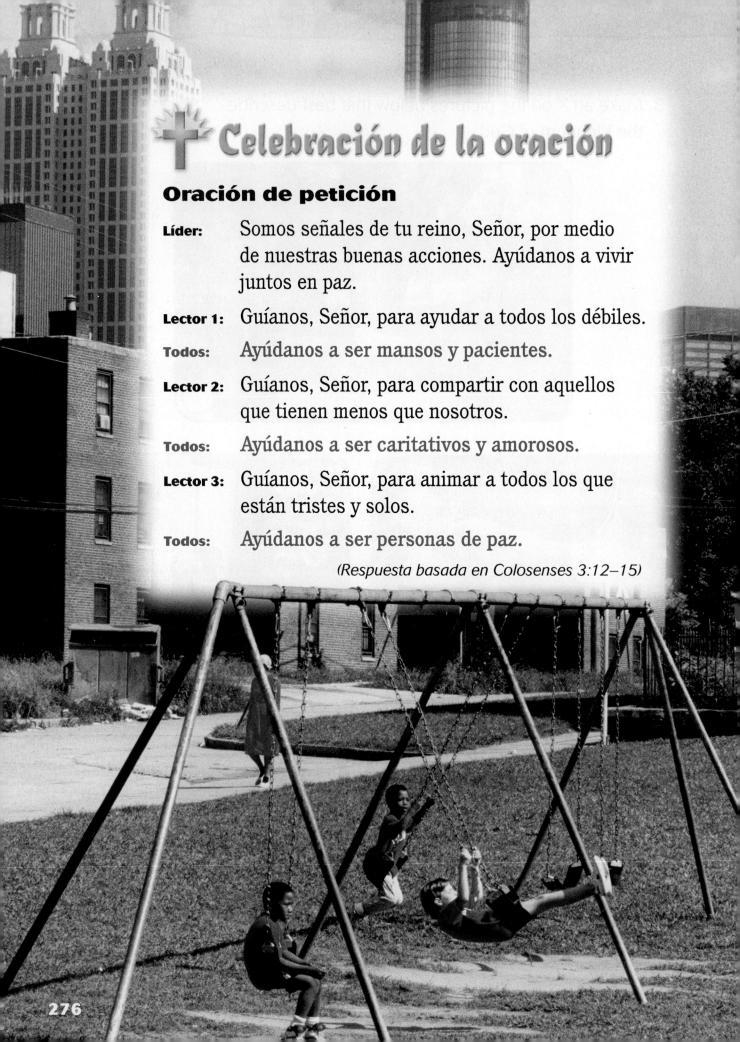

✝ Celebración de la oración

Oración de petición

Líder: Somos señales de tu reino, Señor, por medio de nuestras buenas acciones. Ayúdanos a vivir juntos en paz.

Lector 1: Guíanos, Señor, para ayudar a todos los débiles.

Todos: Ayúdanos a ser mansos y pacientes.

Lector 2: Guíanos, Señor, para compartir con aquellos que tienen menos que nosotros.

Todos: Ayúdanos a ser caritativos y amorosos.

Lector 3: Guíanos, Señor, para animar a todos los que están tristes y solos.

Todos: Ayúdanos a ser personas de paz.

(Respuesta basada en Colosenses 3:12–15)

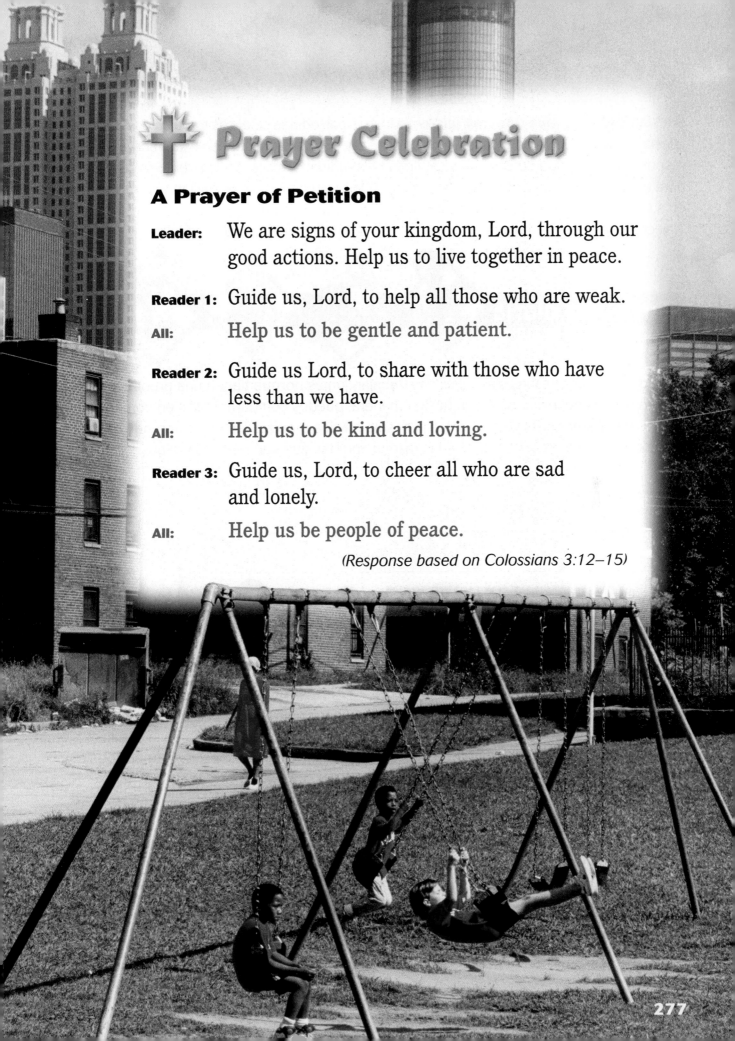

✝ Prayer Celebration

A Prayer of Petition

Leader: We are signs of your kingdom, Lord, through our good actions. Help us to live together in peace.

Reader 1: Guide us, Lord, to help all those who are weak.

All: Help us to be gentle and patient.

Reader 2: Guide us Lord, to share with those who have less than we have.

All: Help us to be kind and loving.

Reader 3: Guide us, Lord, to cheer all who are sad and lonely.

All: Help us be people of peace.

(Response based on Colossians 3:12–15)

La fe en acción

Iglesias cristianas que trabajan juntas   Muchas parroquias católicas trabajan con otras iglesias cristianas para servir a los necesitados. Las personas que hacen este trabajo responden al llamado de Dios para servir a la comunidad. Trabajan juntas en proyectos para ayudar a toda clase de gente. Pueden ayudar a ancianos que necesitan reparaciones en su hogar. O pueden ayudar en un comedor popular o en un refugio para desamparados. A veces, estudian y rezan juntas para aprender sobre las creencias de cada una.

En la vida diaria

Actividad   Diferentes iglesias cristianas trabajan juntas porque tienen una preocupación común por los necesitados. De la misma manera, puedes compartir cosas en común con tu mejor amigo. Tal vez les guste la misma música o quizás les guste aprender cosas nuevas. Enumera algunas de las razones por las que son mejores amigos.

_____

_____

_____

En tu parroquia

Actividad   Lee el boletín parroquial para ver si tu parroquia trabaja con otras iglesias para ayudar donde se necesite. Mira la siguiente lista y coloca una marca en la casilla para mostrar las actividades que tu parroquia comparte con otras iglesias. Si tu parroquia hace algo que no está en la lista, agrégalo.

☐ cocina para los pobres o los desamparados

☐ brinda refugio a los desamparados

☐ brinda refugio a las personas maltratadas

☐ distribuye comestibles a las familias necesitadas

☐ sirve comida caliente a los ancianos

☐ lleva comida a las personas confinadas en su casa

☐ reúne artículos para bebés y madres necesitados

☐ ayuda a los pobres a conseguir tratamiento médico

☐ reúne fondos para alimentos y vivienda

☐ ayuda a construir casas para los necesitados

☐ _____

Faith in Action

Christian Churches Working Together Many Catholic parishes work with other Christian churches to serve others in need. The people doing this work are answering God's call to serve the community. They work together on projects to help all kinds of people. They may help elderly people who need home repairs. Or they may help out in a soup kitchen or a homeless shelter. Sometimes, they study and pray together to learn about each other's beliefs.

In Everyday Life

Activity Different Christian churches work together because they share a common concern for people in need. In the same way, you may share things in common with your best friend. Maybe you like the same music or maybe you both like to learn new things. List some reasons why you became best friends.

_____

_____

_____

In Your Parish

Activity Look in your parish bulletin to see if your parish works with churches to give help where it is needed. Look at the list below and put a check mark in the box to show activities that your parish shares with other churches. If your parish does something that is not on the list, add it to the list.

- ☐ cooks food for the poor or homeless
- ☐ provides shelter for homeless people
- ☐ provides shelter for abused people
- ☐ distributes groceries to needy families
- ☐ serves hot meals to senior citizens
- ☐ delivers meals to the homebound

- ☐ collects supplies for babies and mothers in need
- ☐ helps the poor get medical treatment
- ☐ helps raise funds for food and housing
- ☐ helps build homes for the needy
- ☐ _____

18 Estamos llamados a servir

Siéntate a nuestra mesa, Señor. Que aquí
y en todas partes seas adorado.

Bendición de la mesa

Compartimos

Donald y Dorothy, su hermana menor, fueron
a visitar a su abuela. Estaba muy enferma.
La abuela les sonrió y les tomó las manos.
"Recen por mí", susurró. Cuando salieron
del cuarto de la abuela, Dorothy levantó
los ojos hacia su hermano y le preguntó:
"¿Cuándo debemos rezar?".

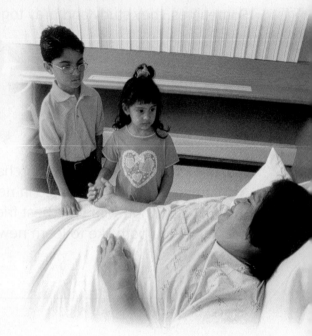

Actividad

¿Cuándo rezas? Mira el calendario de abajo
y escribe en él todas las veces que rezas.

MI DÍA

Mañana

Tarde

Anochecer

Noche

18 We Are Called to Serve

Be present at our table, Lord. Be here and everywhere adored.

Table Blessing

Share

Donald and his little sister Dorothy were visiting their Grandma. She was very sick. Grandma smiled at them and held their hands. "Pray for me," she whispered. As they left Grandma's room, Dorothy looked up at her brother and asked, "When should we pray?"

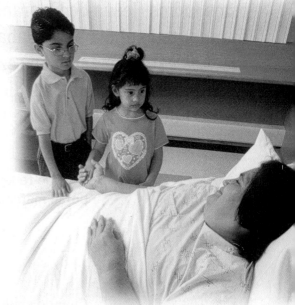

Activity

When do you pray? Look at the planning calendar below and write in all the times when you pray.

MY DAY

Morning

Afternoon

Evening

Night

Escuchamos y creemos

 El culto *Rezamos durante todo el día*

Jesús fue educado en la fe judía por María y por José. Los judíos creen que Dios está con nosotros en todos los momentos del día y de la noche. Creen que todo es un don de Dios. Como otros judíos, Jesús decía oraciones especiales, o bendiciones, durante todo el día para alabar a Dios y darle gracias.

Los católicos también rezamos como lo hizo Jesús. Damos gracias y alabamos a Dios diciendo bendiciones durante todo el día. Éstas son algunas de las bendiciones que podrías rezar:

Cuando te levantas por la mañana:

Señor, acompáñame en este día en todo lo que haga, piense y diga. (Haz una pequeña cruz sobre tus labios mientras la dices.)

Cuando sales de tu casa:

Bendito eres, Señor, Dios de la creación. Tú guías mis pasos.

Mientras estás estudiando:

Enséñame a hacer tu voluntad, porque tú eres mi Dios.

(Basado en el Salmo 143:10)

Antes de las comidas:

Bendícenos, oh Señor, y bendice los dones que estamos por recibir de tu bondad, a través de Cristo, nuestro Señor. Amén.

A la hora de dormir:

Bendito Señor, te doy gracias por amarme y por todos los dones que me diste hoy.

Hear & Believe

Worship   We Pray Through the Day

Jesus was raised in the Jewish faith by Mary and Joseph. Jewish people believe that God is with us every moment of the day and night. They believe that everything is a gift from God. Like other Jews, Jesus said special prayers, or blessings, all day long to praise and thank God.

Catholics also pray as Jesus did. We thank and praise God by saying blessings all through the day. Here are some blessings you might like to pray:

When you wake up in the morning:

Lord, be with me this day in all I do, and think and say.
(Trace a small cross on your lips as you say this.)

When leaving your home:

Blessed are you, Lord, God of creation. You guide my footsteps.

While you are studying:

Teach me to do your will, for you are my God.

(Based on Psalm 143:10)

Before meals:

Bless us, O Lord, and these your gifts which we are about to receive from your goodness, through Christ our Lord. Amen.

At bedtime:

Blessed Lord, thank you for loving me and for all the gifts you gave me today.

Todos pueden decir bendiciones

Jesucristo nos llama para que difundamos la Buena Nueva. Podemos hacerlo rezando **bendiciones**. Las bendiciones dan gracias y alabanzas a Dios. Piden la ayuda de Dios para los demás. Las demás personas nos ven practicando nuestra fe cuando compartimos una bendición. Mostramos que creemos que Dios está con nosotros y que cuida de nosotros.

Las bendiciones son una forma que tenemos de honrar a los demás. Una bendición se llama también **sacramental**. Cuando rezamos una bendición por los enfermos o por los que tienen necesidades especiales, mostramos preocupación por ellos. Cualquier **laico**, incluso un niño, puede dar bendiciones. Los laicos comparten bendiciones como una forma de servir a los demás.

Nuestra Iglesia nos enseña

Para ayudar a los cristianos católicos a estar abiertos para recibir la gracia de Dios y difundir la Buena Nueva, la Iglesia nos da sacramentales. Los sacramentales, como las oraciones, las bendiciones, los rosarios y las estatuas nos ayudan a recordar que cada momento de nuestra vida es santo. Nos recuerdan que Dios está siempre con nosotros.

Everyone Can Say Blessings

Jesus Christ calls us to spread the Good News. We can do this by praying **blessings**. Blessings give thanks and praise God. They ask God's help for others. Other people see us practicing our faith when we share a blessing. We show that we believe God is with us and cares for us.

Blessings are a way for us to honor others. A blessing also is called a **sacramental**. When we pray a blessing for the sick or for those with special needs, we show we care for them. Any **lay person**, including a child, can give blessings. Lay people share blessings as a way of serving others.

Our Church Teaches

To help Catholic Christians be open to receive God's grace and spread the Good News, the Church gives us sacramentals. Sacramentals, such as prayers, blessings, rosaries, and statues help remind us that each moment of our daily life is holy. They remind us that God is always with us.

Respondemos

Actividades

1. Dios está siempre con nosotros. Mira atentamente cada fotografía. Luego, en los renglones, escribe una bendición para la persona o las personas que hay en cada una.

¡CLIC!

Escribe una bendición que pueda decir alguien de una de las fotografías.

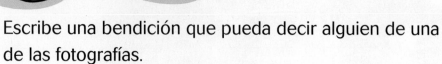

Respond

Activities

1. God is with us always. Look carefully at each picture. Then, on the lines, write a blessing for the person or persons in each picture.

CLICK!

Write a blessing that could be said by someone in one of the pictures.

2. George necesita ayuda. Tiene que hacer un trabajo grande.
Necesita llevar la Buena Nueva a personas que nunca han oído
hablar de Jesucristo. Ayuda a George a elegir las cosas que
necesita. Mira los siguientes elementos. Encierra en un círculo
los que crees que debe usar para difundir la Buena Nueva.

3. Diseña un adhesivo para el parachoques que diga a los demás
que crees que Dios está siempre contigo. En tu adhesivo, usa
una de las siguientes bendiciones o crea una tú mismo.

Jesús	¡Señor, qué grande eres!
Como Dios quiere.	¡Alabemos al Señor!
Bendigamos al Señor.	¡Alabado sea Jesucristo!
Demos gracias a Dios.	¡Gloria a Dios en el cielo!

2. George needs help. He has a big job to do. He needs to bring the Good News to people who have never heard of Jesus Christ. Help George choose the things he needs. Look at the items below. Circle the ones you think he should use to spread the Good News.

3. Design a bumper sticker that tells others you believe God is always with you. On your bumper sticker, use one of the blessings listed below or make up one of your own.

Jesus	Lord, how great you are!
As God wills.	Praise the Lord!
Let us bless the Lord.	Praised be Jesus Christ!
Thanks be to God.	Glory to God in the Highest!

✝ Celebración de la oración

Oración de bendición

Todos: En el nombre del Padre, del Hijo y del Espíritu Santo. Amén.

Líder: Estamos felices y agradecidos, Señor, porque estás con nosotros a lo largo del día. Escúchanos mientras rezamos.

Lector 1: *(Cada uno reza su propia bendición.)*

Todos: *(Responden todos después de cada bendición.)* ¡Bendito sea el Señor!

(Cuando se hayan dicho todas las bendiciones:)

Todos: Te bendecimos, Dios. Te pedimos que nos bendigas. Amén.

✝ Prayer Celebration

A Prayer of Blessing

All: In the name of the Father, and of the Son, and of the Holy Spirit. Amen.

Leader: We are happy and thankful, Lord, that you are with us all through the day. Hear us as we pray.

Reader 1: *(Each prays his or her own blessing.)*

All: *(All respond after each blessing.)*
Blest be the Lord!

(When all the blessings have been said:)

All: We bless you, God.
We ask your blessings on
all of us. Amen.

La fe en acción

Ministerio de la Comunión para los enfermos   Al final de la Misa, a veces el sacerdote dice una bendición sobre algunas personas especiales. Estas personas especiales ayudan al sacerdote a llevar la Eucaristía a los que están demasiado enfermos para ir a Misa. A veces, el sacerdote necesita ayuda para visitar a todos los enfermos. Entonces, estas personas aprenden la manera de servir la Sagrada Comunión a los que están en su casa o en un hospital. Rezan por la persona a la que visitan y hablan con ella. A través de este ministerio, los enfermos participan de la Misa y se les recuerda el amor de Dios por ellos.

En la vida diaria

Actividad   Las personas especiales que ayudan al sacerdote a ocuparse de los enfermos atraen el amor de Dios a ellos. Del mismo modo, hay personas especiales, en nuestra vida, que nos muestran que nos aman. Escribe dos cosas que alguien haya hecho para recordarte lo especial y lo amado que eres.

1. _____

2. _____

En tu parroquia

Actividad   Piensa en cada una de las siguientes preguntas. Luego escribe una bendición que alabe y agradezca a Dios por las personas de tu parroquia que llevan su amor curador a los demás.

- ¿Cómo me gustaría que Dios bendijera a las personas que se ocupan de los enfermos?

- ¿Cómo me gustaría que Dios bendijera a los enfermos?

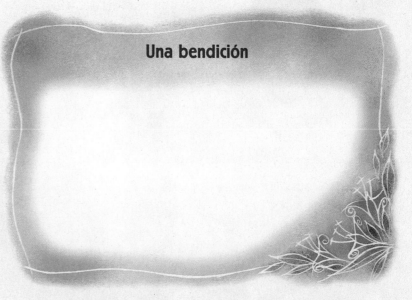

Una bendición

Faith in Action

Communion Ministry to the Sick At the end of Mass, the priest sometimes says a blessing over certain special people. These special people help the priest bring the Eucharist to people who are too sick to come to Mass. Sometimes, the priest needs help to visit all the sick people. So, these people learn how to serve Holy Communion to people in their homes and in hospitals. They pray for and talk with the people they visit. Through this ministry, sick people participate in the Mass and are reminded of God's love for them.

In Everyday Life

Activity The special people who help the priest minister to the sick bring God's love to them. In the same way, there are special people, in our lives, who show us that they love us. Write two things that someone has done that reminded you of how special and loved you are.

1. _____

2. _____

In Your Parish

Activity Think about each question below. Then write a blessing that praises and thanks God for the people in your parish who bring his healing love to others.

- How would I like God to bless the people who minister to the sick?

- How would I like God to bless the sick people?

A Blessing

19 La Iglesia da testimonio de paz y justicia

En verdad les digo que, cuando lo hicieron con alguno de los más pequeños de estos mis hermanos y hermanas, me lo hicieron a mí.

Basado en Mateo 25:40

Compartimos

Podemos pensar que nuestro prójimo es sólo la persona que vive en la casa de al lado. O podemos pensar que nuestro prójimo es un compañero que se sienta cerca. Dios quiere que pensemos en todos como nuestro prójimo.

Actividad

¿Cómo describirías a un prójimo? Usa cada letra de la palabra *prójimo* para escribir una palabra que diga cómo es un *prójimo*. Se dan algunos ejemplos para la primera letra.

P	(paciente, próximo, predispuesto)
R	_____
Ó	_____
J	_____
I	_____
M	_____
O	_____

19 The Church Is a Witness for Justice and Peace

Amen, I say to you, whatever you did for one of these least brothers and sisters of mine, you did for me.

Based on Matthew 25:40

Share

We may think our neighbor is just the person who lives next door. Or, we may think our neighbor is a classmate who sits nearby. God wants us to think of everyone as our neighbor.

Activity

How would you describe a neighbor? Use each letter in the word *neighbor* to start a word that tells what a *neighbor* is like. Some examples are given for the first letter.

N	(nice, near, necessary)
E	_____
I	_____
G	_____
H	_____
B	_____
O	_____
R	_____

Escuchamos y creemos

✝ La Escritura El buen samaritano

Una vez, un hombre le preguntó a Jesús: "Señor, ¿qué debo hacer para tener vida eterna?".

Jesús le respondió: "Amarás al Señor, tu Dios, y amarás a tu prójimo como a ti mismo".

El hombre preguntó: "Señor, ¿quién es mi prójimo?". Para responderle, Jesús le contó este relato:

"Una vez, un judío viajaba por un camino peligroso hacia Jericó. Lo atacaron ladrones y lo dejaron a un costado del camino para que se muriera. Pasó un líder religioso. Vio que el hombre estaba herido, pero no se detuvo para ayudarlo. Entonces, pasó un hombre importante del Templo de Jerusalén. Tampoco se detuvo para ayudar.

"Finalmente, se detuvo un samaritano. Se preguntó: 'Si no me detengo para ayudar a este hombre, ¿qué le sucederá?'. Entonces, limpió las heridas del hombre y lo llevó a una posada y lo cuidó bien.

"Al día siguiente, el samaritano dio dinero al posadero mientras le decía: 'Cuídalo. Si te debo más dinero, te pagaré a mi regreso'".

Jesús preguntó: "¿Quién te parece que fue prójimo del hombre herido?".

El hombre respondió: "El que mostró compasión".

Jesús dijo a su amigo: "Ve y haz lo mismo".

Basado en Lucas 10:25–37

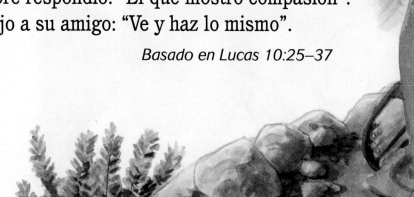

Hear & Believe

✝ Scripture The Good Samaritan

A man once asked Jesus, "Lord, what must I do to have eternal life?"

"Love the Lord, your God," Jesus answered, "and love your neighbor as yourself."

The man asked, "Lord, who is my neighbor?" To answer him, Jesus told this story:

"Once, a Jewish man was traveling on a dangerous road to Jericho. He was attacked by robbers and left on the side of the road to die. A religious leader walked by. He saw that the man was hurt, but did not stop to help. Then, an important man from the Jerusalem temple came along. He also did not stop to help.

"Finally, a Samaritan man stopped to help. He asked himself, 'If I do not stop to help this man, what will happen to him?' So he cleaned the man's wounds and carried him to an inn and took good care of him.

"The next day, the Samaritan gave the innkeeper some money saying, 'Look after him. If I owe you more money, I'll pay you on my way back.'"

Jesus asked, "Which one do you think was a neighbor to the man who was hurting?"

The man answered, "The one who showed compassion."

Jesus said to his friend, "Go and do the same."

Based on Luke 10:25–37

¿Quién es mi prójimo?

El hombre que preguntó a Jesús "¿Quién es mi prójimo?" creía que había algunas personas que no eran el prójimo. Jesús le respondió con un relato sobre dos enemigos.

Judíos y samaritanos no se llevaban bien. Pero en el relato de Jesús, el samaritano mostró compasión y cuidado. Ve el dolor del pobre hombre y se acerca para ayudarlo. Los dos enemigos actúan como prójimos. Cristo enseña que todos los que necesitan ayuda son nuestro prójimo.

Nuestra Iglesia nos enseña

Jesús siente compasión por todos. Con dulzura, cura y consuela al que siente dolor. Nosotros, la Iglesia, continuamos su **ministerio** de servicio para los pobres y los que sufren. Lo hacemos trabajando por la **paz** y la **justicia**.

Consolamos y ayudamos a las personas que sienten dolor. Tratamos de cambiar las cosas que no son justas. Cuidamos bien de los dones que Dios nos ha dado. Compartimos los dones de la creación de Dios con los demás. Queremos estar seguros de que también los tengan quienes vienen después de nosotros.

Who Is My Neighbor?

The man who asked Jesus "Who is my neighbor?" believed that there were some people who were not neighbors. Jesus answered with a story about two enemies.

Jews and Samaritans did not like each other. But in Jesus' story the Samaritan shows compassion and care. He sees the poor man's pain and reaches out to help. The Samaritan was a neighbor to his enemy. Christ teaches that everyone who needs help is our neighbor.

Our Church Teaches

Jesus has compassion for everyone. He gently heals and comforts anyone who is hurting. We, the Church, continue his **ministry** of service to the poor and suffering. We do this by working for **peace** and **justice**.

We comfort and help people who are hurting. We try to change the things that are not fair. We take good care of the gifts that God has given us. We share gifts of God's creation with others. We want to make sure that those who come after us will have them, too.

Faith Words

ministry
Ministry is a way of serving others in Christ's name. Our ministry is to serve others by working for peace and justice.

peace
Peace is the calm, good feeling of being together with others and God.

justice
Justice is fair treatment and respect for everyone.

Cardenal Joseph Bernardin

"Soy Joseph, su hermano." Es así como Joseph Bernardin se dirigió a los habitantes de Chicago, Illinois. Fue cardenal y Arzobispo de Chicago. Fue un importante líder de la iglesia.

El que fuera importante no impidió que el Cardenal Bernardin viviera una vida sencilla y santa. Cocinaba para sus invitados y se tomaba tiempo para escuchar los problemas de personas que no conocía.

Joseph Bernardin nació en Carolina del Sur. Creció en una familia muy pobre. Al no tener mucho dinero, su familia sufrió bastante. Cuando llegó a ser líder de la iglesia, recordó sus problemas familiares y trabajó para ayudar a los necesitados. Quería llevar la justicia a todas las personas.

El Cardenal Bernardin trabajó mucho para mejorar escuelas y hospitales. Visitó a los presos en la cárcel y a los ancianos en los asilos. Aun cuando se enfermó gravemente y tuvo que permanecer en un hospital, se ocupó de los demás desde allí.

El Cardenal Bernardin murió en 1996. Hoy se lo recuerda porque fue una persona que sabía escuchar, que respetaba a todos y que actuaba con compasión para alentar la paz y la justicia.

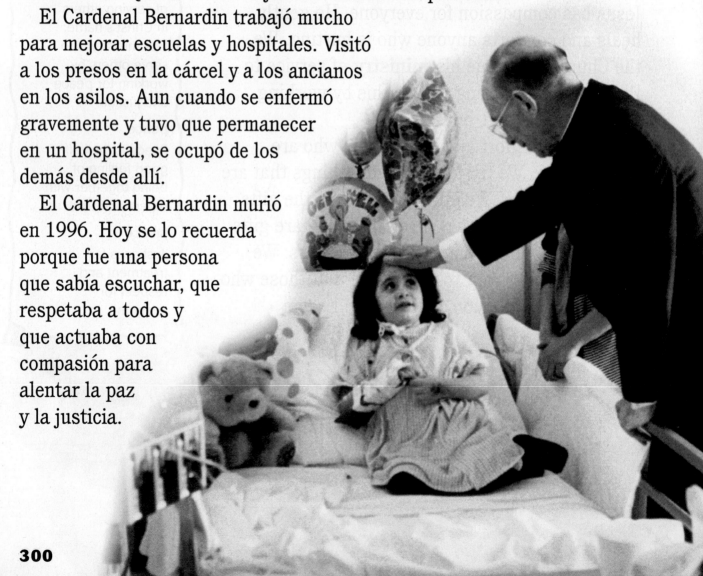

Respond

Cardinal Joseph Bernardin

"I am your brother, Joseph." That is how Joseph Bernardin spoke to people in the city of Chicago, Illinois. He was a cardinal and the Archbishop of Chicago. He was an important church leader.

Being important did not keep Cardinal Bernardin from living a simple and holy life. He cooked dinner for his guests, and took time to listen to the problems of people he did not know.

Joseph Bernardin was born in South Carolina. He grew up in a very poor family. Without much money, his family suffered a lot. When he became a church leader, he remembered his family's problems and worked to help those in need. He wanted to bring justice to all people.

Cardinal Bernardin worked hard to make schools and hospitals better. He visited prisoners in jail and old people in nursing homes. Even when he became very sick and had to stay in a hospital, he ministered to others there.

Cardinal Bernardin died in 1996. Today he is remembered for being a good listener, for respecting all people, and for acting with compassion to build peace and justice.

Actividades

1. Descifra el código para hallar una oración que decimos en la Misa y que describe lo que el Cardenal Bernardin hizo con su vida. Relaciona los números con las letras de la derecha. Escribe cada letra en el espacio correcto.

A = 1
E = 2
I = 3
L = 4
M = 5
N = 6
Ñ = 7
O = 8
P = 9
R = 10
S = 11
V = 12
Y = 13
Z = 14

___ ___ ___ ___ ___ ___ ___ ___ ___ ___ ___
12 1 13 1   5   8 11   2   6   9 1 14

___ ___ ___ ___   ___ ___ ___ ___ ___
 9   1 10 1   1   5   1 10 13

___ ___ ___ ___ ___ ___   ___ ___
11   2 10 12 3 10   1   4

___ ___ ___ ___ ___
11   2   7   8 10

2. Yehudi Menuhin, un famoso violinista, dijo: "La paz puede parecer sencilla –una hermosa palabra–, pero requiere todo lo que tenemos, todas las cualidades, toda la fuerza, todos los sueños, todos los ideales".

¿Qué crees que es la paz? Completa la frase que está a continuación. Luego dibuja algo que creas que pueda ser una señal de paz.

La Paz es _____.

Activities

1. Break the code to find a prayer we say at Mass. It describes what Cardinal Bernardin did with his life. Match the numbers with the letters on the right. Write each letter in the correct space.

__ __   __ __   __ __ __ __ __
7 12   9 11   13 5 1 3 5

__ __ __ __ __ __ __ __ __ __
7 10 12 14 9 6 18 9 11 7

__ __ __   __ __ __ __
16 8 5   10 12 14 4

__ __   __ __ __ __   __ __ __ __
2 18   18 12 17 14   10 9 6 5

2. What do you think peace is? Complete the sentence below. Then draw something that you think could be a sign for peace.

Peace is _____.

A = 1
B = 2
C = 3
D = 4
E = 5
F = 6
G = 7
H = 8
I = 9
L = 10
N = 11
O = 12
P = 13
R = 14
S = 15
T = 16
U = 17
Y = 18

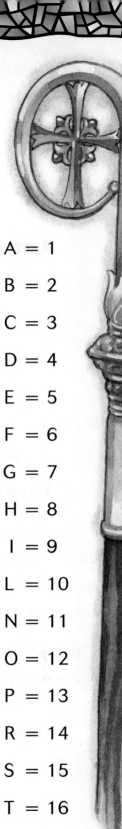

Celebración de la oración

Letanía por la paz

Líder: Señor, nos llamas para que trabajemos por la paz y la justicia. Que nuestras señales de paz nos recuerden tratar a todos con justicia y respeto, como el Cardenal Bernardin.

Lector 1: Señor, ayuda a nuestros ojos a ver que todos somos tus hijos. *(Todos se señalan los ojos.)*

Todos: Haznos personas de paz.

Lector 2: Señor, ayuda a nuestros oídos a escuchar las necesidades y las preocupaciones de los demás. *(Todos se señalan las orejas.)*

Todos: Haznos personas de paz.

Lector 3: Señor, ayuda a nuestras palabras a consolar a los que están enfermos, solos o tristes. *(Todos se señalan los labios.)*

Todos: Haznos personas de paz.

Lector 4: Señor, ayuda a nuestras manos a extenderse hacia los que son tratados injustamente. *(Todos abren las manos y las extienden.)*

Todos: Haznos personas de paz.

Líder: Te lo pedimos en el nombre de Jesús, nuestro Señor. Amén.

Prayer Celebration

Litany for Peace

Leader: Lord, you call us to work for peace and justice. May our signs of peace remind us to treat everyone with fairness and respect as Cardinal Bernardin did.

Reader 1: Lord, help our eyes see that we are all your children. *(All point to eyes.)*

All: Make us a peaceful people.

Reader 2: Lord, help our ears hear others' needs and concerns. *(All point to ears.)*

All: Make us a peaceful people.

Reader 3: Lord, help our words comfort those who are sick, lonely, or sad. *(All point to lips.)*

All: Make us a peaceful people.

Reader 4: Lord, help our hands reach out to those who are unjustly treated.
(All hold out open hands.)

All: Make us a peaceful people.

Leader: We ask all this in the name of Jesus, our Lord. Amen.

La fe en acción

Comité de respeto por la vida   Todas las parroquias católicas tienen un grupo de personas que enseñan a otras sobre las formas en que podemos mostrar respeto por la vida. Respetamos la vida de los niños no nacidos. Respetamos la vida de los ancianos al final de su existencia. Cuando alguien pasa por un momento difícil o triste, rezamos por él y lo tratamos con respeto y dignidad. Amamos y respetamos a todas las personas, porque los seres humanos están creados a la imagen de Dios y porque toda vida es preciosa.

En la vida diaria

Actividad   Pon una marca junto a una de las siguientes personas y describe una forma en que puede amarla alguien que respeta la vida.

___ un adolescente irrespetuoso   ___ un anciano muy enfermo

___ una mujer soltera con un bebé   ___ un amigo con mal carácter

___ un discapacitado en silla de ruedas   ___ un desamparado

¿Cómo podemos mostrar amor por esta persona? _____

_____

En tu parroquia

Actividad   Crea un cartel para el tablero de anuncios parroquial, que recuerde a las personas de tu parroquia que el respeto por la vida es importante para los católicos.

Faith in Action

Respect Life Committee Every Catholic parish has a group of people who teach others about ways we can show respect for life. We respect the life of unborn children. We respect the life of the elderly to the very end of their lives. When someone goes through a hard or sad time, we pray for them and treat them with respect and dignity. We love and respect all people, because human beings are created in the image of God and all life is precious.

In Everyday Life

Activity Put a check mark next to one of the people listed below and describe one way that someone who respects life can love that person.

___ a disrespectful teenager

___ a very sick elderly person

___ a single woman who is having a baby

___ a friend with a bad temper

___ a handicapped person in a wheelchair

___ a homeless person

How can we show love for this person? _____

_____

In Your Parish

Activity Create a poster for your parish bulletin board that reminds the people of your parish that respect for life is important to Catholics.

20 La Iglesia reza por la paz mundial

El Señor dará fuerza a su pueblo,
dará a su pueblo bendiciones de paz.

Salmo 29:11

Compartimos

Dios nos llama a todos para que hagamos más justo nuestro mundo. Quiere que trabajemos siempre por la paz. Los niños del mundo escribieron un libro sobre la paz. Lo llamaron *My Wish for Tomorrow* (Mi deseo para mañana). Hicieron dibujos y escribieron sobre lo que esperaban que fuera el mundo algún día.

"Mi deseo es que haya familias felices."
Everest Waeni, 9 años, Zimbabue

Actividad

En la siguiente bandera, haz un dibujo o escribe sobre un deseo para mañana.

20 The Church Prays for World Peace

May the LORD give might to his people;
may the LORD bless his people with peace!

Psalm 29:11

Share

God calls every person to try to make our world more fair. He wants us always to work for peace. Children from around the world wrote a book about peace. They called it *My Wish for Tomorrow*. They drew pictures for it and wrote about what they hoped the world would be like someday.

"My wish is happy families."
Everest Waeni, Age 9, Zimbabwe

Activity

On the flag below, draw a picture or write about your wish for tomorrow.

Escuchamos y creemos

✝ La Escritura Zaqueo, el cobrador de impuestos

Los habitantes de Jericó oyeron que Jesús pasaría por su ciudad. Una gran multitud se reunió junto al camino. ¡Todos querían ver a Jesús! También quería verlo Zaqueo, el cobrador de impuestos. Pero era demasiado bajo y había una gran multitud. Por suerte, Zaqueo vio cerca un árbol alto. Rápidamente, se subió a él.

Cuando Jesús pasó por el camino, vio a Zaqueo en el árbol. Jesús se detuvo y lo llamó: "¡Apúrate, Zaqueo! ¡Voy a comer a tu casa!".

Esto sorprendió a Zaqueo y lo hizo sentir muy feliz. Pero la multitud no estaba contenta. Se preguntaron: "¿Por qué Jesús quiere comer con Zaqueo? ¿Acaso Zaqueo no es un pecador? ¿Acaso no es un injusto cobrador de impuestos que engaña a la gente para sacarle el dinero?".

Zaqueo oyó la queja de la multitud y dijo: "Daré la mitad de mis pertenencias a los pobres. Si he engañado a alguien, le daré cuatro veces lo que le debo".

Jesús le dijo: "Hoy, la salvación ha llegado a esta casa. El Hijo del Hombre ha venido a buscar y a salvar lo que estaba perdido".

Basado en Lucas 19:1–10

Hear & Believe

✝ Scripture Zacchaeus the Tax Collector

People in Jericho heard that Jesus would be passing through their town. A big crowd gathered by the side of the road. Everyone wanted to see Jesus! Zacchaeus, the tax collector, wanted to see Jesus, too. But he was very short and there was a large crowd. Luckily, Zacchaeus spotted a tall tree nearby. Quickly he climbed up.

When Jesus came along the road, he saw Zacchaeus in the tree. Jesus stopped and called out, "Hurry down, Zacchaeus! I'm going to your house for dinner!"

This surprised Zacchaeus and made him feel very happy. But the crowd was not happy. They asked, "Why does Jesus want to eat with Zacchaeus? Isn't Zacchaeus a sinner? Isn't he an unfair tax collector who cheats people out of their money?"

Zacchaeus heard the crowd complaining and said, "I'll give half my belongings to the poor. If I've cheated anyone, I'll pay back four times what I owe."

Jesus then said to him, "Today salvation has come to this house. The Son of Man has come to search out and save what was lost."

Based on Luke 19:1–10

Un hombre cambiado

Los cobradores de impuestos recaudaban el dinero de la gente para enviárselo al gobernante. Las personas pensaban que algunos de ellos las engañaban y se guardaban el dinero. Por eso decían que Zaqueo era un pecador.

Pero Zaqueo vio que Jesús lo amaba. Se arrepintió de ser injusto. Zaqueo quería cambiar sus costumbres. Quería seguir a Jesús y ser un **mediador de paz**. Jesús lo perdonó. Zaqueo se sintió libre para vivir en paz con Dios y con su prójimo.

Nuestra Iglesia nos enseña

Jesús llama a cada uno de nosotros para que trabajemos por la justicia y seamos mediadores de paz. Esto significa que debemos tratar a todos con respeto. Necesitamos perdonarnos mutuamente. Dios oye nuestras oraciones y nos da lo que necesitamos para trabajar por la justicia. Cuando rezamos, perdonamos y amamos, nos parecemos cada vez más a Jesucristo.

La **Liturgia de las Horas** es la oración de la Iglesia Católica de todo el mundo. Reúne a todos los católicos en una oración por la paz. En esta oración diaria de la Iglesia, los cristianos alaban, agradecen y piden a Dios durante todo el día.

Creemos

Para crecer en santidad y volvernos mediadores de paz, rezamos todo el día. La Liturgia de las Horas une en oración a los católicos de todo el mundo.

Palabras de fe

mediador de paz
El mediador de paz es una persona justa que respeta a los demás. Jesús llama a todas las personas a ser mediadores de paz.

Liturgia de las Horas
La Liturgia de las Horas es una oración diaria de la Iglesia Católica que une a sus miembros en todo el mundo.

A Changed Man

Tax collectors collected money from people to send to the ruler. People thought that some of them cheated and kept the money. That's why people called Zacchaeus a sinner.

But Zacchaeus saw that Jesus loved him. He was sorry for being unjust. Zacchaeus wanted to change his ways. He wanted to follow Jesus and be a **peacemaker**. Jesus forgave him. Zacchaeus became free to live in peace with God and his neighbors.

Our Church Teaches

Jesus calls each of us to work for justice and to be peacemakers. This means we should treat everyone with respect. We need to forgive one another. God hears our prayers and gives us what we need to work for justice. As we pray, forgive, and love, we become more like Jesus Christ.

The **Liturgy of the Hours** is the prayer of the Catholic Church all over the world. It brings all Catholics together in praying for peace. In this daily prayer of the Church, Christians praise, thank, and petition God, all through the day.

We Believe

To grow in holiness and become peacemakers, we pray all through the day. The Liturgy of the Hours unites Catholics all over the world in prayer.

Faith Words

peacemaker
A peacemaker is a fair person who respects others. Jesus calls all people to be peacemakers.

Liturgy of the Hours
Liturgy of the Hours is a daily prayer of the Catholic Church. It unites members of the Church everywhere.

313

Respondemos

Rezar a lo largo de las horas

La *Liturgia de las Horas* incluye oraciones que comparte el Pueblo de Dios de todo el mundo. Cuando en los Estados Unidos es de día, en Asia es de noche. ¡Así, a toda hora del día, en alguna parte del mundo, hay personas rezando! Estas oraciones se componen de la Sagrada Escritura, lecturas y canciones. Se dicen por la mañana, al mediodía, por la tarde y por la noche. En estas oraciones diarias de la Iglesia, los cristianos alaban, agradecen y piden a Dios durante todo el día. La oración nos acerca más a Dios y a los demás.

A cada hora del día, en alguna parte del mundo, los católicos celebran la Misa. La Misa es la oración más importante de la Iglesia. Ésta es una oración por la paz tomada de la Liturgia de las Horas. Rézala muchas veces durante el día.

"¡Desde la salida del sol hasta su ocaso, sea alabado el nombre del Señor!"

Antífona de la Liturgia de las Horas, fiesta del Santo Nombre de Jesús

Actividades

1. Jesucristo nos enseña a pedir lo que necesitamos. Escribe peticiones por las personas que necesitan la paz de Dios. Rézalas con tu grupo.

_____

_____

Respond

Praying Through the Hours

The Liturgy of the Hours includes prayers shared by the People of God all over the world. When it is daytime in America, it is nighttime in Asia. So, every hour of the day, somewhere in the world people are praying! These prayers are made up of Scripture, readings, and songs. They are said in the morning, noon, evening, and night. In these daily prayers of the Church, Christians praise, thank, and petition God, throughout the day. Prayer brings us closer to God and each other.

Every hour of the day, somewhere in the world, Catholics are celebrating Mass. The Mass is the greatest prayer of the Church. Here is a prayer for peace from the Liturgy of the Hours. Pray it many times during the day.

"From the rising up of the sun until its setting, praise the name of the Lord!"

Liturgy of the Hours Antiphon, Feast of the Holy Name of Jesus

Activities

1. Jesus Christ teaches us to ask for what we need. Write petitions for people who need God's peace. Pray them with your group.

_____

_____

2. Podemos rezar por la paz con las palabras de la Biblia. Reza estos versos ahora con tus compañeros. Más tarde, búscalos en tu propia Biblia y vuélvelos a leer. El primer versículo lo dijo Jesús en la Última Cena.

> Les dejo la paz, les doy mi paz. La paz que yo les doy no es como la que da el mundo. Que no haya en ustedes angustia ni miedo.
>
> *(Juan 14:27)*

Los siguientes versículos los escribió San Pablo para que los primeros cristianos recordaran el don de la paz de Cristo.

> No se inquieten por nada. Presenten sus peticiones a Dios y junten la acción de gracias a la súplica. Y la paz de Dios, que es mayor de lo que se pueden imaginar, les guardará sus corazones y sus pensamientos en Cristo Jesús.
>
> *(Basado en Filipenses 4:6–7)*

2. We can pray for peace using words from the Bible. Pray these verses now with your classmates. Later, look them up and read them again in your own Bible. The first verse was said by Jesus at the Last Supper.

Peace I leave with you;
my peace I give to you.
Not as the world gives do I give it
to you. Do not let your hearts be
troubled or afraid.

(John 14:27)

The next verses are written by Saint Paul to remind the early Christians of Christ's gift of peace.

Have no worry at all.
By prayer and petition, with thankfulness,
ask God for all that you need.
Then God's peace, which is so great that
we can't understand it, will guard your
heart and mind, in Christ Jesus.

(Based on Philippians 4:6–7)

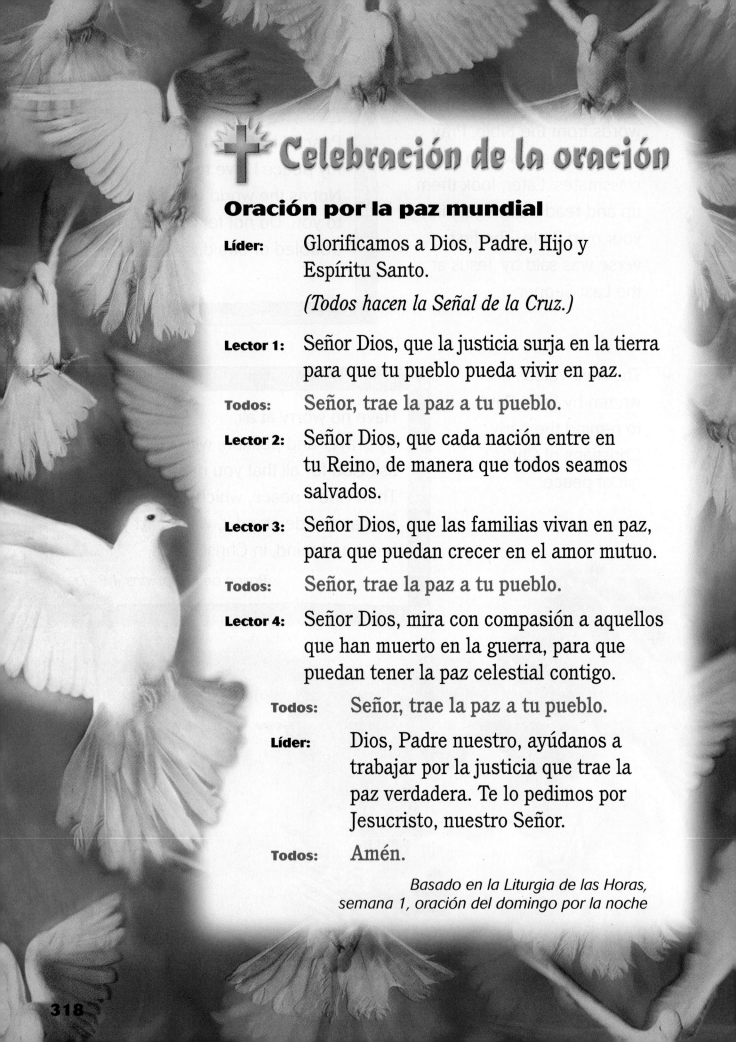

✝ Celebración de la oración

Oración por la paz mundial

Líder: Glorificamos a Dios, Padre, Hijo y Espíritu Santo.

(Todos hacen la Señal de la Cruz.)

Lector 1: Señor Dios, que la justicia surja en la tierra para que tu pueblo pueda vivir en paz.

Todos: Señor, trae la paz a tu pueblo.

Lector 2: Señor Dios, que cada nación entre en tu Reino, de manera que todos seamos salvados.

Lector 3: Señor Dios, que las familias vivan en paz, para que puedan crecer en el amor mutuo.

Todos: Señor, trae la paz a tu pueblo.

Lector 4: Señor Dios, mira con compasión a aquellos que han muerto en la guerra, para que puedan tener la paz celestial contigo.

Todos: Señor, trae la paz a tu pueblo.

Líder: Dios, Padre nuestro, ayúdanos a trabajar por la justicia que trae la paz verdadera. Te lo pedimos por Jesucristo, nuestro Señor.

Todos: Amén.

Basado en la Liturgia de las Horas, semana 1, oración del domingo por la noche

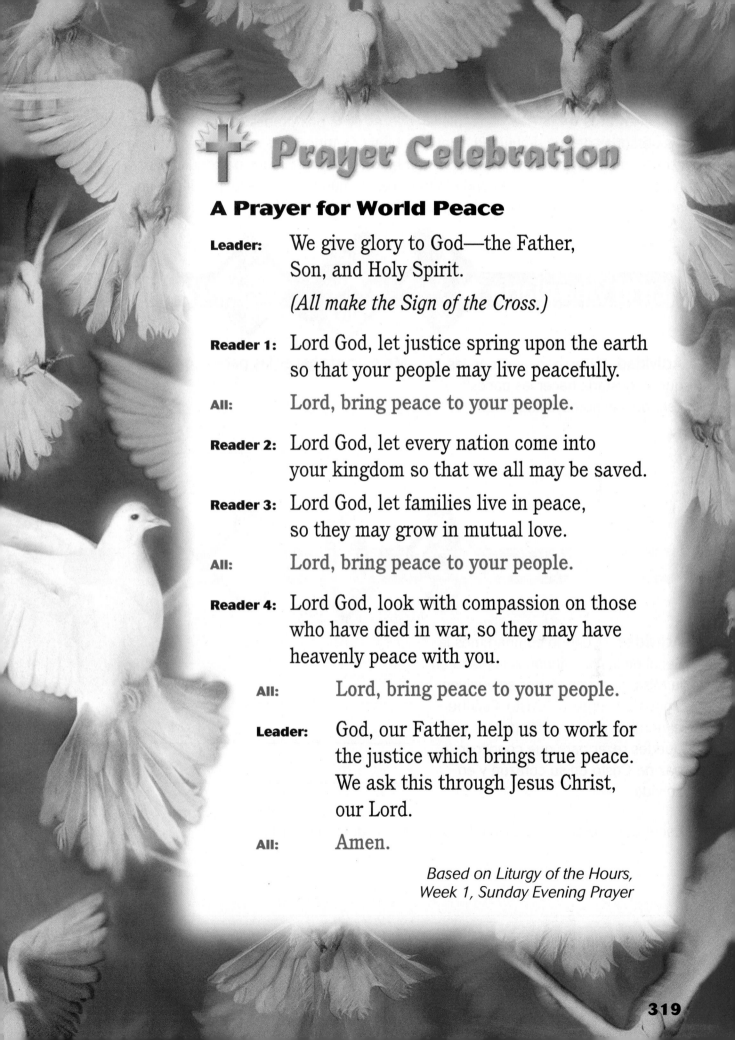

✝ Prayer Celebration

A Prayer for World Peace

Leader: We give glory to God—the Father, Son, and Holy Spirit.

(All make the Sign of the Cross.)

Reader 1: Lord God, let justice spring upon the earth so that your people may live peacefully.

All: Lord, bring peace to your people.

Reader 2: Lord God, let every nation come into your kingdom so that we all may be saved.

Reader 3: Lord God, let families live in peace, so they may grow in mutual love.

All: Lord, bring peace to your people.

Reader 4: Lord God, look with compassion on those who have died in war, so they may have heavenly peace with you.

All: Lord, bring peace to your people.

Leader: God, our Father, help us to work for the justice which brings true peace. We ask this through Jesus Christ, our Lord.

All: Amen.

Based on Liturgy of the Hours, Week 1, Sunday Evening Prayer

La fe en acción

Planificadores de la paz Los "planificadores de la paz" trabajan para ayudar a las personas de su comunidad a llevarse bien con todos. Los miembros alientan y apoyan actividades en el vecindario. También dirigen reuniones parroquiales para hablar sobre las formas de ayudar a traer paz al mundo. Cada año, planifican un servicio de oración para el 1 de enero, Día Mundial de la Paz.

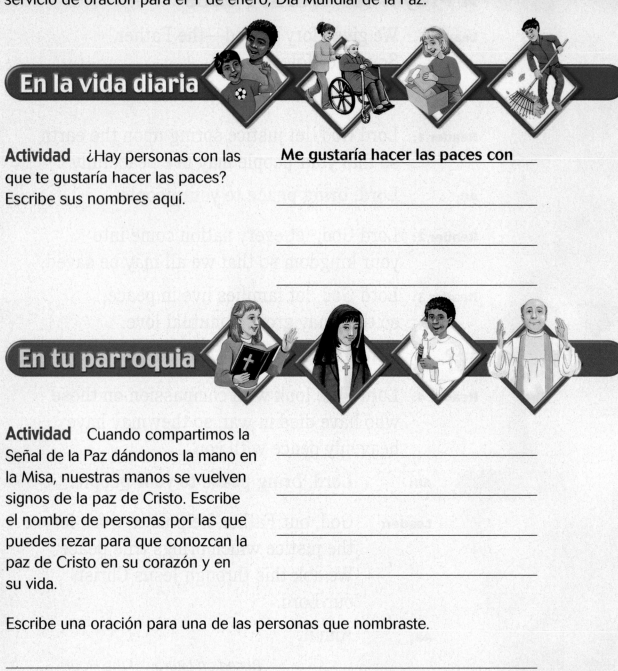

En la vida diaria

Actividad ¿Hay personas con las que te gustaría hacer las paces? Escribe sus nombres aquí.

Me gustaría hacer las paces con

_____

_____

_____

En tu parroquia

Actividad Cuando compartimos la Señal de la Paz dándonos la mano en la Misa, nuestras manos se vuelven signos de la paz de Cristo. Escribe el nombre de personas por las que puedes rezar para que conozcan la paz de Cristo en su corazón y en su vida.

_____

_____

_____

_____

Escribe una oración para una de las personas que nombraste.

_____

_____

_____

Faith in Action

Peace Planners "Peace Planners" work to help people in their community get along with one another. Members encourage and support neighborhood activities. They also lead parish meetings to talk about ways to help bring about world peace. Each year they plan a prayer service for January 1, World Peace Day.

In Everyday Life

Activity Are there persons you would like to make peace with? Write their names here.

I would like to make peace with _____

_____

_____

_____

In Your Parish

Activity When we share the Sign of Peace with a handshake at Mass, our hands become signs of Christ's peace. Write the names of persons you can pray for, so that they will know the peace of Christ in their hearts and in their lives.

_____

_____

_____

_____

Write a prayer for one person you named.

_____

_____

_____

DÍAS FESTIVOS Y TIEMPOS

El año litúrgico — 324

El Adviento — 330

La Navidad — 334

La Cuaresma: Una época para prepararnos — 338

Semana Santa — 342

Pascua — 346

Día de la Ascensión — 350

María — 354

Santo Domingo — 358

Dorothy Day — 362

FEASTS AND SEASONS

The Church Year   326

Advent   331

Christmas   335

Lent: A Time to Prepare   339

Holy Week   343

Easter Sunday   347

Feast of the Ascension
of the Lord   351

Mary   355

Saint Dominic   359

Dorothy Day   363

El año litúrgico

Durante el año litúrgico, celebramos tiempos y días festivos. Nos ayudan a recordar momentos importantes de la vida de Jesús. Celebramos también días festivos especiales que honran a la Santísima Virgen María y a los santos.

La **Semana Santa** empieza el Domingo de Pasión. Incluye tres días muy especiales, el Jueves Santo, el Viernes Santo y la Vigilia Pascual. Pensamos en Jesús cuando compartió una cena con sus discípulos, en su muerte en una cruz y en su resurrección a una nueva vida.

SEMANA SANTA

SEMANA SANTA

Nuestro año litúrgico empieza con el tiempo de **Adviento**. Durante cuatro semanas, nos preparamos para la celebración del nacimiento de Jesús.

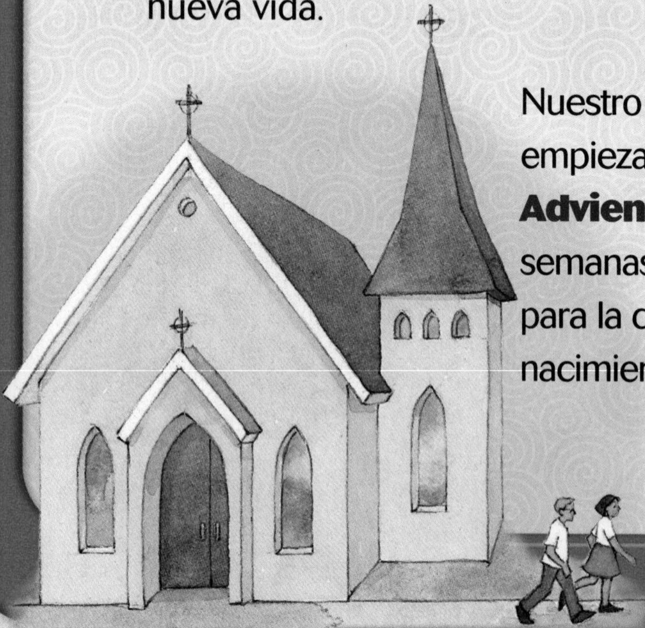

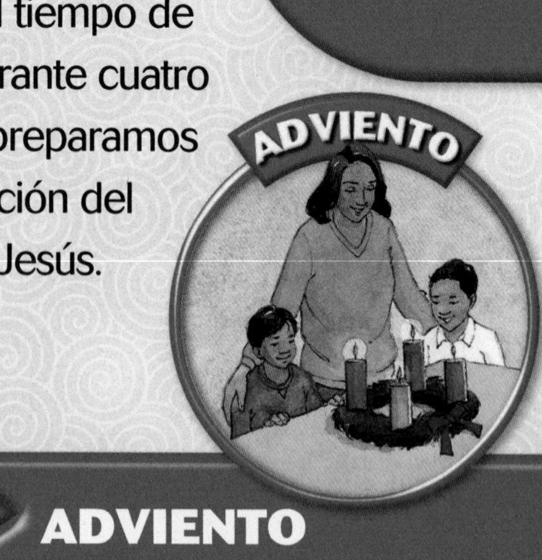

ADVIENTO

ADVIENTO

Empieza el año litúrgico.

TIEMPO ORDINARIO

Durante el **Tiempo Ordinario**, aprendemos sobre la vida y las enseñanzas de Jesús. Este tiempo tiene dos partes: entre la Navidad y la Cuaresma, y entre la Pascua y el Adviento.

Durante el tiempo de Pascua, celebramos la Resurrección de nuestro Señor Jesucristo. Este tiempo dura cincuenta días. Es un tiempo de gran gozo.

PASCUA

El tiempo de **Cuaresma** empieza el Miércoles de Ceniza. Dura cuarenta días. Nos preparamos para la fiesta más importante del año litúrgico. Nos preparamos para la Pascua por medio de la oración y las buenas acciones.

CUARESMA   **TIEMPO ORDINARIO**

El tiempo de Navidad empieza el día de Navidad. Celebramos el nacimiento de Jesús. Agradecemos a Dios, Padre nuestro, por enviar a su único Hijo para que fuera nuestro Salvador.

NAVIDAD

The Church Year

During the church year, we celebrate special seasons and feasts. They help us remember important times in the life of Jesus. We also celebrate special feasts that honor the Blessed Virgin Mary and the saints.

Holy Week begins on Passion Sunday. It includes three very special days, Holy Thursday, Good Friday, and the Easter Vigil. We think about Jesus sharing a meal with his disciples, his dying on a cross, and rising to new life.

HOLY WEEK

HOLY WEEK

Our church year begins with the season of **Advent**. For four weeks we prepare for the celebration of the birth of Jesus.

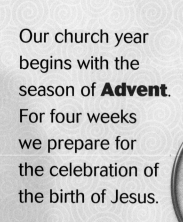

ADVENT

ADVENT

The church year begins.

ORDINARY TIME

During **Ordinary Time** we learn about the life and teachings of Jesus. This season has two parts—between Christmas and Lent; and between Easter and Advent.

During the **Easter** season, we celebrate the Resurrection of our Lord Jesus Christ. This season lasts for fifty days. It is a time of great joy.

EASTER

The season of **Lent** begins with Ash Wednesday. It lasts for forty days. We prepare for the most important feast of the Liturgical year. We get ready for Easter through prayer and good actions.

LENT   ORDINARY TIME

The **Christmas** season begins on Christmas Day. We celebrate the birth of Jesus. We thank God our Father for sending his only Son to be our Savior.

CHRISTMAS

Domingos y días festivos

Los días en que se exige a los católicos que celebren la Misa se llaman días de precepto. Nuestro principal día de fiesta es el domingo.

Nos reunimos en la Misa para celebrar la Resurrección de Cristo. Jesús resucitó de entre los muertos un domingo, el primer día de la semana. Podemos celebrar la Misa dominical el sábado por la noche o el domingo. En la Misa, oímos la Palabra de Dios. Celebramos la Eucaristía con nuestra comunidad parroquial. El domingo es un día para descansar y disfrutar con nuestra familia.

Durante el año litúrgico celebramos muchos días festivos. Honran a Jesús, a María y a los santos. Estos días de fiesta nos ayudan a crecer en nuestra fe.

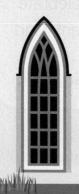

Sundays and Feast Days

Days that Catholics are required to celebrate Mass are called holy days of obligation. Our greatest holy day is Sunday.

We come together at Mass to celebrate Christ's Resurrection. Jesus rose from the dead on Sunday, the first day of the week. We may celebrate Sunday Mass on Saturday evening or Sunday. At Mass we hear the Word of God. We celebrate Eucharist with our parish community. Sunday is a day to rest and enjoy being with our families.

We celebrate many feast days during the church year. They honor Jesus, Mary, and the saints. These holy days help us grow in our faith.

El Adviento

¡Preparen el camino del Señor!

Basado en Isaías 40:3

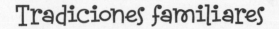

Tradiciones familiares

Maggie y Pedro son buenos amigos. Les gusta estar juntos en la escuela y en el vecindario. Estos niños de tercer grado tienen una familia que los ama y se preocupa por ellos. Cada familia tiene tradiciones diferentes.

En la familia de Maggie, es tradición hornear pan irlandés, especialmente en el día de San Patricio. La casa se llena con el aroma cálido y agradable del pan dulce que se está horneando.

Los miembros de la familia de Pedro preparan muchos de los alimentos que son populares en su tradición mexicoamericana. Disfrutan de alimentos como arroz, frijoles y tortillas.

Actividad

Tu familia tiene tradiciones y comidas especiales que compartes. Cuenta acerca de una de esas tradiciones con palabras o dibujos.

Advent

Prepare the way of the LORD!

Based on Isaiah 40:3

Family Traditions

Maggie and Pedro are good friends. They enjoy being together at school and in their neighborhood. These third graders have families who love and care for them. Each family has different traditions.

In Maggie's family it is a tradition to bake Irish soda bread, especially on Saint Patrick's Day. The house fills with the warm and comfortable smell of the sweet bread baking.

The members of Pedro's family make many of the foods that are popular in their Mexican American tradition. They enjoy foods such as rice, beans, and tortillas.

Activity

Your family has traditions and special meals that you share. Tell about one of those traditions in words or pictures.

Una tradición de Adviento

El Adviento es un tiempo especial del año litúrgico. Durante el Adviento, nos preparamos para celebrar el nacimiento de Jesús en Belén. Nuestra familia de la iglesia comparte muchas tradiciones que nos ayudan a prepararnos para recibir a Jesús en nuestra vida, una vez más, en Navidad.

Una tradición especial es la corona de Adviento. La mayoría de las parroquias católicas usan la corona como una forma de contar los cuatro domingos de Adviento. La corona nos recuerda que debemos preparar nuestro corazón para recibir a Jesús. Muchas familias también tienen coronas de Adviento en su casa. Cada noche, generalmente a la hora de cenar, la familia enciende una o más velas de la corona y reza una oración de Adviento especial. Esta oración le pide a Jesús que venga pronto a nuestra vida.

Durante este tiempo de Adviento, observa bien la corona de tu iglesia parroquial. Tal vez quieras hacer tu propia corona de Adviento para compartirla en casa con tu familia. Deja que la corona de Adviento te recuerde que Jesús está por llegar y que es momento de prepararse para recibirlo.

Señor Jesús, creemos que vendrás otra vez. Ayúdanos a prepararnos para recibirte en nuestra vida y en nuestro corazón en este tiempo de Adviento. Amén.

An Advent Tradition

Advent is a special time of the church year. During Advent we prepare to celebrate the birth of Jesus in Bethlehem. Our church family shares many traditions that help us get ready to welcome Jesus into our lives again on Christmas.

One special tradition is the Advent wreath. Most Catholic parishes use the Advent wreath as a way of counting the four Sundays of Advent. The wreath reminds us that we should be preparing our hearts to welcome Jesus. Many families have Advent wreaths in their homes, too. Each evening, usually at dinner time, a family lights one or more candles on the wreath and prays a special Advent prayer. This prayer asks Jesus to come into our lives soon.

Look closely at the Advent wreath in your parish church this Advent season. You might want to make your own Advent wreath to share with your family at home. Let the Advent wreath remind you that Jesus is coming and that it is time to prepare to welcome him.

Lord Jesus, we believe that you will come again. Help us prepare to welcome you into our lives and into our hearts this Advent season. Amen.

La Navidad

Les comunico una buena noticia que traerá mucha alegría a todo el pueblo.

Basado en Lucas 2:10

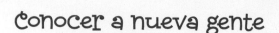

Conocer a nueva gente

Conocer a nueva gente puede ser divertido. Las personas nos dicen de muchas maneras quiénes son. Nos muestran quiénes son por medio de las palabras que dicen y de su forma de actuar. Cuando pasamos tiempo con nuestros amigos nuevos, podemos descubrir qué es importante para ellos y cómo se preocupan por los demás.

 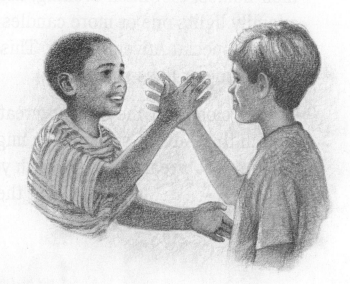

Actividad

En el siguiente espacio, enumera tres formas de conocer mejor a una persona cuando te encuentras con ella por primera vez.

_____

_____

_____

_____

Christmas

I proclaim to you good news of great joy
that will be for all the people.

Based on Luke 2:10

Meeting New People

Meeting new people can be fun. People tell us who they
are in many ways. They show us who they are through
the words they speak and the ways they act. By spending
time with our new friends, we can discover what is
important to them and how they care about others.

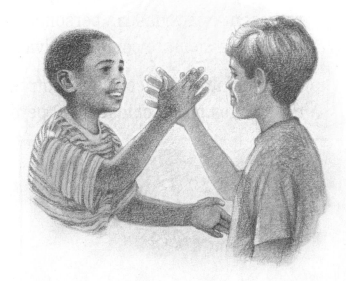

Activity

In the space below, list three ways you get to know a
person better when you meet him or her for the first time.

_____

_____

_____

_____

La fiesta de la Epifanía

Cerca del final del tiempo de Navidad, celebramos la fiesta de la Epifanía. Tiene lugar el primer domingo de enero. La palabra *epifanía* significa "mostrar". En este día, recordamos que Jesús se mostró a sí mismo como el Salvador de todos.

Durante la Liturgia de la Palabra de este día, escuchamos la lectura del Evangelio sobre los Tres Reyes Magos. A los Magos también los conocemos como los Tres Hombres Sabios. Llegaron de tierras lejanas para ver al Salvador nacido en Belén. El Evangelio dice que Jesús no llegó a este mundo para salvar sólo a un grupo de personas. Los magos representan a todas las personas del mundo. Jesús vino una vez y para siempre como el Salvador de todos.

Jesucristo se muestra a nosotros todos los días. Lo conocemos por el cuidado y el perdón que recibimos de nuestra familia y de nuestros amigos. También conocemos a Jesús en los Evangelios, en la oración y a través de la comunidad de la Iglesia.

Jesús,
ayúdanos a verte
en los demás.
Amén.

The Solemnity of the Epiphany

Near the end of the Christmas season, we celebrate the Solemnity of the Epiphany. In the United States, it is celebrated on the first Sunday in January. The word *epiphany* means "to show." On this day we remember that Jesus showed himself to be the Savior of all people.

During the Liturgy of the Word on this solemnity, we listen to the Gospel reading about the Magi. We also know the Magi as the Three Wise Men. They came from faraway lands to see the Savior born in Bethlehem. The Gospel says that Jesus did not come into this world to save only one group of people. The Magi represent all the people of the world. Jesus came once and for all time as the Savior of all people.

Jesus Christ shows himself to us every day. We get to know him by the care and forgiveness we receive from our family and friends. We can also come to know Jesus in the Gospels, in prayer, and through the church community.

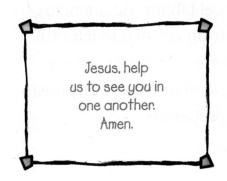

Jesus, help us to see you in one another. Amen.

La Cuaresma: Una época para prepararnos

Es en Jesús que se nos han perdonado nuestros pecados, por la gran generosidad y gracia de Dios.

Basado en Efesios 1:7

¡Preparados! ¡Listos! ¡Ya!

Era el día de la gran carrera del pueblo. Personas de todas las edades se habían anotado para participar. La carrera era para reunir fondos para Randy, un niño del pueblo. Su familia necesitaba ayuda para pagar el hospital.

Justin y Carlos sabían que era una carrera que realmente tenían que correr. Se prepararon durante todo un mes. Se ejercitaron para fortalecer sus músculos. Comieron alimentos sanos y descansaron mucho. Para Justin y para Carlos era importante terminar la carrera de 5 millas. Entonces, las personas que habían prometido donativos los pagarían.

Finalmente, llegó el día de la carrera. Los dos niños estaban muy entusiasmados. Sabían que estaban listos.

Actividad

En el tablero de anuncios, haz un cartel que informe sobre un acontecimiento para el que estás dispuesto a prepararte.

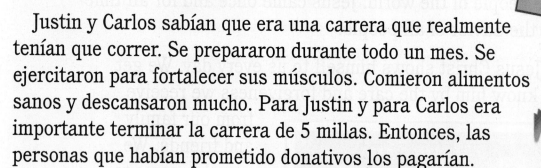

ACONTECIMIENTOS

Lent: A Time to Prepare

 It is in Jesus that our sins have been forgiven because of God's great generosity and grace.

Based on Ephesians 1:7

Ready! Get Set! Go!

It was the day of the big town race. People of all ages had signed up to take part. The race would raise money for Randy, a young boy in town. His family needed help to pay his hospital bills.

Justin and Carlos knew that this was one race they really wanted to run. They prepared for a whole month. They exercised to make their muscles strong. They ate healthy foods and got plenty of rest. It was important to Justin and Carlos to finish the 5-mile race. Then the people who pledged money would pay their pledges.

Finally the day of the race arrived. The two boys were very excited. They knew they were ready.

Activity

On the bulletin board, make a poster announcing an event you are willing to prepare for.

EVENTS

La Cuaresma es una época de preparación

El día de la Resurrección, o Pascua, es el día festivo más importante de la Iglesia. Como todos los acontecimientos importantes, pasamos tiempo preparándonos para él. A este tiempo de preparación le decimos *Cuaresma*.

La Iglesia nos brinda muchas formas diferentes para prepararnos para la Pascua. Podemos rezar las Estaciones de la Cruz. Podemos acercarnos más a Jesús realizando actos bondadosos para con los demás: visitar a alguien que está enfermo, sonreír más, hacer más tareas domésticas, leerle a un niño más pequeño, ahorrar dinero para entregarlo a un programa que ayude a alimentar a personas hambrientas.

Ayuno y abstinencia

Durante la Cuaresma, a los adultos se les pide que hagan ayuno y abstinencia. La palabra *ayunar* significa "comer poco o nada". También puede significar "renunciar a uno o más alimentos o bebidas preferidos". Los niños podrían también hacer "ayuno" de actos egoístas y de palabras hirientes.

La palabra *abstenerse* significa "prescindir". La Iglesia pide a todos los miembros de más de catorce años que se abstengan de comer carne el Miércoles de Ceniza y los viernes durante la Cuaresma.

> Jesús, ayúdanos a hacer sacrificios y a realizar actos bondadosos durante el tiempo de Cuaresma. Queremos estar preparados para celebrar con alegría la fiesta de la Resurrección.
> Amén.

Lent Is a Time to Prepare

The Feast of the Resurrection, or Easter Sunday, is the Church's greatest feast. Like all important events, we spend time preparing for it. We call this time of preparation *Lent*.

The Church gives us many different ways to prepare for Easter. We can pray the Stations of the Cross. We can grow closer to Jesus by doing kind acts for others. Visit someone who is sick. Smile more. Do extra chores. Read to a younger child. Save spending money to give to a program that helps feed hungry people.

Fasting and Abstaining

During Lent, adults are asked to fast and abstain. The word *fast* means "to go with little or no food." Fasting also can mean "to give up one or more favorite foods or beverages." Children might also "fast" from selfish acts and hurtful words.

The word *abstain* means "to do without." The Church asks all members fourteen years and older to abstain from meat on Ash Wednesday and Fridays during Lent.

> Jesus, help us to make sacrifices and do kind acts during the season of Lent. We want to be ready to celebrate with joy the Feast of the Resurrection. Amen.

Semana Santa

A Dios lo complació hacer que Jesús reconciliara a todos, restableciendo la paz a través de su cruz.

Basado en Colosenses 1:20

Hacer sacrificios

A menudo, nuestra familia hace sacrificios para que podamos tener lo que necesitamos para llevar una vida feliz y saludable. A veces nosotros también hacemos sacrificios. Podría ser un pequeño sacrificio, como dejar que un hermano o una hermana menor mire su programa de televisión preferido. O podría ser un sacrificio más grande. Podríamos elegir sentarnos con la niña o el niño nuevo en el autobús escolar, en lugar de hacerlo con nuestros amigos. Hacer sacrificios puede ser difícil.

Actividad

Escribe sobre un sacrificio que alguien hizo por ti.

_____

_____

_____

Escribe sobre un sacrificio que hiciste por alguien.

_____

_____

_____

Holy Week

It pleased God to have Jesus reconcile everyone, making peace through his cross.

Based on Colossians 1:20

Making Sacrifices

Our families often make sacrifices so that we can have what we need to live happy, healthy lives. Sometimes we make sacrifices, too. It might be a small sacrifice, such as letting a younger brother or sister watch a favorite TV show. Or it might be a larger sacrifice. We might choose to sit with the new girl or boy on the school bus instead of sitting with our friends. It can be hard to make sacrifices.

Activity

Write about a sacrifice that someone made for you.

_____

_____

_____

Write about a sacrifice you made for someone else.

_____

_____

_____

El Triduo Pascual

Durante la Semana Santa, celebramos los tres días más sagrados del año litúrgico. Se los denomina Triduo Pascual. Celebran la Pasión, la muerte y la Resurrección de Jesús.

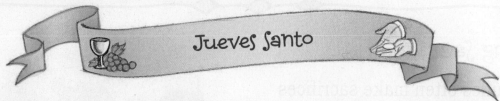

Durante el Jueves Santo, recordamos cómo Jesús nos dio el Sacramento de la Eucaristía en la Última Cena. En esta comida, primero Jesús ofreció el sacrificio de su Cuerpo y de su Sangre. El Jueves Santo, en la Misa, celebramos la Eucaristía de una manera especial.

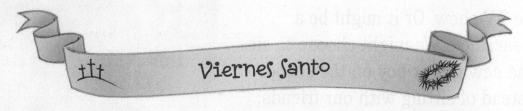

Durante el Viernes Santo, recordamos que Jesús murió en la cruz. Dio su vida para salvarnos del pecado. Lo hizo para que pudiéramos compartir la vida eterna con Él en el cielo.

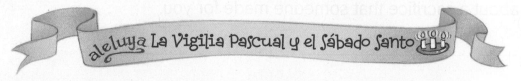

La liturgia de la Vigilia Pascual empieza durante la noche del Sábado Santo. Escuchamos los relatos de la Biblia sobre el amor de Dios. Se enciende un fuego para recordarnos que Jesucristo es la Luz del Mundo. Se bendice el agua y se usa para bendecirnos. Luego, la iglesia se llena de luz. Cantamos y rezamos: "¡Aleluya!". Ha terminado la espera de la Resurrección de Jesús.

> Jesús, en estos días de fiesta, te agradecemos y celebramos todo lo que hiciste por nosotros. Amén.

Easter Triduum

During Holy Week we celebrate the three holiest days of the church year. They are called the Easter Triduum. They celebrate Jesus' Passion, death, and Resurrection.

Holy Thursday

On Holy Thursday we remember how Jesus gave us the Sacrament of the Eucharist at the Last Supper. At this meal, Jesus first offered the sacrifice of his Body and Blood. We celebrate the Eucharist at Mass in a special way on Holy Thursday.

Good Friday

On Good Friday we remember that Jesus died on the cross. He gave up his life to save us from sin. He did this so that we could share everlasting life with him in heaven.

alleluia The Easter Vigil—Holy Saturday

The liturgy of the Easter Vigil begins on Holy Saturday night. We listen to Bible stories of God's love. A fire is lit to remind us Jesus Christ is the Light of the World. Water is blessed and used to bless us. Then, the church is filled with light. We sing and pray, "Alleluia!" The waiting for Jesus' Resurrection is over.

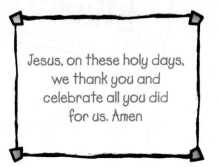

Jesus, on these holy days, we thank you and celebrate all you did for us. Amen

Pascua

 Jesús le ha quitado a la muerte su poder sobre nosotros y nos ha traído la vida eterna.

Basado en 2.ª Timoteo 1:10

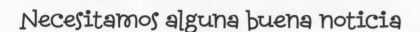

Necesitamos alguna buena noticia

Todos los días oímos malas noticias. Alguien que conocemos está enfermo o en problemas. Los periódicos y las estaciones de televisión y de radio transmiten malas noticias de todo el mundo. Muy pocas veces oímos sobre cosas buenas que les suceden a los demás o a nosotros.

A veces es importante oír malas noticias para que podamos ayudar a los necesitados. Pero también necesitamos oír buenas noticias. Las buenas noticias nos dan esperanza y nos traen felicidad.

Actividad

Piensa en la última buena noticia que has oído. Ahora escribe un titular que describa tu buena noticia.

¡Buenas noticias todo el tiempo!

Clima: perfecto

Un perro salva a un niño: página 3
Dios te ama: página 6

Diario de las Buenas Noticias

¡GRATIS!

Hoy, el primer día del resto de tu vida.

Easter Sunday

 Jesus has robbed death of its power over us and has brought us eternal life.

Based on 2 Timothy 1:10

We Need Some Good News

Every day we hear bad news. Someone we know is sick or in trouble. The newspapers and TV and radio stations broadcast bad news from all over the world. Too seldom do we hear about good things happening to others or ourselves.

It is important to hear bad news sometimes so that we can help others in need. But we need to hear good news, too. Good news gives us hope and brings us happiness.

Activity

Think about the latest good news you have heard. Now write a headline describing your good news.

La Buena Nueva de la Resurrección

Era muy temprano en la mañana de Pascua. María Magdalena y otras mujeres fueron hasta donde habían dejado el cuerpo de Jesús. Llevaron óleos perfumados para ungir su cuerpo según la costumbre judía.

Cuando las mujeres llegaron al sepulcro, vieron que algo había cambiado. La roca que había cubierto la entrada estaba a un costado. Miraron dentro del sepulcro. El cuerpo de Jesús había desaparecido.

Dos ángeles de Dios se aparecieron a las mujeres. Les dijeron: "Están buscando a Jesús. No está aquí. Ha resucitado".

Las mujeres apenas pudieron creer la Buena Nueva sobre la Resurrección de Jesús. Se dieron prisa para encontrar a los otros discípulos. Compartieron la Buena Nueva: "Jesús no está muerto. ¡Está vivo! ¡Se levantó del sepulcro!".

Basado en Lucas 24:1–9

Jesús, por medio de tu Resurrección, tenemos vida nueva. Como las discípulas, queremos compartir la buena nueva de nuestra fe con los demás. Amén.

The Good News of Resurrection

It was early on Easter morning. Mary Magdalene with some other women went to where Jesus' body had been laid. They brought perfumed oils to anoint his body according to Jewish custom.

When the women arrived at the tomb, they saw that something had changed. The rock that had covered the opening of the tomb was rolled aside. They looked inside the tomb. Jesus' body was gone.

Two angels of God appeared to the women. They said, "You are looking for Jesus. He is not here. He has been raised up."

The women could hardly believe the Good News about Jesus' Resurrection. They hurried to find the other disciples. They shared the Good News, "Jesus is not dead. He is alive! He is risen from the grave!"

Based on Luke 24:1–9

Jesus, through your Resurrection we have new life. Like the women disciples, we want to share the good news of our faith with others. Amen.

La Ascensión

Jesús fue levantado y una nube lo ocultó
de su vista.

Basado en Hechos 1:9

Recordar

La abuela de Jill murió el año pasado.
Jill la extraña mucho. A veces piensa
en los buenos momentos que
compartieron. Recuerda cuando
preparaba galletitas con su abuela.
Jill es feliz cuando piensa en esto.

Actividad

Piensa en alguien por quien sentías
afecto que haya muerto o se haya mudado.
¿Qué recuerdo tienes de esa persona,
que te haga feliz? Comparte un recuerdo
en el siguiente espacio.

The Ascension of the Lord

Jesus was taken up, and a cloud took him from their sight.

Based on Acts 1:9

Remembering

Jill's grandmother died last year. Jill misses her very much. Sometimes she thinks about good times they shared. She remembers making cookies with her grandmother. Thinking about this makes Jill happy.

Activity

Think about someone you cared about who died or moved away. What do you remember about this person that makes you happy? Share a memory in the space below.

Jesús vuelve al Padre

Habían pasado muchos días desde que Jesús había resucitado de entre los muertos. Jesús les había dicho a sus Apóstoles que, pronto, el Espíritu Santo vendría a ellos.

Un día, Jesús los condujo desde Jerusalén hasta las afueras. Dijo: "Recibirán la fuerza del Espíritu Santo cuando venga a ustedes. Entonces, enseñarán a los demás lo que yo les he enseñado. Enseñarán en toda Judea, en Samaria y hasta los extremos de la tierra". Jesús levantó las manos y bendijo a los Apóstoles.

Luego, Jesús fue levantado y una nube lo ocultó de su vista. Mientras seguían mirando hacia arriba, aparecieron de repente junto a ellos dos hombres vestidos con túnicas blancas. "¿Por qué miran hacia el cielo?", preguntaron a los Apóstoles. "Jesús, que les ha sido quitado, regresará de la misma manera que ustedes lo han visto ir al cielo".

Los Apóstoles volvieron con alegría a Jerusalén.

Basado en Hechos 1:6–12; Lucas 24:50–53

> Jesucristo, los Apóstoles estaban felices porque vieron tu poder y tu gloria cuando subiste al cielo. Muéstranos a nosotros también el camino al cielo. Amén.

La Iglesia celebra el día de la Ascensión cuarenta días después del Domingo de Pascua. En este día, recordamos el regreso de Jesús a su Padre celestial. Jesús nos prometió que, un día, nosotros también entraremos en el reino de los cielos.

Jesus Returns to the Father

It had been many days since Jesus had risen from the dead. Jesus had told his Apostles that soon the Holy Spirit would come to them.

One day, Jesus led them from Jerusalem into the countryside. He said, "You will receive power when the Holy Spirit comes to you. Then you will teach others what I have taught you. You will teach in all of Judea and Samaria and to the ends of the earth." Jesus lifted his hands and blessed the Apostles.

Then Jesus was lifted up, and a cloud took him from their sight. As they stood looking up, two men in white robes suddenly stood before them. "Why do you look up to heaven?" they asked the Apostles. "Jesus, who has been taken from you into heaven, will return in the same way."

The Apostles happily returned to Jerusalem.

Based on Acts 1:6–12; Luke 24:50–53

Jesus Christ, the Apostles were happy because they saw your power and glory when you went up to heaven. Show us too the way to heaven. Amen.

The Church celebrates the Ascension of the Lord forty days after Easter Sunday. On this day we remember Jesus' return to his Father in heaven. Jesus promised us that one day we, too, will enter the kingdom of heaven.

353

María

 Dios, el Poderoso, ha hecho grandes cosas por mí.

Basado en Lucas 1:49

Aprendemos de los demás

A veces una persona puede inspirar a todo un grupo. Por ejemplo, alguien hace un acto amoroso, como reunir alimentos para los necesitados. Cuando vemos ese acto, queremos comportarnos de la misma manera. O alguien denuncia una injusticia, como que no haya suficientes casas para los que necesitan un lugar donde vivir. Cuando oímos sus palabras, nosotros también queremos volver la situación más justa. Aquéllos que nos inspiran nos dan un buen ejemplo para seguir.

Actividad

¿Quién te inspira? Haz una tarjeta con la imagen de esa persona.

Persona inspiradora

Mary

 God, who is mighty, has done great things for me.

Based on Luke 1:49

We Learn from Others

Sometimes one person can inspire a whole group. For instance, someone does a loving deed, such as collecting food for people in need. When we see that deed, we want to act in the same way. Or someone speaks out about an injustice, such as not enough homes for people who need places to live. When we hear that person's words, we want to make things right, too. Those who inspire us provide a good example for us to follow.

Activity

Who inspires you? Make a trading card with the person's picture on it.

People Who Inspire

Madre de la Iglesia

María fue siempre una discípula leal de Jesús. María permaneció junto a Jesús cuando Él murió en la cruz. Fue en la cruz donde Jesús nos dio a María como nuestra madre. Jesús sabía que la Iglesia necesitaría un buen ejemplo para que todos los cristianos lo siguieran. Por eso, justo antes de morir, Jesús les dijo a María y a otro discípulo: "María, ahí tienes a tu hijo. Hijo, ahí tienes a tu madre".

Basado en Juan 19:26–27

Después de que Jesús regresó al Padre que está en el cielo, los discípulos y María permanecieron juntos. Formaron algo parecido a una familia. María estuvo con los primeros cristianos en Pentecostés, cuando el Espíritu Santo llegó sobre ellos. Pentecostés se conoce como el día del nacimiento de la Iglesia. Los primeros cristianos amaban a María y la trataban con mucho respeto. Sabían que María había sido siempre fiel a Dios. Los primeros cristianos creían que siempre podían contar con que María, la primera discípula, los ayudaría.

Jesús es la cabeza de la Iglesia. La Iglesia honra a María como la Madre de la Iglesia porque es la Madre de Jesús, el Hijo de Dios. María muestra su amor y su preocupación por nosotros. Es un buen ejemplo para que lo sigamos. María lleva nuestras oraciones y nuestras preocupaciones a Dios.

María,
Madre de la Iglesia,
reza a Jesús, tu Hijo, por
nosotros. Pídele que nos
dé fuerzas para ser sus
seguidores, especialmente
para hacer lo correcto.
Amén.

Mother of the Church

Mary was always a loyal disciple of Jesus. Mary stood by Jesus as he died on the cross. It was at the cross that Jesus gave Mary to us as our mother. Jesus knew that the Church would need a good example for all Christians to follow. That is why just before he died, Jesus said to Mary and another disciple, "Mary, this is your son. My son, this is your mother."

Based on John 19:26–27

After Jesus returned to the Father in heaven, the disciples and Mary stayed together. They became like a family. Mary was with the first Christians on Pentecost when the Holy Spirit came upon them. Pentecost Sunday is known as the day our Church was born. The first Christians loved Mary and treated her with much respect. They knew that Mary had always been faithful to God. The first Christians believed they could always count on Mary, the first disciple, to help them.

Jesus is the head of the Church. The Church honors Mary as the Mother of the Church because she is the mother of Jesus, the Son of God. Mary shows her love and care for us. She is a good example for us to follow. Mary brings our prayers and worries to God.

Mary, Mother of the Church, pray to Jesus, your Son, for us. Ask him to strengthen us to be his followers, especially to do the right thing. Amen.

Santo Domingo

Muéstrame, Señor, tus caminos.
Los quiero seguir hasta el final.

Basado en Salmo 119:33

Hacer lo correcto

Todos quieren ser aceptados. Nadie quiere que lo ignoren o que lo dejen de lado. Queremos agradarles a los demás y que nos incluyan en sus actividades y sus conversaciones.

A veces podemos hacer cosas malas para poder pertenecer a un grupo popular. Otras veces podemos hacer malas elecciones porque queremos que los demás nos quieran como amigos. La influencia que sentimos para hacer lo que los demás hacen se llama *presión de los pares*. No siempre es fácil ser fiel a nuestras creencias y hacer lo que es correcto.

Actividad

Tal vez has sentido la presión de tus compañeros para tomar decisiones equivocadas o hacer lo incorrecto. Describe una ocasión en que resististe a la presión de tus compañeros porque querías hacer lo correcto.

_____

_____

_____

_____

Saint Dominic

Lord, teach me your ways.
I shall observe them with great care.

Based on Psalm 119:33

Doing the Right Thing

Everyone wants to belong. No one wants to be ignored or left out. We want others to like us and include us in activities and conversations.

Sometimes we might do wrong things so that we can belong to a popular group. Sometimes we might make wrong choices so that others will want us to be their friend. We call the pull we feel to do what others are doing *peer pressure*. It's not always easy to be true to our beliefs and do what is right.

Activity

You may have felt peer pressure to make wrong choices or to do the wrong things. Describe a time when you stood up to peer pressure because you wanted to do the right thing.

_____

_____

_____

_____

Un seguidor de Jesús

Domingo Savio nació en Italia hace más de 150 años. Cuando Domingo tenía 12 años, su familia lo envió a una escuela para niños en la ciudad de Turín. Juan Bosco era un sacerdote que trabajaba para ayudar a los niños necesitados. Él dirigía la escuela. Más tarde, Juan Bosco sería designado santo de la Iglesia Católica.

El Padre Bosco vio que Domingo era diferente de otros niños. Domingo era amable, incluso cuando los demás se burlaban de él. Incluía a los demás en su grupo de amigos. Estaba atento a los que no tenían amigos. A Domingo le gustaban los deportes y todas las cosas que les gustan a los niños. Sin embargo, nunca olvidó que era un seguidor de Jesús. Por ejemplo, Domingo rezaba cada día porque quería permanecer cerca de Dios.

Cuando tenía quince años, Domingo se enfermó gravemente y, muy pronto, murió. Aunque vivió sólo quince años, Domingo Savio fue designado santo de nuestra Iglesia. Celebramos su vida el 6 de mayo.

Santo Domingo Savio, tú sabes lo que significa ser joven. Ruega por nosotros para que, como tú, podamos recordar siempre que somos seguidores de Jesús. Amén.

A Follower of Jesus

Dominic Savio was born in Italy more than 150 years ago. When Dominic was twelve, his family sent him to a school for boys in the city of Turin. John Bosco was a priest who worked to help children in need. He led the school. John Bosco would later be named a saint of the Catholic Church.

Father Bosco saw that Dominic was different from other boys. Dominic was kind even when the others teased him. He included others in his group of friends. He looked out for those without friends. Dominic loved to play sports and do all the things children do. Yet he never forgot that he was a follower of Jesus. For instance, Dominic prayed each day because he wanted to stay close to God.

When he was fifteen years old, Dominic became very sick and soon died. Although he lived only fifteen years, Dominic Savio was made a saint of our Church. We celebrate his life on May 6.

Saint Dominic Savio, you know what it means to be a young person. Pray for us that we, like you, may always remember that we are followers of Jesus. Amen.

Dorothy Day

> Vende todo lo que posees y reparte el dinero entre los pobres. Luego, ven y sígueme.

Basado en Mateo 19:21

Tender la mano a los demás

Cuando las personas están necesitadas, ¿qué podemos hacer para ayudarlas? Una de las cosas que podemos hacer es ser capaces de compartir con los demás. Podemos compartir nuestro tiempo, nuestros talentos, nuestras posesiones y nuestro dinero.

Actividad

Imagina que las casas de algunas de las familias de tu comunidad fueran destruidas durante una tormenta. Escribe una noticia para el boletín de tu iglesia en el que pidas a la gente que ayude. Enumera las cosas que las personas podrían reunir o compartir con las familias necesitadas.

BOLETÍN
DE LA IGLESIA ST. ANNE

_____

_____

_____

_____

_____

Dorothy Day

Go, sell what you have and give to the poor.
Then come and follow me.

Based on Matthew 19:21

Reaching Out to Others

When people are in need, what can we do to help?
Being able to share with others is one thing we
can do. We can share our time, our talents, our
possessions, and our money.

Activity

Imagine that the homes of some families in your
community were destroyed during a storm. Write
a notice for your church bulletin asking people to
help. List things that people could collect or share
with the families in need.

ST. ANNE'S CHURCH
BULLETIN

_____

_____

_____

_____

Cuidar de los necesitados

Dorothy Day nació en Brooklyn (Nueva York), en 1897. Cuando tenía alrededor de nueve años, su familia se trasladó a Chicago. Cuando el padre de Dorothy perdió su trabajo, la familia tuvo que mudarse a un edificio con otras personas necesitadas. A una edad temprana, Dorothy aprendió lo que significa ser pobre. Cuando Dorothy creció, decidió que su trabajo debía ser cuidar de los necesitados.

Dorothy trabajó en un periódico. Escribía artículos sobre cómo nuestro gobierno podía cambiar para ayudar a las personas a encontrar trabajo y mejores lugares donde vivir. Dorothy también encabezó marchas y demostraciones para que los necesitados no fueran olvidados.

Finalmente, Dorothy y su amigo Peter Maurin crearon su propio periódico. También abrieron casas de hospitalidad en Nueva York y otras ciudades. A los necesitados les ofrecieron alimentos, ropa y un lugar limpio donde vivir. Sobre todo, Dorothy y Peter trataban a las personas con respeto y amor, como hijos de Dios.

Señor, te damos gracias por la vida de Dorothy Day. Que veamos su vida de amor y de compasión por los demás como un ejemplo de cómo debemos tratar a los necesitados.
Amén.

Caring for Those in Need

Dorothy Day was born in Brooklyn, New York, in 1897. When she was about nine years old, her family moved to Chicago. When Dorothy's father lost his job, the family had to move into a building with other people in need. At an early age, Dorothy learned what it meant to be poor. When Dorothy grew up, she decided that her work should be caring for people in need.

Dorothy worked at a newspaper. She wrote articles about how our government could change to help people find jobs and better places to live. Dorothy also led marches and demonstrations so that people in need would not be forgotten.

Eventually Dorothy and her friend Peter Maurin started their own newspaper. They also opened houses of hospitality in New York and other cities. They offered food, clothing, and a clean place to live to people in need. Most of all, Dorothy and Peter treated the people with respect and love—as children of God.

Lord, thank you for the life of Dorothy Day. May we look to her life of love and compassion for others as an example of how we should treat those who are in need. Amen.

NUESTRA HERENCIA CATÓLICA

EN QUÉ CREEMOS LOS CATÓLICOS

Tener fe es creer en Dios. Conocemos a Dios por medio de la Biblia y las enseñanzas de la Iglesia.

ACERCA DE
LA BIBLIA

Creemos que la Biblia es la Palabra de Dios. El Espíritu Santo guió a ciertas personas para que escribieran la Biblia. Para aprender más sobre la Biblia, mira las páginas 7 a 10.

ACERCA DE
LA TRINIDAD

Creemos que hay tres Personas en un Dios. Dios Padre, Dios Hijo y Dios Espíritu Santo forman la Santísima Trinidad.

Dios Padre nuestro

Dios Padre es nuestro Creador, que hizo todo con amor. Estamos creados a semejanza de Dios. Estamos siempre al cuidado del Padre. Él siempre escucha nuestras oraciones.

Jesucristo

Dios Padre envió a su único Hijo, Jesús, para que estuviera con nosotros. Jesús sufrió y murió en una cruz. Resucitó de entre los muertos para liberarnos del pecado. Jesús es nuestro Salvador. Después de que Jesús ascendió junto a su Padre celestial, sus seguidores formaron la Iglesia.

El Espíritu Santo

Dios Espíritu Santo vino para unir, guiar y ayudar a nuestra Iglesia a crecer. El Espíritu Santo viene a nosotros en el Bautismo y permanece con nosotros. Nos da dones especiales para que seamos verdaderos seguidores de Jesús.

OUR CATHOLIC HERITAGE

WHAT CATHOLICS BELIEVE

*To have faith is to believe in God. We come to
know God through the Bible and Church teachings.*

ABOUT
THE BIBLE

We believe that the Bible is the Word of
God. The Holy Spirit guided certain people
to write the Bible. To learn more about the
Bible, see pages 7–11.

ABOUT
THE TRINITY

We believe there is one God in three Persons.
God the Father, God the Son, and God the
Holy Spirit make up the Holy Trinity.

God Our Father

God the Father is our Creator who made everything with love. We
are created in God's likeness. We are always in the Father's care.
He always listens to our prayers.

Jesus Christ

God the Father sent his only Son, Jesus to be with us. Jesus
suffered and died on a cross. He was raised from the dead to free
us from sin. Jesus is our Savior. After Jesus ascended to his Father
in heaven, his followers became the Church.

The Holy Spirit

God the Holy Spirit came to unite, guide, and
help our Church to grow. The Holy Spirit
comes to us in Baptism and remains
with us. He gives us special
gifts to help us be true
followers of Jesus.

ACERCA DE
LA IGLESIA CATÓLICA

Creemos que la Iglesia es una, santa, católica y apostólica.

Creemos que la Iglesia Católica es una. Es una porque todos creemos en Jesucristo.

La Iglesia Católica es santa. Jesucristo, junto con el Padre y el Espíritu Santo, hacen santa a la Iglesia. Es santa porque la gracia amorosa de Dios está presente en la Iglesia.

La Iglesia es católica. Es católica porque recibimos a todas las personas tal como lo hace Jesucristo.

La Iglesia es apostólica. Es apostólica porque es fiel a las enseñanzas de Jesucristo y de sus Apóstoles.

ACERCA DE
MARÍA Y LOS SANTOS

María, la madre de Jesús, es nuestra santa más importante. Fue llena de gracia desde el primer instante de su vida. María, que amó a Jesús y cuidó de Él, nos ama y cuida de nosotros.

ACERCA DE
LA VIDA ETERNA

Creemos en la resurrección de la carne y en la vida eterna.

Jesucristo nos promete que, si somos fieles a sus enseñanzas, tendremos vida eterna. Esto significa que viviremos por siempre con Dios en el cielo. La vida eterna es la felicidad con Jesucristo por siempre en el reino de Dios.

ABOUT
THE CATHOLIC CHURCH

We believe in one, holy, catholic, and apostolic Church.

We believe that the Catholic Church is one. It is one because we all believe in Jesus Christ.

The Catholic Church is holy. Jesus Christ, with the Father and the Holy Spirit make the Church holy. It is holy because God's loving grace is present in the Church.

The Church is catholic. It is catholic because we welcome all people as Jesus Christ does.

The Church is apostolic. It is apostolic because it is faithful to the teachings of Jesus Christ and his Apostles.

ABOUT
MARY AND THE SAINTS

Mary, the mother of Jesus, is our greatest saint. She was filled with grace from the first moment of her life. Mary, who loved and cared for Jesus, loves and cares for us.

ABOUT
LIFE EVERLASTING

We believe in the resurrection of the body and life everlasting.

Jesus Christ promises us that, if we are faithful to his teachings, we will have life everlasting. This means that we will live forever with God in heaven. Eternal life is unending happiness with Jesus Christ in God's kingdom.

CÓMO PRACTICAMOS EL CULTO LOS CATÓLICOS

Celebramos nuestra fe en el culto cuando honramos y alabamos a Dios.

ACERCA DE
LOS SACRAMENTOS

Los católicos nos reunimos para practicar el culto cuando celebramos los siete sacramentos. En ellos, Cristo se hace presente ante nosotros.

ACERCA DE
LOS SACRAMENTOS DE LA INICIACIÓN

Bautismo

El Bautismo nos da la bienvenida a la Iglesia. Recibimos al Espíritu Santo. El sacerdote o el diácono dice: "Yo te bautizo en el nombre del Padre, y del Hijo y del Espíritu Santo" *(Ritual para el Bautismo)*. Él vierte agua sobre la cabeza de la persona a la que está bautizando.

Confirmación

La Confirmación nos fortalece en nuestra fe. El obispo o el sacerdote dice: "Recibe por esta señal el don del Espíritu Santo" *(Ritual para la Confirmación)*. Extiende las manos sobre la cabeza del confirmando y unge su frente con óleo.

Eucaristía

Cuando juntos practicamos el culto en la Misa, recibimos la Eucaristía. Jesucristo se nos entrega de manera especial. El sacerdote toma el pan y dice: "Tomad y comed todos de él, porque esto es mi Cuerpo". Toma el vino y dice: "Tomad y bebed todos de él, porque éste es el cáliz de mi Sangre" *(Plegaria Eucarística)*.

HOW CATHOLICS WORSHIP

*We celebrate our faith in worship
when we honor and praise God.*

ABOUT
THE SACRAMENTS

Catholics gather to worship when we celebrate
the seven sacraments. Christ becomes present to
us in them.

ABOUT
SACRAMENTS OF INITIATION

Baptism

Baptism welcomes us into the Church.
We receive the Holy Spirit. The priest or deacon
says, "I baptize you in the name of the Father,
and of the Son and of the Holy Spirit." *(Rite of
Baptism)* He pours water over the head of the
person being baptized.

Confirmation

Confirmation strengthens us in our faith. The
bishop or priest says, "Be sealed with the gift of
the Holy Spirit." *(Rite of Confirmation)* He lays his
hands on the head of the person being confirmed
and anoints the forehead with oil.

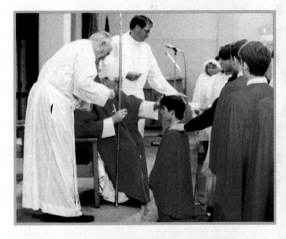

Eucharist

When we worship together at Mass we receive
the Eucharist. Jesus Christ gives himself to us
in a special way. The priest takes the bread and
says, "TAKE THIS, ALL OF YOU, AND EAT OF IT, FOR THIS IS
MY BODY." He takes the wine and says, "TAKE THIS, ALL
OF YOU, AND DRINK FROM IT, FOR THIS IS THE CHALICE OF MY
BLOOD." *(Eucharistic Prayer)*

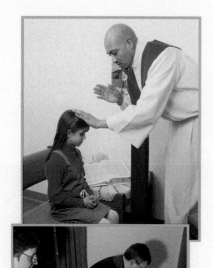

ACERCA DE
LOS SACRAMENTOS DE CURACIÓN

Reconciliación

Dios siempre nos ama y perdona nuestros pecados si nos arrepentimos de ellos. En la Reconciliación, el sacerdote nos da la Absolución. El sacerdote dice: "Yo te absuelvo de tus pecados, en el nombre del Padre, y del Hijo, y del Espíritu Santo" *(Ritual de la Penitencia)*.

Unción de los Enfermos

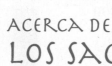

La Unción de los Enfermos es para los enfermos o los moribundos. El sacerdote dice: "Por esta santa unción, y por su bondadosa misericordia te ayude el Señor con la gracia del Espíritu Santo" *(Ritual de la Unción de los Enfermos)*. El sacerdote unge a la persona con óleo consagrado.

ACERCA DE
LOS SACRAMENTOS AL SERVICIO DE LA COMUNIDAD

Orden Sagrado

El Orden Sagrado celebra la ordenación de hombres bautizados para servir a la Iglesia. Los obispos y los sacerdotes celebran los sacramentos y enseñan la Palabra de Dios. Los diáconos trabajan entre los necesitados. El obispo reza para pedir la ayuda especial de Dios. El obispo extiende las manos sobre la cabeza de la persona a la que está ordenando.

Matrimonio

El Matrimonio celebra el compromiso entre un hombre y una mujer. El hombre dice a la mujer: "Te tomo por esposa". La mujer responde: "Te tomo por esposo". La pareja hace estas promesas en presencia de un sacerdote o de un diácono, y de la comunidad cristiana.

ABOUT
THE SACRAMENTS OF HEALING

Reconciliation

God always loves us and forgives our sins if we are sorry for them. In Reconciliation, the priest gives us Absolution. The priest prays, "I absolve you from your sins in the name of the Father, and of the Son, and of the Holy Spirit." *(Rite of Penance)*

Anointing of the Sick

Anointing of the Sick is for people who are sick or close to death. The priest prays, "Through this holy anointing may the Lord in his love and mercy help you with the grace of the Holy Spirit." *(Rite of Anointing)* The priest anoints the person with holy oil.

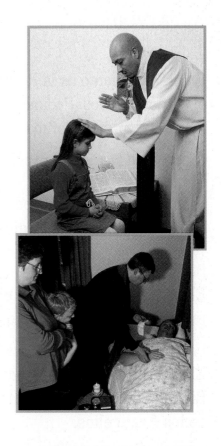

ABOUT
THE SACRAMENTS AT THE SERVICE OF COMMUNION

Holy Orders

Holy Orders celebrates the ordination of baptized men to serve the Church. Bishops and priests celebrate the sacraments and teach God's word. Deacons work among those in need. The bishop prays asking for God's special help. The bishop lays his hands on the head of the person being ordained.

Matrimony

Matrimony celebrates the commitment between a man and a woman. The man says to the woman, "I take you to be my wife." The woman replies, "I take you to be my husband." The couple makes these promises in the presence of a priest or deacon and the Christian community.

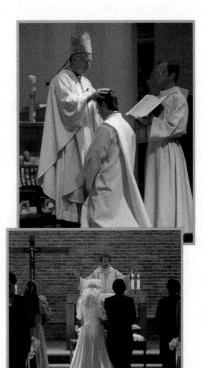

ACERCA DE
LA RECONCILIACIÓN

En el Sacramento de la Reconciliación, celebramos el perdón de Dios. Pedimos al Espíritu Santo que nos ayude a vivir de mejor manera como Jesús nos enseña.

Rito de la Reconciliación de un solo penitente

Preparación

Examino mi conciencia pensando en las cosas malas que pude haber hecho o dicho a propósito.

Bienvenida del sacerdote

El sacerdote me recibe en el nombre de Jesús y en el de la comunidad de la Iglesia.

Lectura de la Sagrada Escritura

El sacerdote me lee una parte de la Biblia o me cuenta un relato tomado de los Evangelios.

Confesión ▶

Le cuento al sacerdote mis pecados. El sacerdote me pide que haga un acto caritativo o que diga una oración para mostrar mi arrepentimiento.

Oración de arrepentimiento

Rezo en voz alta una oración del penitente.

Absolución ▶

Actuando en nombre de la Iglesia, el sacerdote extiende las manos sobre mí y le pide a Dios que me perdone. El sacerdote me da la absolución en el nombre del Padre, del Hijo, y del Espíritu Santo.

Oración de alabanza y despedida

Junto con el sacerdote, rezo una oración de alabanza. Luego, el sacerdote me dice que me vaya en paz. Respondo: "Amén".

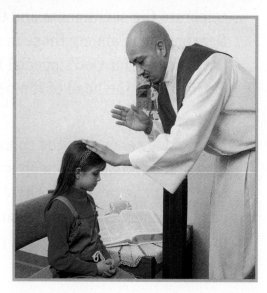

374

ABOUT
RECONCILIATION

In the Sacrament of Reconciliation, we celebrate God's forgiveness. We ask the Holy Spirit to help us to live in better ways as Jesus teaches us.

Rite of Reconciliation of Individuals

Preparation ▶

I examine my conscience by thinking of the sinful things I might have done or said on purpose.

Priest's Welcome

The priest welcomes me in the name of Jesus and the Church community.

Reading from Scripture

The priest may read a part of the Bible or may tell me a story from the Gospels.

Confession ▶

I tell the priest my sins. The priest asks me to do a kind act or say a prayer to show that I am sorry.

Prayer of Sorrow

I pray aloud an act of contrition.

Absolution ▶

Acting in the name of the Church, the priest extends his hands over me and asks God to forgive me. The priest gives me absolution in the name of the Father, Son, and Holy Spirit.

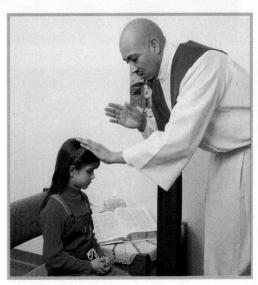

Prayer of Praise and Dismissal

With the priest, I pray a prayer of praise. Then the priest tells me to go in peace. I answer, "Amen."

ACERCA DE
LA MISA

Ritos Iniciales

En la Misa, nos reunimos para rezar y practicar el culto como una comunidad de fe.

◀ Procesión de Entrada y canto inicial

Cuando el sacerdote y los demás ministros entran en procesión, nos ponemos de pie y cantamos un canto de entrada.

◀ Saludo

Hacemos la señal de la cruz. El sacerdote nos da la bienvenida. Dice: "El Señor esté con vosotros". Nosotros respondemos: "Y con tu espíritu".

Acto Penitencial

Pensamos en nuestros pecados. Pedimos el perdón de Dios y las oraciones de la comunidad.

◀ Gloria

Cantamos o decimos este himno de alabanza a Dios.

Liturgia de la Palabra
◀ Primera lectura

El lector lee un relato u otro pasaje de la Sagrada Escritura, que generalmente se toma del Antiguo Testamento.

ABOUT
THE MASS

Introductory Rites

At Mass, we come together to pray and worship as a community of faith.

Entrance Procession
and Gathering Song ▶

As the priest and other ministers enter in procession, we stand and sing a gathering song.

Greeting ▶

We make the Sign of the Cross. The priest welcomes us. He says, "The Lord be with you." We answer, "And with your spirit."

Penitential Act

We think about our sinfulness. We ask for God's forgiveness and the prayers of the community.

Gloria ▶

We sing or say this hymn of praise to God.

Liturgy of the Word
First Reading ▶

The lector reads a story or other Scripture passage that usually is taken from the Old Testament.

Salmo Responsorial ▶

Cantamos las respuestas a un salmo tomado de la Biblia.

Segunda lectura

El lector lee del Nuevo Testamento. La lectura puede ser de una de las cartas, de los Hechos de los Apóstoles o del Apocalipsis.

Aclamación del Evangelio

Alabamos la Palabra de Dios cantando "Aleluya" u otra aclamación mientras el sacerdote o el diácono se preparan para leer el Evangelio.

Evangelio ▶

Nos ponemos de pie con reverencia mientras el sacerdote o el diácono lee el Evangelio para ese día.

Homilía ▶

El sacerdote o el diácono nos habla sobre el significado del Evangelio y las demás lecturas.

Profesión de fe

Recitamos el Credo de Nicea para proclamar nuestra creencia en lo que la Iglesia enseña.

Oración de los Fieles

Rezamos por la Iglesia, el papa y los obispos, nuestro país, la paz mundial y por las necesidades de todo el pueblo de Dios. Rezamos también por las necesidades de los miembros de la comunidad de nuestra parroquia.

Responsorial Psalm

We sing the responses to a psalm
from the Bible.

Second Reading

The lector reads from the New Testament.
The reading may be from one of the letters,
Acts of the Apostles, or the Book of Revelation.

Gospel Acclamation

We praise God's word by singing "Alleluia"
or another acclamation as the priest or
deacon gets ready to read the Gospel.

Gospel ▶

We stand in reverence while the priest
or deacon reads the Gospel for that day.

Homily ▶

The priest or deacon tells us about
the meaning of the Gospel and the
other readings.

Profession of Faith

We recite the Nicene Creed to proclaim
our belief in what the Church teaches.

Prayer of the Faithful

We pray for the Church, the pope and bishops,
our country, peace in our world, and for the
needs of all God's people. We also pray for the
needs of the members of our parish community.

Liturgia Eucarística

◀ Preparación del altar y las ofrendas

Llevamos al altar nuestras ofrendas del pan y del vino. También podemos hacer una ofrenda para la Iglesia. El sacerdote agradece a Dios por los maravillosos dones de la creación y por el don de Jesús, el Hijo de Dios. Cantamos: "Santo, Santo, Santo es el Señor".

◀ Plegaria Eucarística

El sacerdote rememora la Última Cena. Escuchamos las palabras de Jesús: "Esto es mi Cuerpo" y "Éste es el cáliz de mi Sangre". Luego, proclamamos un misterio de fe. Cantamos o decimos palabras como "Anunciamos tu muerte, proclamamos tu resurrección. ¡Ven, Señor Jesús!".

Cuando la Plegaria Eucarística termina, decimos: "Amén".

Rito de la Comunión

El Padre Nuestro

Rezamos juntos la oración que Jesús nos enseñó.

◀ Señal de la Paz

Compartimos una Señal de la Paz con los que nos rodean.

Fracción del pan

Cantamos la oración Cordero de Dios.

Comunión

Recibimos el Cuerpo y la Sangre de Cristo. Decimos: "Amén".

Rito de conclusión

Bendición y despedida

El sacerdote nos bendice y nos dice que nos vayamos en paz para servir a Dios y a los demás.

Liturgy of the Eucharist

Preparation of the Altar and Gifts ▶

We bring our gifts of bread and wine
to the altar. We may also make an
offering for the Church. The priest
gives thanks to God for the wonderful
gifts of creation and for the gift of
God's Son, Jesus. We sing, "Holy, Holy,
Holy Lord."

Eucharistic Prayer ▶

The priest recalls the Last Supper. We
hear Jesus' words, "THIS IS MY BODY,"
and "THIS IS THE CUP OF MY BLOOD." Then
we proclaim the mystery of faith. We sing
or say words such as "We proclaim your
Death, O Lord, and profess your Resurrection
until you come again."

As the Eucharist Prayer ends, we
say, "Amen."

Communion Rite

The Lord's Prayer

We pray together the prayer that Jesus
taught us.

Sign of Peace ▶

We share a Sign of Peace with those
around us.

Breaking of the Bread

We sing the Lamb of God prayer.

Communion

We receive the Body and Blood of
Christ. We say, "Amen."

Concluding Rites

Blessing and Dismissal

The priest blesses us and tells us to
go in peace to serve God and others.

CÓMO VIVIMOS LOS CATÓLICOS

*Vivir como Jesucristo nos enseña no es
fácil, pero Dios nos da mucha ayuda.
Nos ayudan nuestra conciencia y
tres dones especiales. Cuando nos
apartamos del pecado y hacemos
buenas elecciones, vivimos como
hijos de Dios.*

ACERCA DE
LA CONCIENCIA

Nuestra conciencia es un don de Dios.
Nuestra conciencia nos ayuda a saber
lo que es bueno y lo que es malo. Como
católicos, tenemos ayuda para desarrollar
una buena conciencia. Como ayuda,
tenemos las Bienaventuranzas, los Diez
Mandamientos y las enseñanzas de Jesús.

ACERCA DE
LOS DONES DE LA FE, LA ESPERANZA Y LA CARIDAD

La fe, la esperanza y la caridad son también dones de Dios.
Estos dones también se llaman virtudes. Nos ayudan a hacer
que Dios sea la parte más importante de nuestra vida. Estas
virtudes nos ayudan a vivir como hijos de Dios.

La **fe** es la virtud que nos ayuda a creer en Dios.

La **esperanza** es la virtud que nos ayuda a confiar en Dios
pase lo que pase.

La **caridad** es la virtud que nos ayuda a amar a Dios, a
nosotros mismos y a los demás.

HOW CATHOLICS LIVE

Living as Jesus Christ teaches us is not easy, but God gives us lots of help. Our conscience and three special gifts help us. When we turn away from sin and make good choices, we live as children of God.

ABOUT
CONSCIENCE

Our conscience is a gift from God. Our conscience helps us to know what is right and what is wrong. As Catholics, we have help in developing a good conscience. We have the Beatitudes, the Ten Commandments, and the teachings of Jesus to help us.

ABOUT
THE GIFTS OF FAITH, HOPE, AND CHARITY

Faith, hope, and charity are also gifts from God. These gifts are also called virtues. They help us make God the most important part of our lives. These virtues help us live as God's children.

Faith is the virtue that helps us believe in God.

Hope is the virtue that helps us trust God no matter what happens.

Charity is the virtue that helps us love God, love ourselves, and love others.

ACERCA DE
LAS BIENAVENTURANZAS

En el Sermón de la montaña, Jesús nos dio las **Bienaventuranzas** (Mateo 5:1–10). Nos enseñan cómo amar a Dios y a los demás. Cuando vivimos las Bienaventuranzas, podemos ser verdaderamente felices.

Las Bienaventuranzas	Vivir las Bienaventuranzas
Felices los que tienen el espíritu del pobre, porque de ellos es el Reino de los Cielos.	Tenemos el espíritu del pobre cuando sabemos que necesitamos a Dios más que a cualquier otra cosa.
Felices los que lloran, porque recibirán consuelo.	Tratamos de ayudar a los que están tristes o a los que sufren. Sabemos que Dios los consolará.
Felices los pacientes, porque recibirán todo lo que Dios ha prometido.	Somos amables y pacientes con los demás. Creemos que participaremos de las promesas de Dios.
Felices los que tienen hambre y sed de justicia, porque serán saciados.	Tratamos de ser imparciales y justos con los demás. Compartimos lo que tenemos con los necesitados.
Felices los compasivos, porque recibirán misericordia.	Perdonamos a los que son poco amables con nosotros. Aceptamos el perdón de los demás.
Felices los de corazón limpio, porque verán a Dios.	Tratamos de mantener a Dios en el primer lugar de nuestra vida. Creemos que viviremos para siempre con Dios.
Felices los que trabajan por la paz, porque serán llamados hijos de Dios.	Tratamos de llevar la paz de Dios al mundo. Cuando vivimos pacíficamente, nos conocen como hijos de Dios.
Felices los que son perseguidos por causa del bien, porque de ellos es el Reino de los Cielos.	Tratamos de hacer lo correcto aun cuando se burlan de nosotros o nos insultan. Creemos que estaremos con Dios por siempre.

ABOUT
THE BEATITUDES

In the Sermon on the Mount, Jesus gave us the **Beatitudes** (Matthew 5:1–10). They teach us how to love God and others. When we live the Beatitudes, we can be truly happy.

The Beatitudes	Living the Beatitudes
Happy are the poor in spirit. The reign of God is theirs.	We are poor in spirit when we know that we need God more than anything else.
Happy are the sorrowful. They will be comforted.	We try to help those who are in sorrow or those who are hurting. We know God will comfort them.
Happy are the gentle. They will receive all that God has promised.	We are kind and patient with others. We believe we will share in God's promises.
Happy are those who hunger and thirst for justice. They will be satisfied.	We try to be fair and just toward others. We share what we have with those in need.
Happy are those who show mercy. They will receive mercy.	We forgive those who are unkind to us. We accept the forgiveness of others.
Happy are the pure of heart. They will see God.	We try to keep God first in our lives. We believe we will live forever with God.
Happy are the peacemakers. They will be called the children of God.	We try to bring God's peace to the world. When we live peacefully we are known as God's children.
Happy are those who are treated unfairly for doing what is right. The kingdom of heaven will belong to them.	We try to do what is right even when we are teased or insulted. We believe we will be with God forever.

ACERCA DE
LOS MANDAMIENTOS

Los Diez Mandamientos son las leyes de amor de Dios (Éxodo 20:1–17). Dios nos dio los mandamientos como un don que nos ayude a vivir en paz.

Los Diez Mandamientos	Vivir los Diez Mandamientos
1. Yo soy el Señor, tu Dios. No tendrás para ti otros dioses fuera de mí.	Creemos en Dios. Sólo veneramos a Dios. Lo amamos más que a nadie y más que nada. Le ofrecemos oraciones de adoración y de acción de gracias.
2. No tomes el nombre del Señor, tu Dios, en vano.	Nunca usamos el nombre de Dios ni el de Jesús de manera airada. En todas las ocasiones, usamos el nombre de Dios, Jesús, María y los santos con respeto.
3. Acuérdate del día Sábado, para santificarlo.	El domingo, veneramos a Dios cuando celebramos la Eucaristía con nuestra familia y nuestros amigos. Descansamos y disfrutamos de la creación.
4. Respeta a tu padre y a tu madre.	Amamos, honramos, respetamos y obedecemos a nuestros padres y a todos los adultos que nos cuidan.
5. No mates.	Creemos que Dios nos da el don de la vida. Debemos proteger la vida de los niños no nacidos, de los enfermos y de los ancianos. Respetamos la vida de todas las criaturas. Vivimos pacíficamente para impedir que un daño llegue a los demás y a nosotros mismos.
6. No cometas adulterio.	Dios creó al hombre y a la mujer a su imagen. Dios nos llama a cada uno para que aceptemos nuestra identidad. La Iglesia nos enseña que la castidad es importante para nosotros, para que estemos sanos y seamos felices. Debemos respetar nuestro cuerpo y el cuerpo de los demás. Honramos la alianza matrimonial para toda la vida.
7. No robes.	Cuidamos bien de los dones que Dios nos ha dado y los compartimos con los demás. Queremos que los que vienen después de nosotros también los tengan. No engañamos.
8. No atestigües en falso contra tu prójimo.	No debemos decir mentiras ni engañar a los demás a propósito. No debemos lastimar a los demás con lo que decimos. Si hemos engañado a alguien, debemos reparar lo que hemos dicho.
9. No codicies la mujer de tu prójimo.	Respetamos las promesas que las personas casadas se han hecho mutuamente. Siempre debemos vestirnos y actuar de manera decente.
10. No codicies nada de lo que le pertenece a tu prójimo.	Estamos satisfechos con lo que tenemos. No somos celosos, envidiosos ni avaros. El Evangelio nos enseña que pongamos a Dios primero en nuestra vida.

ABOUT
THE COMMANDMENTS

The Ten Commandments are God's laws of love. (Exodus 20:1–17)
God gave us the commandments as a gift to help us live in peace.

The Ten Commandments	Living the Ten Commandments
1. I am the Lord your God. You shall not have other gods besides me.	We believe in God. We only worship God. We love him more than everyone and everything else. We offer God prayers of adoration and of thanksgiving.
2. You shall not take the name of the Lord, your God, in vain.	We never use the name of God or Jesus in an angry way. We use the names of God, Jesus, Mary, and the saints with respect at all times.
3. Remember to keep holy the Sabbath day.	On Sunday we worship God by celebrating Eucharist with our family and friends. We rest and enjoy creation.
4. Honor your father and mother.	We love, honor, respect, and obey our parents and all adults who care for us.
5. You shall not kill.	We believe that God gives us the gift of life. We must protect the lives of children not yet born, the sick, and the elderly. We respect the life of all creatures. We live peacefully to prevent harm from coming to others and ourselves.
6. You shall not commit adultery.	God created man and woman in his image. God calls each to accept his or her identity. The Church teaches that chastity is important for us to be healthy and happy. We must respect our bodies and the bodies of others. We honor the lifelong marriage covenant.
7. You shall not steal.	We take good care of the gifts that God has given us and share them with others. We want others who come after us to have them, too. We do not cheat.
8. You shall not bear false witness against your neighbor.	We must not tell lies, or mislead others on purpose. We must not hurt others by what we say. If we have misled somebody, then we must correct what we have said.
9. You shall not covet your neighbor's wife.	We respect the promises married people have made to each other. We must always dress and act in a decent way.
10. You shall not covet anything that belongs to your neighbor.	We are satisfied with what we have. We are not jealous, envious, or greedy. The Gospel teaches us to place God first in our lives.

El Gran Mandamiento

Los tres primeros mandamientos nos ayudan a amar a Dios. Los siete siguientes nos guían en la manera de amar a los demás y a nosotros mismos. Jesús nos dijo que los Diez Mandamientos podían resumirse en el Gran Mandamiento. "Ama a Dios con todo tu corazón, con toda tu mente y con toda tu fuerza; y ama a tu prójimo como a ti mismo" (basado en Marcos 12:30–31).

El Nuevo Mandamiento

Jesús nos dijo que, además de darnos el Gran Mandamiento, también quería que siguiéramos el Nuevo Mandamiento. El Nuevo Mandamiento que Jesús nos da es "Ámense los unos a los otros como yo los amo" (basado en Juan 13:34).

El amor de Cristo por nosotros es el ejemplo perfecto de cómo hay que vivir. Cuando amamos a los demás y los tratamos como Jesús nos enseña, vivimos en dicha y en libertad.

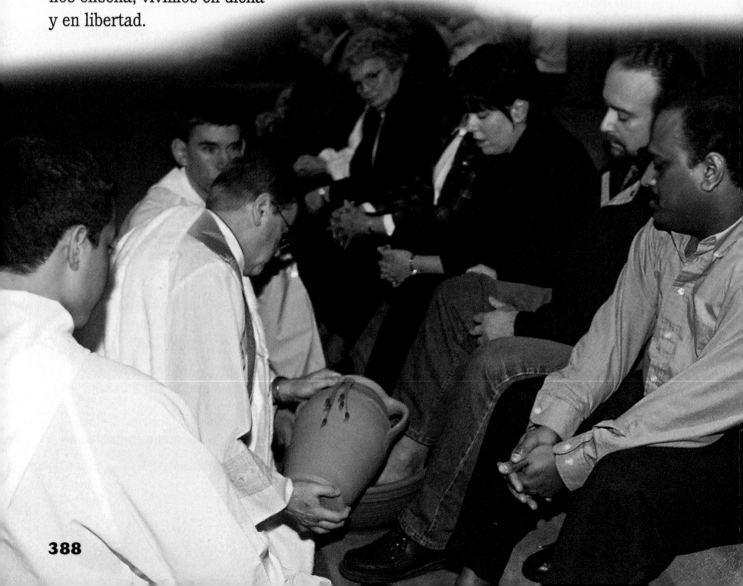

The Great Commandment

The first three commandments help us love God. The next seven commandments guide us in ways to love others and ourselves. Jesus told us that all Ten Commandments could be summed up in the Great Commandment. "Love God with all your heart, with all your mind, and all your strength; and love your neighbor as yourself." (based on Mark 12:30–31)

The New Commandment

Jesus told us that besides giving us the Great Commandment, he also wanted us to keep the New Commandment. The New Commandment that Jesus gives us is, "Love one another as I love you." (based on John 13:34)

Christ's love for us is the perfect example of how to live. When we love others and treat them as Jesus teaches us, we live in happiness and freedom.

ACERCA DE
LAS VOCACIONES

Dios nos invita a elegir maneras de ayudar a los demás. Este llamado de Dios a vivir nuestra vida cristiana con mayor plenitud es nuestra vocación.

Muchas formas de ayudar

Dios quiere que todos los católicos ayuden a los demás como miembros de la comunidad de su parroquia. Algunas de las formas en que ayudan están en la Misa. Pueden leer la Sagrada Escritura, dirigir la música, cantar en un coro o dar la Sagrada Comunión. Otras formas de ayudar son enseñar a los demás acerca del amor de Dios por ellos y trabajar para ayudar a los necesitados.

Los obispos y los sacerdotes están llamados a guiar a la comunidad católica en la celebración de los sacramentos y en la enseñanza de la Palabra de Dios. Los diáconos son ministros ordenados. Dicen las homilías, presiden la celebración del Bautismo y del Matrimonio. Sirven a las personas necesitadas.

Las hermanas y los hermanos religiosos son laicos que dedican su vida al servicio de los demás. Pueden vivir en comunidades religiosas. Prometen a Dios y a su comunidad vivir sencillamente y hacer la obra de sus comunidades.

Muchos otros hombres y mujeres laicos también dedican su vida al servicio de los demás. La vocación del matrimonio lleva a un hombre y a una mujer a servir a Dios y a su comunidad. Por medio de la obra de la Iglesia, los laicos sirven a Dios y a los demás. Pueden servir como catequistas, músicos, maestros, trabajadores de hospital o misioneros. Todos ayudan a la comunidad católica a vivir como Jesús nos enseñó.

ABOUT
VOCATIONS

God invites us to choose ways to help others. This call from God to live our Christian life more fully is our vocation.

Many Ways of Helping

God wants all Catholics to help others as members of their parish community. Some of the ways they help are at Mass. They may read Scripture, lead music, sing in a choir, or give out Holy Communion. Other ways to help include teaching others about God's love for them and working to help those in need.

Bishops and priests are called to lead the Catholic community in celebrating the sacraments and in teaching God's word. Deacons are ordained ministers. They preach homilies, preside at the celebrations of Baptism and Matrimony. They serve people in need.

Religious sisters and brothers are lay people who dedicate their lives to serving others. They may live in religious communities. They promise God and their communities to live simply and do the work of their communities.

Many other lay men and women also commit their lives to serving others. The vocation of marriage brings a man and woman together to serve God and their community. Through the work of the Church, lay people serve God and others. They may serve as catechists, musicians, teachers, hospital workers, or missionaries. They all help the Catholic community live as Jesus taught us to live.

CÓMO REZAMOS LOS CATÓLICOS

Cuando rezamos, demostramos nuestra fe en Dios. Podemos rezar en privado. También podemos rezar con los demás en la comunidad católica cuando nos reunimos para practicar el culto.

ACERCA DE LA ORACIÓN

La oración es escuchar a Dios y hablar con Él. Podemos rezar para alabar y dar gracias a Dios. Podemos decirle a Dios que estamos arrepentidos y pedirle que nos perdone. Podemos rezar para pedirle a Dios bendiciones especiales para nosotros y los demás. A veces, le pedimos a María o a uno de los santos que recen por nosotros. Creemos que Dios siempre oye nuestras oraciones. Creemos que Dios responde nuestras oraciones de la mejor manera para nosotros.

ACERCA DE LAS CLASES DE ORACIÓN

Así como tenemos maneras diferentes de ser con nuestros amigos, tenemos maneras diferentes de rezarle a Dios.

Oraciones con palabras

Hablamos con Dios de la misma manera en que hablaríamos con nuestros amigos o nuestros padres. También aprendemos oraciones que forman parte de nuestra herencia católica. Algunas de estas oraciones son el Padre Nuestro, el Ave María y el Gloria al Padre.

Como católicos, empezamos nuestras oraciones con la Señal de la Cruz. Esta oración nos recuerda nuestro Bautismo. Terminamos nuestras oraciones con "Amén", que significa "yo creo".

HOW CATHOLICS PRAY

When we pray, we show our faith in God. We can pray privately by ourselves. We can also pray with others in the Catholic community where we gather to worship.

ABOUT
PRAYER

Prayer is listening and talking to God. We can pray to praise and thank God. We can tell God we are sorry and ask forgiveness. We can pray to ask God for special blessings for ourselves and for others. Sometimes, we ask Mary or one of the saints to pray for us. We believe God always hears our prayers. We believe God answers our prayers in the way that is best for us.

ABOUT
KINDS OF PRAYER

Just as we have different ways of being with our friends, we have different ways of praying to God.

Prayers with Words

We talk to God just as we would speak to our friends or parents. We also learn prayers that are part of our Catholic heritage. Some of these prayers are the Our Father, the Hail Mary, and the Glory Be to the Father.

As Catholics, we begin our prayers with the Sign of the Cross. This prayer reminds us of our Baptism. We end our prayers with "Amen," which means, "I believe."

Podemos rezar sin hablar. Cuando estamos en silencio y pensamos en Dios, estamos rezando.

La **meditación** es una oración silenciosa. En este tipo de oración, Dios nos habla en nuestro corazón. Para oír a Dios, debemos relajarnos, pensar y usar nuestra imaginación. Dios puede darnos una buena idea o dejarnos con un deseo de hacer algo bueno.

Las cosas hermosas de la naturaleza nos recuerdan a Dios: un atardecer, el océano, una flor, nuestras mascotas. Al verlos, podemos rezar una oración silenciosa de agradecimiento a Dios.

Hay muchas maneras de meditar. Podemos usar nuestra imaginación para pensar en Dios, en Jesús, en el Espíritu Santo o en María. Podemos rezar recordando un relato de la Biblia. Podemos rezar pensando lenta y cuidadosamente en algo que es importante para nosotros.

ACERCA DEL
ROSARIO

El Rosario es una oración que honra a María, la madre de Jesús. Cuando rezamos el Rosario, sostenemos las cuentas de nuestro rosario. Repetimos una y otra vez el Ave María y las demás oraciones. También recordamos acontecimientos importantes de la vida de Jesús y de María. A estos acontecimientos los llamamos misterios.

La tradición de usar cuentas para rezar se remonta a la época de los primeros cristianos. Las cuentas nos ayudan a contar las distintas oraciones importantes que se repiten. Repetir las oraciones nos ayuda a pensar en las palabras que estamos diciendo.

Quiet Prayer

We can pray without speaking. When we are quiet and we think about God, we are praying.

Meditation is quiet prayer. In this kind of prayer, God speaks to us in our hearts. To hear God we must relax, think and use our imagination. God may give us a good idea or leave us with a desire to do something good.

Beautiful things in nature remind us of God—a sunset, the ocean, a flower, our pets. Seeing them can lead us to pray a quiet prayer of thanks to God.

There are many ways to meditate. We can use our imagination to think of God, Jesus, the Holy Spirit, or Mary. We can pray by remembering a Bible story. We can pray by thinking slowly and carefully about something that is important to us.

ABOUT
THE ROSARY

The Rosary is a prayer that honors Mary, the mother of Jesus. When we pray the Rosary we hold our rosary beads. We repeat the Hail Mary and other prayers over and over again. We also remember important events in the life of Jesus and Mary. We call these events the mysteries.

The tradition of using beads to pray goes back to the time of the early Christians. The beads help to count different important prayers being repeated. Repeating the prayers helps us to think about the words we are saying.

Rezar el Santo Rosario

1. Sostén el crucifijo. Reza el Credo de los Apóstoles.

2. En cada cuenta individual, reza el Padre Nuestro.

3. En el grupo de tres cuentas, reza tres Ave Marías. Un grupo de diez cuentas se llama decena. Por cada decena, reza diez Ave Marías.

4. Después de que se complete cada decena de Ave Marías, reza el Gloria al Padre.

5. Termina el Rosario rezando el Salve.

Cuarto misterio
Padre Nuestro

Tercer misterio
Padre Nuestro

Diez
Ave Marías,
Gloria al
Padre

Diez
Ave Marías,
Gloria al
Padre

Quinto misterio
Padre Nuestro

Segundo misterio
Padre Nuestro

Diez
Ave Marías,
Gloria al
Padre

Diez
Ave Marías,
Gloria al
Padre

Tres
Ave Marías,
Gloria al
Padre

Señal de
la Cruz y
Credo de los
Apóstoles

Padre
Nuestro

Salve

Primer misterio
Padre Nuestro

Los misterios del Rosario

Los Misterios Gozosos

1. La Anunciación
2. La Visitación
3. La Natividad
4. La presentación de Jesús en el Templo
5. El hallazgo de Jesús en el Templo

Los Misterios Luminosos

1. El Bautismo de Jesús
2. La boda de Caná
3. La proclamación del Reino de Dios
4. La transfiguración
5. La institución de la Eucaristía en la Última Cena

Los Misterios Dolorosos

1. La agonía en el huerto
2. La flagelación en la columna
3. La coronación de espinas
4. La cruz a cuestas
5. La Crucifixión

Los Misterios Gloriosos

1. La Resurrección
2. La Ascensión
3. La venida del Espíritu Santo
4. La Asunción
5. La coronación de María como Reina del Cielo

Praying the Holy Rosary

1. Hold the crucifix. Pray the Apostles' Creed.

2. For each single bead, pray the Lord's Prayer.

3. For the group of three beads, pray three Hail Marys. A group of ten beads is called a decade. For each decade, pray ten Hail Marys.

4. After each decade of Hail Marys is completed, pray the Glory Be.

5. End the Rosary by praying the Hail Holy Queen.

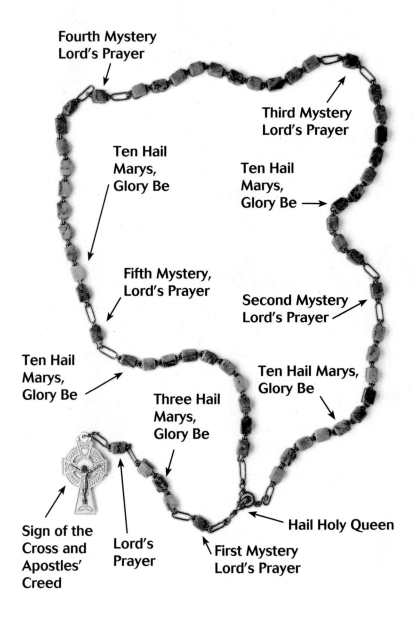

Fourth Mystery Lord's Prayer

Third Mystery Lord's Prayer

Ten Hail Marys, Glory Be

Ten Hail Marys, Glory Be →

Fifth Mystery, Lord's Prayer

Second Mystery Lord's Prayer

Ten Hail Marys, Glory Be

Ten Hail Marys, Glory Be

Three Hail Marys, Glory Be

Hail Holy Queen

Sign of the Cross and Apostles' Creed

Lord's Prayer

First Mystery Lord's Prayer

The Mysteries of the Rosary

The Joyful Mysteries

1. The Annunciation
2. The Visitation
3. The Nativity
4. The Presentation in the Temple
5. The Finding of the Child Jesus After Three Days in the Temple

The Luminous Mysteries

1. The Baptism at the Jordan
2. The Miracle at Cana
3. The Proclamation of the Kingdom and the Call to Conversion
4. The Transfiguration
5. The Institution of the Eucharist

The Sorrowful Mysteries

1. The Agony in the Garden
2. The Scourging at the Pillar
3. The Crowning with Thorns
4. The Carrying of the Cross
5. The Crucifixion and Death

The Glorious Mysteries

1. The Resurrection
2. The Ascension
3. The Descent of the Holy Spirit at Pentecost
4. The Assumption of Mary
5. The Crowning of the Blessed Virgin as Queen of Heaven and Earth

ACERCA DE
LAS ESTACIONES DE LA CRUZ

Las estaciones de la cruz se rezan, generalmente, durante el tiempo de Cuaresma. Nos reunimos como comunidad de la Iglesia para recordar el sufrimiento, la muerte y la Resurrección de Jesús. En cada estación, decimos una oración. La oración nos ayuda a recordar el sufrimiento de Jesús mientras recorrió el camino hacia la muerte en la cruz.

En las iglesias, por lo general, hay catorce estaciones. Cada estación representa un momento importante en el camino de Jesús al Calvario. A veces, las iglesias tienen una decimoquinta estación. Esta estación marca el fin del recorrido de Jesús. Señala la Resurrección de Jesucristo.

1. Jesús es condenado a muerte.

2. Jesús acepta la cruz.

3. Jesús cae por primera vez.

4. Jesús se encuentra con su madre.

5. Simón ayuda a Jesús a llevar la cruz.

6. Verónica limpia el rostro de Jesús.

7. Jesús cae por segunda vez.

8. Jesús se encuentra con las mujeres de Jerusalén.

9. Jesús cae por tercera vez.

10. Jesús es despojado de sus vestiduras.

11. Jesús es clavado en la cruz.

12. Jesús muere en la cruz.

13. Jesús es bajado de la cruz.

14. Jesús es enterrado en el sepulcro.

15. Jesucristo ha resucitado.

ABOUT
THE STATIONS OF THE CROSS

The Stations of the Cross are usually prayed during the season of Lent. We gather as a church community to remember Jesus' suffering, death, and Resurrection. At each station, we say a prayer. The prayer helps us remember the suffering of Jesus as he made his way to death on the cross.

There are usually fourteen stations in a church. Each different station represents an important moment on Jesus' walk to Calvary. Sometimes, churches have a fifteenth station. This station marks the end of Jesus' journey. It marks Jesus Christ's Resurrection.

1. Jesus is condemned to death.

2. Jesus accepts the cross.

3. Jesus falls the first time.

4. Jesus meets his mother.

5. Simon helps Jesus carry the cross.

6. Veronica wipes the face of Jesus.

7. Jesus falls the second time.

8. Jesus meets the women of Jerusalem.

9. Jesus falls the third time.

10. Jesus is stripped of his garments.

11. Jesus is nailed to the cross.

12. Jesus dies on the cross.

13. Jesus is taken down from the cross.

14. Jesus is buried in the tomb.

15. Jesus Christ is risen.

PADRE NUESTRO

Jesús enseñó a sus seguidores una oración especial para Dios Padre. Nos dio el Padre Nuestro para que podamos honrar a Dios y recordar su amor por nosotros. El Padre Nuestro es la oración más importante de la comunidad cristiana.

El Padre Nuestro

Padre nuestro, que estás en el cielo, santificado sea tu Nombre;

> Dios es nuestro Padre. Alabamos el santo nombre de Dios. Rezamos para que todos digan el nombre de Dios con amor.

venga a nosotros tu reino;

> Jesús nos habló sobre el Reino de Dios en el cielo. Rezamos para que todos vivan como Jesús nos enseñó.

hágase tu voluntad en la tierra como en el cielo.

> Rezamos para que todos obedezcan las leyes de Dios.

Danos hoy nuestro pan de cada día;

> Dios sabe lo que necesitamos. Rezamos por nuestras necesidades y por las necesidades de los pobres.

perdona nuestras ofensas, como también nosotros perdonamos a los que nos ofenden;

> Pedimos el perdón de Dios cuando hemos pecado. Necesitamos perdonar a los que nos han lastimado.

no nos dejes caer en la tentación,

> Rezamos para que Dios nos ayude a hacer buenas elecciones y a hacer lo correcto.

y líbranos del mal.

> Rezamos para que Dios nos proteja de lo que es perjudicial.

Amén.

> Cuando decimos "Amén", significa "yo creo".

ABOUT
THE LORD'S PRAYER

Jesus taught his followers a special prayer to God the Father. He gave us the Lord's Prayer so that we can honor God and remember God's love for us. The Lord's Prayer is the most important prayer of the Christian community.

The Lord's Prayer

Our Father, who art in heaven, hallowed be thy name;

God is our Father. We praise God's holy name. We pray that everyone will say God's name with love.

thy kingdom come,

Jesus told us about God's kingdom in heaven. We pray that everyone will live as Jesus taught us to live.

thy will be done on earth as it is in heaven.

We pray that everyone will obey God's laws.

Give us this day our daily bread,

God knows what we need. We pray for our needs and for the needs of the poor.

and forgive us our trespasses, as we forgive those who trespass against us;

We ask God's forgiveness when we have sinned.
We need to forgive those who have hurt us.

and lead us not into temptation,

We pray that God will help us make good choices and do what is right.

but deliver us from evil.

We pray that God will protect us from what is harmful.

Amen.

When we say, "Amen," it means, "I believe."

Glosario

alianza Una alianza es un acuerdo, o promesa, entre personas o grupos de personas. *(página 238)*

Apóstoles Los Apóstoles fueron los primeros a quienes Jesús llamó para guiar y enseñar a sus seguidores. *(página 210)*

apostólico Ser *apostólico* significa "ser fiel a las enseñanzas de Jesús y de sus Apóstoles". *(página 210)*

Atributos de la Iglesia Los Atributos de la Iglesia son signos que identifican a la Iglesia como una, santa, católica y apostólica. *(página 210)*

autoridad La autoridad es el derecho, o poder, de hacer algo. *(página 118)*

Bautismo El Bautismo es el Sacramento de la Iniciación por el que nos convertimos en miembros de la Iglesia Católica. *(página 42)*

bendición Una bendición es una oración que ruega por la protección y el cuidado de Dios. Las bendiciones también pueden alabar o dar gracias a Dios. *(página 284)*

Buena Nueva La Buena Nueva es el mensaje de Jesucristo de que Él es el Hijo de Dios. *(página 28)*

católico Ser católico es estar abierto a cualquier persona. El Espíritu Santo ayuda a la Iglesia a ser católica. *(página 150)*

cielo El cielo es la felicidad eterna con Dios y con todos los que aman a Dios. *(página 72)*

compasión *Compasión* significa "tener un sentimiento de piedad hacia los problemas de alguien y querer ayudarlo". Jesús nos enseña a sentir compasión por nuestro prójimo. *(página 90)*

compromiso El compromiso de la Iglesia es una promesa de servir a Dios y a los demás. *(página 224)*

comunidad de la Iglesia La comunidad de la Iglesia se compone de los amigos y los discípulos de Jesucristo. Ellos trabajan juntos para celebrar la Misa, los sacramentos, y para difundir las enseñanzas de Jesús. *(página 336)*

comunión de los santos Todas las personas, vivas o muertas, que creen en Jesucristo forman parte de la Comunión de los Santos. *(página 30)*

Confirmación La Confirmación es un Sacramento de la Iniciación que fortalece nuestra fe. *(página 42)*

credo Un credo es un enunciado de fe. El Credo de los Apóstoles resume las creencias y las enseñanzas de los apóstoles. *(página 252)*

Credo de los Apóstoles El Credo de los Apóstoles resume las creencias y las enseñanzas de los apóstoles. *(página 252)*

cristiano Un cristiano es una persona que cree que Jesucristo es el Hijo de Dios. *(página 30)*

devociones Las devociones son oraciones especiales para honrar a Jesús, a María o a un santo. *(página 192)*

diácono El diácono es una persona ordenada para ayudar al sacerdote a servir a la comunidad de la parroquia. *(página 240)*

Diez Mandamientos Los Diez Mandamientos son las reglas que Dios dio a Moisés para ayudarnos a vivir en paz amando a Dios, a los demás y a nosotros mismos. *(página 386)*

discípulos Los discípulos son amigos y seguidores de Jesús. *(página 44)*

Eucaristía La Eucaristía es un Sacramento de la Iniciación. En este sacramento, Jesucristo nos fortalece con su Cuerpo y Sangre. *(página 164)*

fe La fe es creer y confiar en Dios. *(página 44)*

gracia La gracia es el don de la presencia de Dios en nuestra vida. Participamos de la vida y el amor de Dios. *(página 178)*

Gran Mandamiento El Gran Mandamiento es la ley de Dios que nos enseña cómo amar a Dios, a los demás y a nosotros mismos. *(página 118)*

guía La *guía* significa "lo que dirige o muestra el camino". Rezamos para recibir la guía del Espíritu Santo. *(página 132)*

Iglesia Católica La Iglesia Católica fue establecida por Jesucristo. La Iglesia es el Cuerpo viviente de Cristo. *(página 30)*

iglesia doméstica La familia cristiana es la iglesia doméstica. Es donde los niños inicialmente aprenden acerca de Dios y la oración. *(página 58)*

iniciación *Iniciación* significa "admisión por primera vez en un grupo". *(página 42)*

justicia La justicia es el respeto y el trato imparcial hacia todos. *(página 298)*

laico Un laico es cualquier cristiano con excepción de los obispos, sacerdotes y diáconos. *(página 284)*

liturgia La liturgia es una manera especial de venerar y alabar a Dios. *(página 164)*

Liturgia de la Horas La Liturgia de las Horas es una oración diaria de la Iglesia Católica que une a sus miembros en todo el mundo. *(página 312)*

mandamiento Un mandamiento es la ley de Dios que nos enseña cómo amar a Dios, a los demás y a nosotros mismos. *(página 118)*

Matrimonio El Matrimonio es el sacramento en el que un hombre y una mujer se comprometen a amarse el uno al otro por toda la vida como marido y mujer. *(página 224)*

mediador de paz El mediador de paz es una persona justa que respeta a los demás. Jesús llama a todas las personas a ser mediadores de paz. *(página 312)*

meditación La meditación es uno de los cuatro tipos de oración. Durante la meditación, rezamos sin usar palabras para poder escuchar a Dios. *(página 394)*

ministerio El ministerio es una manera de servir a los demás en el nombre de Jesús. Nuestro ministerio es servir a los demás trabajando por la paz y la justicia. *(página 298)*

misericordia La misericordia es la gran caridad y generosidad del perdón y amor de Dios. *(página 90)*

misionero El misionero cuenta la Buena Nueva de Jesús a los demás. *(página 178)*

Misterio Pascual El Misterio Pascual es el sufrimiento, la muerte, la Resurrección y la Ascensión de Jesucristo. *(página 150)*

obispo El obispo es un líder de una diócesis. *(página 42)*

ofender *Ofender* significa "hacer algo malo a la otra persona". *(página 72)*

óleo consagrado El óleo consagrado es el aceite especial que se usa en las celebraciones de la Iglesia. *(página 44)*

Orden Sagrado El Orden Sagrado es un Sacramento al Servicio de la Comunidad en el que se ordena a los obispos, sacerdotes y diáconos para un servicio especial de la iglesia. *(página 224)*

Palabra de Dios La Palabra de Dios es Dios hablando con nosotros a través de la Sagrada Escritura. *(página 116)*

paz La paz es el sentimiento tranquilo y bueno de estar unido a los demás y a Dios. *(página 298)*

pecado El pecado es la elección de alejarse del amor de Dios. *(página 90)*

pecado mortal El pecado mortal es un pecado grave que nos separa de la gracia de Dios. *(página 104)*

pecado original El pecado original es el pecado que cometieron el primer hombre y la primera mujer. Recibimos este primer pecado de ellos. *(página 90)*

pecado venial Cometemos un pecado venial cuando nos desviamos un poco del plan de Dios. *(página 104)*

Pentecostés Pentecostés es el día en el que los discípulos de Jesucristo recibieron el don del Espíritu Santo. *(página 192)*

prójimo El prójimo es una persona creada por Dios. Demostramos nuestro amor por Dios al amar a nuestro prójimo. *(página 58)*

Reconciliación La Reconciliación es un Sacramento de Curación que celebra el don del amor y del perdón de Dios. *(página 104)*

Reino de Dios El Reino de Dios es la paz, el amor y la justicia que todo el pueblo de Dios compartirá al final de los tiempos. Este reino comienza aquí en la tierra. *(página 72)*

religiosos Los religiosos son las personas que forman parte de una comunidad religiosa. Son sacerdotes, hermanos o hermanas. Prometen a Dios y a sus comunidades llevar vidas sencillas. *(página 228)*

respeto *Respeto* es "mostrar que todos somos valiosos, actuando con bondad hacia los demás". *(página 118)*

Resurrección La Resurrección es la vuelta de Jesucristo de entre los muertos a la vida. La muerte y la Resurrección de Jesucristo son para todos. *(página 150)*

Rosario El Rosario es una oración especial que alaba a María. El Rosario nos ayuda a meditar sobre los acontecimientos en la vida de Jesús. *(página 192)*

sacramental Un sacramental es una acción, una palabra o un objeto que nos recuerda que la vida es sagrada. Nos ayuda a recibir la gracia de Dios. *(página 284)*

sacramento Un sacramento es el amor y la gracia de Dios celebrados de manera especial por la iglesia. *(página 284)*

Sacramentos al Servicio de la Comunidad Los Sacramentos al Servicio de la Comunidad son el Orden Sagrado y el Matrimonio. En estos sacramentos, las personas prometen servir a Cristo, a la Iglesia y a los demás. *(página 224)*

Sacramentos de la Iniciación Los Sacramentos de la Iniciación son: Bautismo, Confirmación y Eucaristía. La Iglesia da la bienvenida a los nuevos miembros a través de los Sacramentos de la Iniciación. *(página 44)*

Sagrada Escritura La Sagrada Escritura es la Palabra escrita de Dios que se encuentra en la Biblia. *(página 164)*

santificado *Santificado* significa "algo que se honra porque es santo". El nombre de Dios es santificado. *(página 72)*

Santísima Trinidad La Santísima Trinidad es un Dios en tres Personas. Dios se presenta como el Padre, el Hijo y el Espíritu Santo. *(página 132)*

talentos Los talentos son las habilidades o dones para hacer algo bien. Podemos usar nuestros talentos para servir a los demás como Jesús nos enseñó. *(página 164)*

Unción de los Enfermos La Unción de los Enfermos es un Sacramento de Curación que da el consuelo y el perdón de Jesús a los enfermos, ancianos o moribundos. *(página 104)*

ungir El sacerdote unge la frente y las manos de los enfermos con el óleo consagrado. *(página 104)*

vida eterna La vida eterna es la felicidad con Jesucristo por siempre en el reino de Dios. *(página 270)*

vocación La vocación es el llamado de Dios para que usemos nuestros talentos para servir a los demás. *(página 224)*

Glossary

anointing Using holy oil, a priest anoints the forehead and hands of the sick. *(page 105)*

Anointing of the Sick Anointing of the Sick is a sacrament of healing. It brings Jesus' comfort and forgiveness to people who are very sick, elderly, or near death. *(page 105)*

Apostles The Apostles were those first called by Jesus to lead and teach his followers. *(page 211)*

Apostles' Creed The Apostles' Creed sums up the beliefs and teachings of the Apostles. *(page 253)*

apostolic *Apostolic* means "to be faithful to the teachings of Jesus and his Apostles." *(page 211)*

authority Authority is the right, or power, to do something. *(page 119)*

Baptism Baptism is a Sacrament of Initiation by which we become members of the Catholic Church. *(page 43)*

bishop A bishop is an ordained leader of a diocese. *(page 43)*

blessing A blessing is a prayer that asks for God's care and protection. Blessings can also give praise and thanks to God. *(page 285)*

catholic To be catholic is to be open to anyone. The Holy Spirit helps the Church be catholic. *(page 151)*

Catholic Church The Catholic Church was founded by Jesus Christ. The Church is the living Body of Christ. *(page 31)*

Christian A Christian is a person who believes that Jesus Christ is the Son of God. *(page 31)*

Church community The Church community is made up of friends and followers of Jesus Christ. They work together to celebrate Mass, the sacraments, and to spread Jesus' teachings. *(page 337)*

commandment A commandment is God's law that teaches us how to love God, others, and ourselves. *(page 119)*

commitment A commitment in the Church is a promise to serve God and others. *(page 225)*

Communion of Saints All people, living and dead, who believe in Jesus Christ are part of the Communion of Saints. *(page 31)*

compassion *Compassion* means "to have feeling for someone's problem and want to help." Jesus teaches us to have compassion for our neighbors. *(page 91)*

Confirmation Confirmation is a Sacrament of Initiation that makes us stronger in our faith. *(page 43)*

covenant A covenant is an agreement or promise, made between persons or groups of people. *(page 239)*

creed A creed is a statement of faith. The Apostles' Creed sums up the beliefs and teachings of the Apostles. *(page 253)*

deacon A deacon is a person ordained to help the priest serve the parish community. *(page 240)*

devotions Devotions are special prayers that honor Jesus, Mary, or a saint. *(page 193)*

disciples Disciples are friends and followers of Jesus. *(page 45)*

domestic church The Christian family is the domestic church. This is the place where children first learn about God and prayer. *(page 59)*

eternal life Eternal life is happiness with Jesus Christ forever in God's kingdom. *(page 271)*

Eucharist The Eucharist is a Sacrament of Initiation. In this sacrament, Jesus Christ makes us stronger with his Body and Blood. *(page 165)*

faith Faith is belief and trust in God. *(page 45)*

Good News The Good News is Jesus Christ's message that he is the Son of God. *(page 29)*

grace Grace is the gift of God's presence in our lives. We share in God's life and love. *(page 179)*

Great Commandment The Great Commandment is God's rule that teaches us how to love God, others, and ourselves. *(page 119)*

guidance *Guidance* means "to lead or show the way." We pray for the guidance of the Holy Spirit. *(page 133)*

hallowed *Hallowed* means "to honor something as holy." God's name is hallowed. *(page 73)*

heaven Heaven is unending happiness with God and all who love God. *(page 73)*

holy oil Holy oil is a special oil used in Church celebrations. *(page 45)*

Holy Orders Holy Orders is a Sacrament at the Service of Communion in which bishops, priests, and deacons are ordained to special service in the Church. *(page 225)*

Holy Trinity The Holy Trinity is one God in three persons. God shows himself as Father, Son, and Holy Spirit. *(page 133)*

initiation *Initiation* means, "to be newly welcomed into a group." *(page 43)*

justice Justice is fair treatment and respect for everyone. *(page 299)*

Kingdom of God The Kingdom of God is the peace, love, and justice that all God's people will share at the end of time. It begins here on earth. *(page 73)*

lay person A lay person is any Christian except bishops, priests, and deacons. *(page 285)*

liturgy A liturgy is a special way to worship and praise God. *(page 165)*

Liturgy of the Hours The Liturgy of the Hours is a daily prayer of the Catholic Church. It unites members of the Church everywhere. *(page 313)*

marks of the Church The marks of the Church are signs that identify the Church as one, holy, catholic, and apostolic. *(page 211)*

Matrimony Matrimony is a Sacrament at the Service of Communion in which a man and a woman promise to love one another for their lives as husband and wife. *(page 225)*

meditation Meditation is one of the four types of prayer. In meditation, we pray without using words so we can listen to God. *(page 395)*

mercy Mercy is the great kindness and generosity of God's forgiveness and love. *(page 91)*

ministry Ministry is a way of serving others in Christ's name. Our ministry is to serve others by working for peace and justice. *(page 299)*

missionary A missionary tells others the Good News of Jesus. *(page 179)*

mortal sin A mortal sin is a serious sin that separates us from God's grace. *(page 105)*

neighbor A neighbor is a person created by God. We show we love God by loving our neighbor. *(page 59)*

original sin Original sin is the sin of the first man and woman. We received this first sin from them. *(page 91)*

Paschal Mystery The Paschal Mystery is the suffering, death, Resurrection, and Ascension of Jesus Christ. *(page 151)*

peace Peace is the calm, good feeling of being together with others and God. *(page 299)*

peacemaker A peacemaker is a fair person who respects others. Jesus calls all people to be peacemakers. *(page 313)*

Pentecost Pentecost is the day Jesus Christ's disciples received the gift of the Holy Spirit. *(page 193)*

Reconciliation Reconciliation is a Sacrament of Healing. It celebrates the gift of God's love and forgiveness. *(page 105)*

religious Religious are men and women who are part of a religious community. They serve as priests, brothers, or sisters. They make promises to God and to their communities to lead simple lives. *(page 229)*

respect *Respect* means to "show that all people are valuable by acting kindly toward others." *(page 119)*

Resurrection The Resurrection is Jesus Christ's rising from death to new life. The death and Resurrection of Jesus Christ are for everyone. *(page 151)*

Rosary The Rosary is a special devotion to Mary. It helps us meditate on the life of Jesus. *(page 193)*

sacrament A sacrament is a special church celebration of God's love and grace. *(page 45)*

sacramental A sacramental is an action, a word, or an object that reminds us life is holy. It helps us receive God's grace. *(page 285)*

Sacraments at the Service of Communion The Sacraments at the Service of Communion are Holy Orders and Matrimony. In these sacraments, persons promise to serve Christ, the Church, and others. *(page 225)*

Sacraments of Initiation The Sacraments of Initiation are Baptism, Confirmation, and Eucharist. The Church welcomes new members through the Sacraments of Initiation. *(page 45)*

Scripture Scripture is the written Word of God that is found in the Bible. *(page 165)*

sin Sin is the choice to turn away from God's love. *(page 91)*

talents Talents are abilities or gifts to do something well. We can use our talents to serve others as Jesus teaches. *(page 165)*

Ten Commandments The Ten Commandments are God's laws given to Moses to help us live in peace by loving God, others, and ourselves. *(page 387)*

trespass *Trespass* means "to do something wrong to another person." *(page 73)*

venial sin We commit a venial sin when we do not follow God's plan in some small way. *(page 105)*

vocation A vocation is God's call to use our talents to serve others. *(page 225)*

Word of God The Word of God is God speaking to us in Scripture. *(page 117)*

Índice

A

Absolución, 376
Abstenerse
  en ayuno, 340
Adviento, 330, 332
Agua viva, 148, 150
Alabanza, oraciones de, 170, 184
Alianza, 238
Amor, 58, 62
  al prójimo, 58, 120
  enseñanzas de Jesús acerca del,
    58, 118, 120
Ángeles, 348
Antiguo Testamento, 6–10, 212,
  250
Año litúrgico, 324, 325
Año litúrgico, 324, 325
Apóstoles,
  misión de los, 214, 236, 238
  Ver también, discípulos.
  y el inicio de la Iglesia, 208, 210
  y Jesús, 208, 210, 236, 238, 366
Apostólica,
  atributo de la Iglesia, 210, 368
Ascensión, 150, 210, 350, 352
Atributos de la Iglesia, 210, 410
Autoridad, 118
Ayuno, 340

B

Bautismo, 30, 42, 370, 392
  Espíritu Santo en el, 30
  prepararse para el, 46
Belén, 336
Bendición, 282, 284, 286, 288, 290
Bernardin, Joseph, Cardenal, 300,
  302
Biblia, 7, 8, 10, 76
Bienaventuranzas, 384
Buena Nueva, 28, 150, 176, 178,
  208, 210, 236, 238, 270, 284,
  348

C

Calvario, 398
Caridad, 382
Catequistas, 240
Católico(a), 150. *Ver también* Iglesia
  Católica.
Cielo, 70, 72
Compasión, 90, 215
Compromiso, 224

Comunidad de la Iglesia, 336
Comunión de los Santos, 30
Confirmación, 42, 370
Consciencia, 382
Creación, 282, 298
Credo de los Apóstoles, El, 252, 254
Credo, 252. *Ver también* Credo de los
  Apóstoles.
Cristiano(a)(s),
  deberes del, 178
  inicios de los, 30
Cristo. Ver Jesucristo.
Cuaresma, 325, 338, 240
Cuerpo de Cristo, 64
Curación, 298
  Sacramentos de 104, 108, 372
  y perdón, 86, 88, 90
  y Reconciliación, 104

D

Devociones, 192, 194
Diácono, 240, 390
  y el Bautismo, 370
  y el Orden Sagrado, 164, 262
Días festivos
  Epifanía, 325, 336
  Resurrección, 340
Diez Mandamientos, 250, 386
Dios
  confiar en, 132, 284
  palabra de, 8, 116
  voluntad de, 90
Discípulos, 44. *Ver también*
  Apóstoles.
  Esteban, 250, 252
  Etíope, 176, 178
  Felipe, 176, 178, 190
  Juan, 56, 58, 190
  Pedro, 56, 58, 190
  Santiago, 190
Domingo, 162, 164, 328

E

Éfeso, 22, 28
Epifanía, fiesta de la, 336
Esperanza, 382
Espíritu Santo, 132, 134, 138, 190,
  192, 366
  dones del, 244
  guía, 8, 176, 252
  y el Bautismo, 30
  y la Confirmación, 30, 42
  y la Iglesia, 26, 28, 30

  y Pentecostés, 190, 192
  y Unción de los Enfermos, 104
Estaciones de la cruz, 340, 398
Eucaristía, 42, 164, 370

F

Familias,
  iglesia doméstica, 58
Fe, 44, 382
Felipe (discípulo), 176, 178, 190
Franciscanos, frailes, 92, 94
Fuerza, 180

G

Gracia, 178, 180, 284
Gran Mandamiento, 118, 122, 124,
  388
Guía, 132

H

Homilía, 378

I

Iglesia Católica, 150, 366
  apostólica, función de la, 204
  Espíritu Santo y la, 28, 30
  inicio de la, 30
  María, la Madre de la, 356
  ministerio de la, 94, 210, 214,
    238
  papa, el líder de la, 240
  y el Reino de Dios, 270
Iglesia doméstica, 58
Iniciación, 44
  Sacramentos de, 42, 44, 370
Irlanda, 134
Isaías, (profeta), 116

J

Jericó, camino a, 296
  y Zaqueo, 310, 312
Jerusalén, Templo de, 54
  discípulos reunidos en, 190
  y Esteban, 250
Jesucristo, 310, 312, 336, 366
  acerca del amor y el cuidado,
    296, 298
  acerca del perdón y la curación,
    88, 90
  Ascensión de, 208, 210
  autoridad de, 118, 236
  Cuerpo y la Sangre de, el, 164

discípulos de, 44, 176, 190
enseñanzas de, 58, 70, 72, 88,
    90, 118, 120, 130, 132, 148,
    150, 190, 192, 208, 210, 236,
    268, 270
milagros de, 88, 90
nacimiento de, 328, 332, 336
oración de, 380, 382
parábolas de, 130, 296, 298
presencia de, 132
Resurrección de, 150, 190, 192,
    326, 344, 348
Señor Resucitado, el, 164
visitas a la sinagoga de Nazaret,
    32
y el amor por el Padre, 58
y el mesías, 148
y el Padre Nuestro, 70, 72
y el Reino de Dios, 72
y la samaritana junto al pozo,
    148, 150, 156
y los Apóstoles, 208, 210, 236,
    238
y María, 116, 352
Juan (discípulo), 56, 58, 190
Judíos, 70, 72, 116, 268, 282, 298
Justicia, 298

L

Laico, 284
Lector, 240
Letanía, 194, 198
    por la paz, 304
Liturgia de la Palabra, 164, 168,
    336, 376
Liturgia de las Horas, 312, 314
Liturgia Eucarística, 122, 168, 380
Liturgia, 164, 240

M

Mandamiento, 118, 122, 124
Mapa (de la Tierra Santa), 416
María Magdalena, 348
María, 252, 282, 326, 328
    devociones a, 192, 194
    Madre de la Iglesia, 194, 356
    modelo de fe, 212
    Nuestra Señora de Guadalupe,
        196
    y Jesús, 116, 354, 356
    y Pentecostés, 190, 192, 356
Mártires, 250, 252

Matrimonio, 222, 224, 226, 228,
    234, 372
Mediador de paz, 312
Meditación, 394
    en la oración, 64
Miércoles de Ceniza, 340
Ministerio, 298
Ministerios parroquiales
    ayudar a las personas que sufren,
        112
    ayudar a los pobres y
        desamparados, 66
    Comité de respeto por la vida,
        306
    consejo pastoral, 98
    cuidar del ambiente, 260
    grupo de rezo del rosario en
        familia, 200
    grupos de oración, 80
    Iglesias cristianas que trabajan
        juntas, 278
    Ministerio de la comunión para
        los enfermos, 292
    ministerio musical, 246
    ministerios juveniles, 126
    ministros de hospitalidad, 158
    Monaguillos, 172
    obra misionera mundial, 218
    Padrino o madrina de
        Confirmación, 52
    pastores (sacerdotes), 140
    Sociedad del Rosario, 320
    trabajadores de mantenimiento,
        186
    visiones, vocaciones, 232
Misa, 376, 378, 380
    Gloria, 170
    Liturgia de la Palabra, 164
    Liturgia Eucarística, 164
    partes de la, 166, 168, 376, 378,
        380
    Ritos Iniciales, 167
    y el Orden Sagrado, 224
    y Matrimonio, 224
Misericordia, 92
Misionero, 170, 180
Misterio Pascual, 150
Moisés, 250
Monaguillos, 240

N

Navidad, 334, 336
Nuestra Señora de Guadalupe, 196

Nuevo Mandamiento, 388
Nuevo Testamento, 8, 10, 12, 212

O

Obispo, en la Confirmación, 42, 370,
    390
    función del, 240
    y el Orden Sagrado, 226
Ofensas, 70, 72
Óleo consagrado, 42
Oraciones, 12, 14, 16, 18, 392, 394
    Ave María, El, 14, 194
    clases de, 74, 76, 170, 184, 392,
        394, 400
    Credo de los Apóstoles, El, 18,
        254, 258, 398
    Credo de Nicea, 18
    de acción de gracias, 74, 76
    de África occidental, 184
    de alabanza, 74, 76, 170, 184, 284
    de bendición, 290
    de compartir, 78
    de compromiso, 244
    de iniciación, 50
    de la Santísima Trinidad, 138
    de petición, 36, 74, 76, 124, 276
    de profesión de fe, 216
    en inglés, 196
    en polaco, 156
    en vietnamita, 170
    Gloria al Padre, 14, 396
    Letanía de María, 198
    Letanía por la paz, 304
    Liturgia de las Horas, 312, 314,
        318
    meditación, 64, 394
    Oración del penitente, 16
    Padre Nuestro, El, 12, 70, 72, 78,
        396
    para recibir la guía, 156
    por la paz del mundo, 318
    por nuestra vocación, 230
    Respuesta, 96
    Señal de la Cruz, 12, 396
    Últimas Siete Palabras de Cristo,
        Las, 16
Orden Sagrado, 222, 224, 226, 372

P

Padre Nuestro, 12
Padre Nuestro, 70, 72, 78, 382,
    400

Palabra de Dios, 8, 116, 118
Papa, 240
Pascua, 326, 340, 346, 348
Paz, 298, 300, 302
   oración por la, 304
Pecado mortal, 105
Pecado original, 90
Pecado venial, 104
Pecado, 88, 90
   original, 90
   mortal, 104
   venial, 104
Penitencia. Ver Reconciliación.
Penitente, oración del, 80
Pentecostés, 188, 190, 192, 250,
   356
Perdón, 88, 90, 94
Petición, oración de, 74, 76
Prójimo, 118, 298
Pueblo de Dios, 242, 244

R

Reconciliación
   celebración de la, 374
   examen de conciencia, 108
   perdón y, 102, 104
   sacramento de la, 104, 372
Reino de Dios, 72, 268, 270, 272,
   274, 276
Religioso (a) (hermanos y
   hermanas), 92, 228, 390
Respeto, 118
Resurrección, 150, 162, 344, 348
Reyes Magos, 336
Rito de
   Aceptación, 160
   Ordenación Diaconal, 230
   Ordenación Sacerdotal, 222
   Matrimonio, 220
   Penitencia, 110
   Reconciliación, 374
Rosario, 192, 194, 196, 394, 396
   misterios de, 396

S

Sacerdotes, 224, 390
   primer afroamericano, 180
   y el Bautismo, 370
   y el Matrimonio, 226
   y el Orden Sagrado, 224, 390
   y la Confirmación, 370
   y la Eucaristía, 370

   y la Reconciliación, 374
   y la Unción de los enfermos, 372
Sacramental, 284
Sacramento al Servicio de la
   Comunidad, 222, 224
Sacramento de la Reconciliación,
   104, 108, 374
Sacramento, 42, 44, 370, 372
Sacramentos de Curación, 105, 372
Sacramentos de la Iniciación, 42,
   44, 46, 370
Sagrada Escritura, 164
Sagrada Escritura, relatos de la,
   el buen samaritano, 296
   el fuego en Pentecostés, 190, 192
   el hombre que siguió pidiendo
     comida, 130
   el mendigo paralítico, 56
   el Padre Nuestro, 70
   Esteban es llamado a servir, 250
   Felipe y el etíope, 176
   Jesús cura a un enfermo, 88
   Jesús describe el Reino de Dios,
     268
   Jesús envía a los Apóstoles, 208
   Jesús nos enseña cómo amar y
     cuidar de los demás, 116
   la misión de los Apóstoles, 236
   la mujer samaritana, 148
   San Pablo, mensaje de, 28
   Zaqueo el recaudador de
     impuestos, 310
Salmos, 76, 308
Santiago (discípulo), 190
Santificado, 70, 72
Santísima Trinidad, 132, 138, 366
   como el Espíritu Santo, 42, 44,
     58, 132, 190, 192, 210, 252,
     352, 356, 366
   como el Hijo, 30, 58, 90, 124,
     132, 190, 210, 352, 356, 366
   como el Padre, 58, 72, 74, 90,
     118, 132, 252, 352, 356, 366
   y el Credo de los Apóstoles, 252
   y el Orden Sagrado, 222, 224
   y San Patricio, 134
Santos y beatos
   Catalina de Siena, 328
   Domingo Savio, 360
   Dorothy Day, 362
   Esteban, 250, 252
   Fracisco de Asís, 92, 94, 96

   José, 282
   Juan Bosco, 360
   María Magdalena, 348
   María, 328, 354, 356
   Martín de Tours, 60
   Pablo, 28, 30, 316
   Patricio, 134, 330
   Pedro, 36, 56, 58
Semana Santa, 342, 344
Señal de la Cruz, 12, 392

T

Tabernáculo, 74
Talentos, 164, 228, 234, 238, 242,
   244
Tiempo Ordinario, 325
Tolton, Augustus, 180
Unción de los enfermos, 105

V

Vía Crucis, 298
Vida eterna, 148, 270, 296
Vida eterna, 344, 368, 372
Viernes Santo, 344
Vocación, 254, 228, 240, 390

Index

A

Absolution, 377
Abstain
  as in fasting, 341
Advent, 331, 333
Altar servers, 241
Angels, 349
Anointing of the Sick, 106
Apostles,
  and early Church, 209, 211
  and Jesus, 209, 211, 237, 239, 367
  mission of, 215, 237, 239
  See also disciples.
Apostles' Creed, The, 253, 255
Apostolic,
  as mark of the Church, 211, 369
Ascension, 151, 211, 351, 353
Ash Wednesday, 341
Authority, 119

B

Baptism, 31, 43, 371, 393
  Holy Spirit in, 31
  preparing for, 47
Beatitudes, 385
Bernardin, Joseph Cardinal, 301, 303
Bethlehem, 337
Bible, 7, 9, 11, 77
Bishop, at Confirmation, 43, 371, 391
  and Holy Orders, 227
  role of, 241
Blessing, 283, 285, 287, 289, 291
Body of Christ, 65

C

Calvary, 399
Catechists, 241
Catholic, 151. *See also* Catholic Church.
Catholic Church, 151, 367
  apostolic role of, 205
  early, 31
  Holy Spirit and, 29, 31
  and Kingdom of God, 271
  Mary as Mother of, 357
  ministry of 95, 211, 215, 239
  pope as leader of, 241
Charity, 383

Christ. *See* Jesus Christ.
Christian,
  duty of, 179
  early, 31
Christmas, 335, 337
Church year, 326, 327
Church community, 337
Commandment, 119, 123, 125
Commitment, 225
Communion of Saints, 31
Compassion, 91, 216
Confirmation, 43, 371
Conscience, 383
Contrition, prayer of, 81
Covenant, 239
Creation, 283, 299
Creed, 253. *See also* Apostles' Creed.

D

Deacon, 241, 391
  and Baptism, 371
  and Holy Orders, 165, 263
Devotions, 193, 195
Disciples, 45. *See also* Apostles.
  Ethiopian man, 177, 179
  James, 191
  John, 57, 59, 191
  Peter, 57, 59, 191
  Philip, 177, 179, 191
  Stephen, 251, 253
Domestic church, 59

E

Easter, 327, 341, 347, 349
Ephesus, 23, 29
Epiphany, Feast of the, 337
Eternal life, 149, 271, 297
Eucharist, 43, 165, 371

F

Faith, 45, 383
Families,
  as domestic church, 59
Fasting, 341
Feast days
  the Epiphany, 327, 337
  the Resurrection, 341
Forgiveness, 89, 91, 95
Franciscan friars, 93, 95

G

God
trusting in, 133, 285
  will of, 91
  word of, 9, 117
Good Friday, 345
Good News, 29, 151, 177, 179, 209, 211, 237, 239, 271, 285, 349
Grace, 179, 181, 285
Great Commandment, 119, 123, 125, 39
Guidance, 133

H

Hallowed, 71, 73
Healing, 299
  and forgiveness, 87, 91, 89
  and Reconciliation, 105
  Sacraments of 105, 109, 373
Heaven, 71, 73
Holy Oil, 43
Holy Orders, 223, 225, 227, 373
Holy Spirit, 133, 135, 139, 191, 193, 367
  and Anointing the Sick, 105
  and Baptism, 31
  and the Church, 27, 29, 31
  and Confirmation, 31, 43
  gifts of, 245
  guidance, 9, 177, 253
  and Pentecost, 191, 193
Holy Trinity, 133, 139, 367
  and Apostles' Creed, 253
  and Holy Orders, 223, 225
  and Saint Patrick, 135
  as Father, 59, 73, 75, 91, 119, 133, 253, 353, 357, 367
  as Son, 31, 59, 91, 125, 133, 191, 211, 353, 357, 367
  as Holy Spirit, 43, 45, 59, 133, 191, 193, 211, 253, 353, 357, 367
Holy Week, 343, 345
Homily, 379
Hope, 383

I

Initiation, 45
  Sacraments of, 43, 45, 371
Ireland, 135
Isaiah, (prophet), 117

J

James (disciple), 191
Jericho, road to, 297
   and Zacchaeus, 311, 313
Jerusalem, Temple in, 55
   and Stephen, 251
   disciples gathered in, 191
Jesus Christ, 311, 313, 337, 367
   and the Apostles, 209, 211, 237, 239
   Ascension of, 209, 211
   authority of, 119, 237
   birth of, 329, 333, 337
   Body and Blood of, 165
   disciples of, 45, 177, 191
   on forgiveness and healing, 89, 91
   and Kingdom of God, 73
   and love for the Father, 59
   and The Lord's Prayer, 71, 73
   on love and caring, 297, 299
   and Mary, 117, 353
   and messiah, 149
   miracles of, 89, 91
   parables of, 131, 297, 299
   prayer of, 381, 383
   presence of, 133
   Resurrection of, 151, 191, 193, 327, 345, 349
   the Risen Lord, 165
   teachings of, 59, 71, 73, 89, 91, 119, 121, 131, 133, 149, 151, 191, 193, 209, 211, 237, 269, 271
   and with Samaritan woman at well, 149, 151, 157
   visits synagogue in Nazareth, 33
Jews, 71, 73, 117, 269, 283, 299
John (disciple), 57, 59, 191
Justice, 299

K

Kingdom of God, 73, 269, 271, 273, 275, 277

L

Lay person, 285
Lector, 241
Lent, 327, 339, 241
Life everlasting, 345, 369, 373
Litany, 195, 199
   for peace, 305
Liturgical year, 326, 327

Liturgy, 165, 241
Liturgy of the Eucharist, 123, 169, 381
Liturgy of the Word, 165, 169, 337, 377
Liturgy of the Hours, 313, 315
Living water, 149, 151
Lord's Prayer, 71, 73, 79, 383, 401
Love, 59, 63
   Jesus' teachings about, 59, 119, 121
   for neighbors, 59, 121

M

Magi, 337
Map (Holy Land), 416
Marks of the Church, 211, 411
Marriage, 223, 225, 227, 229, 239, 373. *See also* Matrimony.
Martyrs, 251, 253
Mary, 254, 283, 327, 329
   devotions to, 193, 195
   and Jesus, 117, 355, 357
   as model of faith, 213
   as Mother of the Church, 195, 357
   Our Lady of Guadalupe, 197
   and Pentecost, 191, 193, 357
Mary Magdalene, 349
Mass, 377, 379, 381
   Gloria, 171
   and Holy Orders, 225
   Introductory Rites, 167
   Liturgy of the Eucharist, 165
   Liturgy of the Word, 165
   and Matrimony, 225
   parts of, 167, 169, 377, 379, 381
Matrimony, 223, 225, 227, 229, 235, 373
Meditation, 395
   in prayer, 65
Mercy, 91
Ministry, 299
Missionary, 171, 181
Mortal sin, 105
Moses, 251

N

Neighbor, 91, 217
New Commandment, 271
New Testament, 18–20, 156, 181

O

Neighbor, 119, 299
New Commandment, 389
New Testament, 9, 11, 13, 213

P

Parish ministries
   altar servers, 173
   caring for the environment, 261
   Christian churches working together, 279
   Communion ministry to the sick, 293
   Confirmation sponsor, 53
   family Rosary groups, 201
   helping poor and homeless people, 67
   helping people who are grieving, 113
   ministers of hospitality, 159
   maintenance workers, 187
   music ministry, 247
   pastoral council, 99
   pastors, 141
   prayer groups, 81
   Respect Life committee, 307
   Rosary Society, 321
   visions, vocations, 233
   world mission work, 219
   youth ministries, 127
Paschal Mystery, 151
Peace, 299, 301, 303
   prayer for, 305
Peacemaker, 313
Penance. *See* Reconciliation.
Pentecost, 189, 191, 193, 251, 357
People of God, 243, 245
Petition, prayer of, 75, 77
Philip (disciple), 177, 179, 191
Pope, 241
Praise, prayers of, 171, 185
Prayers, 13, 15, 17, 19, 393, 395
   Act of Contrition, 17
   A Litany for Mary, 199
   Apostles' Creed, The, 19, 255, 259, 397
   for guidance, 157
   for world peace, 230
   for our vocation, 168
   Glory Be, 11, 276

Hail Mary, The, 15, 195
  in Polish, 157
  in Spanish, 197
  in Vietnamese, 171
  kinds of, 75, 77, 171, 185, 393,
    395, 401
  Litany for Peace, 305
  Liturgy of the Hours, 313, 315,
    319
  Lord's Prayer, The, 13, 71, 73,
    79, 397
  meditation, 65, 395
  Nicene Creed, 19
  of belief, 217
  of blessing, 291
  of commitment, 245
  of initiation, 51
  of petition, 37, 75, 77, 125, 277
  of praise, 75, 77, 171, 185, 285
  of sharing, 79
  Response, 97
  Seven Last Words of Christ, The,
    17
  Sign of the Cross, 13, 397
  of Thanksgiving, 75, 77
  to the Holy Trinity, 139
  West African, 185
Priests, 225, 391
  and Anointing of the Sick, 373
  and Baptism, 371
  and Confirmation, 371
  and the Eucharist, 371
  and Holy Orders, 225, 391
  and Matrimony, 227
  and Reconciliation, 375
  first American black, 181
Psalms, 77, 309

R

Reconciliation
  celebration of, 375
  examination of conscience, 109
  forgiveness and, 103, 105
  sacrament of, 105, 373
Religious (brothers and sisters), 93,
  229, 391
Respect, 119
Resurrection, 151, 163, 345, 349
Rite of
  Acceptance, 161
  Ordination of a Deacon, 231
  Ordination of a Priest, 223

Marriage, 221
  Penance, 111
  Reconciliation, 375
Rosary, 193, 195, 197, 395, 397
  mysteries of, 397

S

Sacrament, 43, 45, 371, 373
Sacramental, 285
Sacrament at the Service of
  Communion, 223, 225
Sacraments of Healing, 105, 373
Sacraments of Initiation, 43, 45, 47,
  371
Sacrament of Reconciliation,
  105, 109, 375
Saints and holy people
  Catherine of Siena, 329
  Dominic Savio, 361
  Dorothy Day, 363
  Francis of Assisi, 93, 95, 97
  John Bosco, 361
  Joseph, 283
  Martin of Tours, 61
  Mary, 329, 355, 357
  Mary Magdalene, 349
  Patrick, 135, 331
  Paul, 29, 31, 317
  Peter, 37, 57, 59
  Stephen, 251, 253
Scripture, 165
Scripture stories
  the Apostles' mission, 237
  the fire at Pentecost, 191, 193
  the good Samaritan, 297
  Jesus cures a sick man, 89
  Jesus describes God's Kingdom,
    269
  Jesus sends the Apostles, 209
  Jesus teaches us to love and care,
    117
  the man who kept asking for
    food, 131
  the paralyzed beggar, 57
  Philip and the Ethiopian, 177
  Saint Paul's message, 29
  Stephen is called to serve, 251
  the Samaritan woman, 149
  the Lord's Prayer, 71
  Zacchaeus the tax collector, 311
Sign of the Cross, 13, 393
Sin, 89, 91

original, 91
  mortal, 105
  venial, 105
Stations of the Cross, 341, 399
Strength, 181
Sunday, 163, 165, 329

T

Tabernacle, 75
Talents, 165, 229, 235, 239, 243,
  245
Ten Commandments, 251, 387
Tolton, Augustus, 181
Trespass, 71, 73

V

Venial sin, 105
Vocation, 225, 229, 241, 391

W

Way of the Cross, 399
Word of God, 9, 117, 119

La Tierra Santa en la época de Jesús
The Holy Land in the Time of Jesus

GALILEA
GALILEE

Mar de Galilea
Sea of Galilee

Nazaret
Nazareth

SAMARIA

Río Jordán
River Jordan

Jericó
Jericho

Jerusalén
Jerusalem

Bethlehem
Belén

Mar Muerto
Dead Sea

Mar Mediterráneo
Mediterranean Sea

JUDEA